Mirtilli Morgana • Claudia Boselli
Gabriella Manzoni • Sonia Beretta

T3-BSI-792

BUON VIAGGIO in ITALIA

An easy way to learn Italian

Course for Middle School & High School
Student's Book Level 1

TARGET LANGUAGE

Buon viaggio in Italia

Mirtilli Morgana • Claudia Boselli
Gabriella Manzoni • Sonia Beretta

Development Editor: Evelyn Marx Pollack
Editorial Consultant: Maria Palandra

Project Leader: Mirtilli Morgana
Content Project Editor: Sonia Beretta
Art Editor – Photo Researcher: Studio Arcobaleno s.r.l. – Italy
Cover Designer: Laura Bove
Illustrator: Coredo – Italy
Audio: Studio Arcobaleno Sounds
Studio Arcobaleno

© **Publisher:** Applause Learning

ALL RIGHTS RESERVED. No part of this work covered by the copyright may be reproduced, transmitted, stored or used in any form or by any means graphic, electronic, or mechanical, including but not limited photocopying, recording, scanning, digitalizing, taping, Web distribution, information networks or information storage and retrieval systems, except as permitted under Section 107 or 108 of the 1976 United States Copyright Act, without the prior written permission of the publisher.
For permission to use material from this text or product, submit all requests to Applause Learning.

Applause Learning Resources
85 Fernwood Lane – Roslyn, NY 11576 – 1431
516/625-1145 – 1-800-277-5287 (Toll Free Fax: 877-365-7484)
E-mail: info@applauselearning.com
Web: applauselearning.com

ISBN 978-1-60713-029-1

Prefazione • Preface

Buon Viaggio in Italia is an introductory textbook for the teaching of Italian to middle and high school students. The thirteen units that comprise the work offer a modern and authentic view of Italy seen through the eyes of visiting students who spend a school year in Florence.

While learning essential language skills in Italian, students also learn about life in Italy by living in an Italian family and studying alongside Italian peers. The dialogues and narratives reflect real life situations in today's Italy.

Cultural selections, in Italian and in English, cover some of the most salient aspects of Italian history, art, music, and folklore. All the regions of Italy are featured with short cultural highlights and typical cuisine.

Based on the suggestions of American practitioners, this volume provides grammatical explanations and practice instructions in English. The book has been written by educators with extensive experience in teaching, professional development and textbook design. Their approach is current and innovative. US National Standards for foreign language education are at the base of the book design.

The highly motivating dialogues, appropriate to the age level and interests of teens, offer students many opportunities to be active and confident participants in learning Italian from the first lesson. Essential grammar elements are introduced through progressively more challenging activities. Abundant and varied practice is provided for new and previously learned language structures.

Students and teachers will find this text a refreshingly authentic and enjoyable introduction to the language and culture of modern Italy.

Maria Palandra, Ph. D.

INDICE

Indice

BENVENUTI IN ITALIA!

Unità 1

Obiettivi / Goals:

- Greetings
- Introducing yourself
- Counting to 100
- Giving personal information

■ **Firenze**, Santa Maria del Fiore, campanile di Giotto

Ciao, io sono… Mi chiamo…

Indira and Mike are students. Mike is an American from Boston. Indira is from Calcutta, India. The two young people are in Italy to learn Italian. They are guests of the Campi family in Florence where they will attend high school for one year. The Campis' son, Jacopo, is a student at the same school. Jacopo meets the exchange students at the station and takes them to his home.

FIRENZE STATION

Jacopo: – Salve, ragazzi, benvenuti a Firenze!
Indira: – Ciao, io sono Indira e sono indiana, di Calcutta.
Mike: – Ciao, io mi chiamo Mike e sono americano, di Boston.
Jacopo: – Piacere di conoscervi. Io sono Jacopo .... e sono italiano, di Firenze.

JACOPO'S HOME

Jacopo: – Mamma, papà, loro sono Indira e Mike.
Papà: – Benvenuti a casa nostra, ragazzi.
Mamma: – Tu sei Indira, vero? E tu Mike? Molto lieta di conoscervi. Io sono Claudia Campi.
Ragazzi: – Buongiorno signora, buongiorno signor Campi.
Jacopo: – Lui è americano, lei è indiana.

Vocabolario

In the vocabulary section, throughout this book, the definite article is not translated into English.

salve = hello
ciao = hi!
buongiorno = good morning
benvenuto = welcome
americano (m.s.) = American
l'indiano (m.s.) = Indian
italiano (m.s.) = Italian
la mamma (f.s.) = mom, mother
il papà (m.s.) = dad, father
il signor (m.s.) = Mr.
la signora (f.s.) = Mrs.
i ragazzi (m.p.) = boys
la casa (f.s.) = house, home

Piacere di conoscervi! = Nice to meet you!
Molto lieta! = Pleased to meet you!
io sono/loro sono/tu sei/voi siete = I am/they are/you are/you are
Il mio nome è = My name is
Come ti chiami? = What's your name?
Mi chiamo = My name is

Cultura

CIAO! SALVE!

The greeting CIAO comes from an ancient greeting used in Venice: "skied", meaning "his servant".
Today it is used among friends when they greet each other and as an informal way of saying "good-bye."
The greeting SALVE comes from an expression used in ancient Rome to wish someone good health.
It is used when a formal greeting is not required.

■Santa Maria del Fiore in Florence

A Choose the correct answer.

1. I ragazzi sono:
○ a Boston
○ a Calcutta
○ a Firenze

2. Indira è:
○ americana
○ italiana
○ indiana

3. Mike è:
○ indiano
○ italiano
○ americano

4. Jacopo è:
○ italiano
○ americano
○ indiano

5. Mike è:
○ di Boston
○ di Firenze
○ di Calcutta

6. Indira è:
○ di Calcutta
○ di Boston
○ di Firenze

7. Jacopo è:
○ di Calcutta
○ di Firenze
○ di Boston

Tu sei di ....

B Complete the sentences below.

1. Salve, ragazzi .... a Firenze.
2. .... , io sono Indira e tu sei Jacopo?
3. Mamma, loro sono Indira e Mike .... di conoscervi.
4. .... signora Campi.
5. Io sono Jacopo, ... di conoscervi.
6. .... , mi chiamo Mike, sono di Boston.

D Listen to the short dialogues and fill in the missing words.

– .... signora, io .... Indira.
– .... Indira, benvenuta in Italia.

– Papà, ... è Mike, un ragazzo ....
– .... Mike, ... di conoscerti.

– Indira e Mike, ... a Firenze.
– Tu sei Jacopo, vero? .... di conoscerti.

– Ragazzi, ... americani?
– Sì, io .... americano, ... di Boston.
– No, io sono ...., sono di ....

C Complete the sentences below with the verb ESSERE.

1. Mike ..è.. di Boston.
2. Indira e Mike ..sono.. a Firenze.
3. Io .... di Calcutta.
4. Il signor e la signora Carrara .... di Firenze.
5. Tu .... Jacopo?
6. Ragazzi, voi .... in Italia.
7. Noi .... ragazzi.

Grammatica

IL VERBO ESSERE / PRESENTE INDICATIVO

ESSERE	
io	**sono** = I am
tu	**sei** = you are
lui/lei /**Lei**	**è** = he/she/it is
noi	**siamo** = we are
voi	**siete** = you are
loro	**sono** = they are

Note!
The verb ESSERE (to be) is irregular. It does not follow a pattern and must be memorized.
The verb form in the first person singular (**io sono**) is the same in the third person plural (**loro sono**).

Attività

● Students should repeat and practice the initial dialogues until they have mastered the vocabulary and pronunciation.
● Working in pairs, one student greets the other and introduces himself/herself.
● Point out to students that they must use formal/polite expressions when greeting the teacher.
● Review and reinforce greetings and instructions in pairs and chain drills.

Come stai? Come va?

Mr. Smith meets Mrs. Campi at the theater. They greet each other.

Alberto takes Marta home. They say good night to each other.

Anna and Lucia meet at the entrance to the school. Anna is sad.

Smith: – Buona sera signora Campi! Che piacere incontrarla! Come sta?
Campi: – Bene, grazie. E **Lei**?
Smith : – Abbastanza bene, grazie.

Marta: – Allora ci salutiamo…
Alberto: – Sì, buona notte, Marta.
Marta: – Buona notte anche a te. Ci vediamo domani.

Lucia: – Buongiorno Anna, come va?
Anna: – Male! Oggi ho il test di matematica!..
Lucia: – In bocca al lupo! Ciao, ci vediamo do
Anna: – Arrivederci ....

A Write the appropriate greeting in Italian.

1. Greet Mr. Smith (during the day).

....

2. Greet your friends in class.

....

3. Say hello to a neighbor you meet at 7 p.m.

....

4. Greet your friend George when he comes to pick you up for the evening.

....

B Miriam is on her way to school. She meets Mrs. Luisa. Complete the dialogue.

Miriam: – .... signora Luisa ....?
Luisa: – ...., grazie. E tu, Maria?
Miriam: – Abbastanza bene, ...
Luisa: – e Anna, ...?
Miriam: – ....! Oggi ha il test di matematica…
Luisa: – Allora .... e arrivederci.

Vocabolario

buona sera = good evening
buona notte = good night
arrivederci = goodbye, bye-bye
Come sta? = How are you?
Come va? = How are you?
Bene, grazie. =
Well, thanks. Fine, thank you.
Male! = Bad!
Abbastanza bene. = Pretty well.

Ho il test di matematica. =
I have a math test.
incontrare = to meet
presentare = to introduce
Che piacere! = How nice!
la signora (f.s.) = Mrs., lady, woman
il signore (m.s.) = Mr., gentleman, man
e Lei = and you
allora = then

In bocca al lupo! = Good luck!
Ci salutiamo. =
We greet each other, we say hello.
anche a te = same to you
Ci vediamo dopo. = See you later.
Ci vediamo domani. = See you tomorrow.
oggi = today

C Which expression would you use? Write the correct number in the box above the picture.

| 2. BUONASERA | 4. CIAO | 3. SALVE RAGAZZI | 1. ARRIVEDERCI | 5. BUONANOTTE |

D Match question to answer.

1. Come va?

2. Allora ci salutiamo?

3. Ci vediamo domani?

4. Come stai?

5. Tu sei indiano?

a. No, sono italiano.

b. Bene grazie, e tu?

c. Male!

d. Sì, buona notte.

e. Sì, arrivederci.

E Listen to the dialogue and fill in the missing words.

– .... signora Rossi.
– Ciao Luisa, che .... incontrarti!
– ...., signora?
– Bene, ... E tu?
– .... bene, grazie.
– Oggi sei a ....?
– Sì, ... sono a casa.
– Allora .... dopo.
– ...., a presto.

Grammatica

LA PRIMA CONIUGAZIONE
PRESENTE INDICATIVO

In Italian there are three conjugations, or groups of verbs. The first group is made up of verbs that end in –ARE and are conjugated like PRESENTARE.
In Italian verb forms change according to person (first, second or third) and number (singular or plural.) There are six forms; three for singular and three for plural. A different ending is added to the verb stem for each form.

PRESENTARE		PARLARE		STARE		ANDARE	
io	present-o	io	parl-o	io	sto	io	vado
tu	present-i	tu	parl-i	tu	stai	tu	vai
lui/lei /**Lei**	present-a	lui/lei /**Lei**	parl-a	lui/lei /**Lei**	sta	lui/lei/**Lei**	va
noi	present-iamo	noi	parl-iamo	noi	stiamo	noi	andiamo
voi	present-ate	voi	parl-ate	voi	state	voi	andate
loro	present-ano	loro	parl-ano	loro	stanno	loro	vanno

Note!
The verbs ESSERE (to be) and ANDARE (to go) are irregular. They do not follow a pattern and must be memorized.

Quanti anni hai? Da dove vieni?

Luis Abregu goes to a night school where he wants to sign up for a course to learn Italian. The secretary asks him for the information needed to complete the registration form.

Luis: – Buonasera signora, sono qui per il corso di Italiano.
Segretaria: – Buonasera. Qual è il suo nome?
Luis: – Abregu, Luis Abregu
Segretaria: – Di dov'è lei?
Luis. – Sono cileno.
Segretaria: – Dove è nato?
Luis: – Sono nato a Valparaiso.
Segretaria:– Quanti anni ha?
Luis: – Diciannove.

A Make sentences as in the example below.

Italiano, Pisa → Sono italiano, di Pisa.

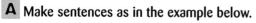

Inghilterra, Londra → ....
Cina, Taipei → ....
Russia, San Pietroburgo → ....
Brasile, San Paolo → ....

B Complete with the correct form of AVERE and ESSERE.

1. Marta .... 17 anni, ... italiana.
2. Luca .... uno studente, ... 15 anni.
3. Chi .... tu? quanti anni ....?
4. Io .... Mauro, ... 20 anni.
5. Quanti anni .... Luis?
6. Di dove .... voi due?
7. Noi .... spagnoli, ... di Valencia.

C Read the dialogue and answer each question in a complete sentence.

Qual è il nome del cliente? ....
Dove è nato? ....
Quanti anni ha? ....

Focus grammatica

CI /CHI - CE /CHE
The consonant C before E/I has a soft sound.
The consonant C before E/I with H has a hard sound.
Ex.: **Ci**ao! - **Ce**na. - **Ci**leno. - **Chi**amo. - **Che** piacere!

LA FORMULA DI CORTESIA
The formal/polite singular pronoun is **Lei** (you).
The corresponding possessive adjective is **suo**.
It takes the same verb ending as the third person singular.

The formal/polite plural pronoun is **Loro** (you).
It takes the same verb ending as the third person plural.

Vocabolario

DOMANDE

Qual è il tuo nome? / Qual è il suo nome?
What is your name?
Da dove vieni? / Da dove viene Lei?
Where are you from?
Dove sei nato? / Dove è nato Lei?
Where were you born?
Quando sei nato? / Quando è nato Lei?
When were you born?
ascoltare = to listen
rispondere = to answer
fare = to make
la frase (f.s.) = sentence

NUMERI

1 **uno** = one
2 **due** = two
3 **tre** = three
4 **quattro** = four
5 **cinque** = five
6 **sei** = six
7 **sette** = seven
8 **otto** = eight
9 **nove** = nine
10 **dieci** = ten

11 **undici** = eleven
12 **dodici** = twelve
13 **tredicl** = thirteen
14 **quattordici** = fourteen
15 **quindici** = fifteen
16 **sedici** = sixteen
17 **diciassette** = seventeen
18 **diciotto** = eighteen
19 **diciannove** = nineteen
20 **venti** = twenty

NAZIONALITÀ

francese = French
tedesco = German
inglese = English
spagnolo = Spanish
cinese = Chinese
arabo = Arab
brasiliano = Brazilian
cileno = Chilean
canadese = Canadian
russo = Russian

La carta di identità

A Complete your Identity Card.

Cognome ....

Nome ....

Nato/a il .... a ....

Cittadinanza ....

Professione ....

C  Listen to the information about Marco. Complete his Identity Card.

Cognome ....

Nome ....

Nato il .... a ....

Cittadinanza ....

B Now write a short presentation using the information on the card.

Io sono ....

Ho .... anni.

Sono nato a ....

Sono ....

D Complete each sentence with a noun.

1. Indira è una .... indiana.
2. Mike è un .... Americano.
3. I ragazzi sono a ....
4. I ragazzi vanno a .... di Jacopo.
5. Marina ha 15 ....

Cultura

LA CARTA DI IDENTITÀ

All Italians over the age of 15 carry a document called an Identity Card.
In addition to a photograph this document contains personal information including: full name, date of birth, place of birth, address, and occupation.
The document must be updated every ten years.

E Answer each question following the examples.

Chi è Louise? (francese) → **È una ragazza francese.**

Chi è Rose? (americana) → ....

Chi è Pamela? (spagnola) → ....

Chi è Brigitte? (svedese) → ....

Chi è Paul? (americano) → **È un ragazzo americano.**

Chi è Misha? (russo) → ....

Chi è Pablo? (spagnolo) → ....

Chi è Martin? (inglese) → ....

Cognome   CAMPI
Nome   JACOPO
nato il   07/04/1987
Atto n   00622
a   FIRENZE
Cittadinanza   ITALIANA
Residenza   FIRENZE
Via   Ticino n.7
Stato civile   stato libero
Professione   studente

CONNOTATI E CONTRASSEGNI SALIENTI

Statura   1.74
Capelli   castani
Occhi   neri
Segni particolari   nessuno

Vocabolario

il cognome (m.s.) = last name
il nome (m.s.) = first name
la cittadinanza (f.s.) = citizenship
Quanti anni hai?/Quanti anni ha Lei? = How old are you?
Dove sei nato?/Dove è nato Lei? = Where were you born?
lo studente (m.s.) = student

studio a = I study at
il ragazzo (m.s.) = boy
la ragazza (f.s.) = girl
sconosciuto = unknown, stranger
che cosa = what
il compagno (m.s.) = schoolmate
la professione (f.s.) = occupation

Grammatica

IL VERBO AVERE / PRESENTE INDICATIVO

AVERE	
io	**ho** = I have
tu	**hai** = you have
lui/lei /**Lei**	**ha** = he/she has
noi	**abbiamo** = we have
voi	**avete** = you have
loro	**hanno** = they have

Note!
The verb AVERE (to have) is irregular.
It does not follow a pattern and must be memorized.

Attività

- Students introduce their classmates in Italian
- The first student asks the second student one of the questions contained in the vocabulary. After answering, the second student then asks a third student a different question.

F Write a complete sentence as requested.

1. Saluta il tuo amico Bob.

....

2. Chiedi da dove viene Bob.

....

3. Saluta la signora Margaret.

....

4. Chiedi come sta.

....

5. Presenta un'amica a tua madre.

....

6. Che cosa risponde tua madre.

....

G Transform the request into a direct question.

1. Chiedi a Mike da dove viene.

....

2. Chiedi a uno sconosciuto come si chiama.

....

3. Chiedi a un nuovo compagno quanti anni ha.

....

4. Chiedi a Marco dove abita?

....

5. Chiedi a Susan dove è nata?

....

H Read the answer. Write the question.

1. ....
Ho 15 anni.

2. ....
Abito a Venezia.

3. ....
Abbastanza bene, grazie.

4. ....
Sì, siamo italiani.

5. ....
Mia mamma si chiama Lucia.

I Listen and complete each word with the final vowel.

Cas_   Nom_

Ragazz_   Stazion_

Mamm_   Signor_

Signor_   Nott_

L Continue as in the example below.

(Lui), Dario, 20 anni → è Dario, ha 20 anni.

1. (*noi*), Matteo e Isa, 18 anni

....

2. (*voi*), Luca e Rita, 7 anni

....

3. (*lei*), signor Rossi, 20 anni

....

4. (*noi*), ragazzi, 15 anni

....

5. (*io*), Giovanni, 16 anni

....

M Listen to the sentences and fill in the missing words.

1. .... signor Rossi, come sta?
2. .... ragazzi!
3. Marco .... 15 anni.
4. Licia e Carol .... a casa.
5. .... signora Anna!
6. .... ragazze, come state?
7. .... signor Campi.
8. .... , a presto!

Grammatica

IL SINGOLARE E IL PLURALE

In Italian, as a general rule, the plural of nouns and adjectives is formed by changing the final vowel of the word according to these rules:

Nouns and adjectivies ending in **O**
Ex.: ragazzo italiano → ragazzi italiani

Nouns and adjectives ending in **A**
Ex.: signora americana → signore americane

Nouns and adjectives ending in **E**
Ex.: studente inglese → studenti inglesi

If the name and the adjective belong to different groups, each of them follows the rule of its group.
Ex.: signora francese → signore francesi

WHO IS SPEAKING?

Write the number in the circle next to the correct sentence.

○ Buonanotte.

○ Sono egiziano, abito a Il Cairo Riad.

○ Mi chiamo Pei Chin.

○ Come sta signor Rossi? Bene grazie, e Lei?

○ Sono il papà di Jacopo.

○ Ho quindici anni.

THE CROSSWORD

Complete the crossword. The highlighted row gives the Italian expression used when saying goodbye.

Focus lingua

In Italian they say:
Two young friends haven't seen each other for a while. They meet and greet each other.

COME TI VA?
"How are you?"

If you are feeling great, the answer is…
positive: ALLA GRANDE!

If you are not feeling well, the answer is negative: MALE!

How would you say this in English?
....

1. Mother or mom
2. Four
3. Russian
4. Bye-Bye
5. Welcome
6. Chinese
7. Sixteen
8. Student
9. Thank you
10. French
11. Twelve

■ **Santa Maria del Fiore**

■ **Ponte Vecchio**

■ **Piazza della Signoria**

FIRENZE

Firenze è il capoluogo della regione italiana Toscana.
È la città più popolosa della Toscana con 368.000 abitanti.
La città sorge sull'Arno ed è conosciuta per la sua storia e per la sua importanza nel medio Evo e nel Rinascimento, specialmente per la sua arte e per la sua architettura.

Centro di commercio e di finanza dell'Europa medievale e una delle più facoltose città del tempo, Firenze è spesso considerata la culla del Rinascimento Italiano. La famiglia Medici governò a lungo la città.
Il centro storico di Firenze attrae milioni di turisti ogni anno. La città è stata dichiarata Patrimonio dell'Umanità dall'UNESCO nel 1982. Firenze è generalmente considerata come una delle più belle città del mondo. La città ha anche una grande influenza in Europa per l'architettura, l'educazione, la cucina, la moda, la filosofia, le scienze e la religione.

Il centro storico di Firenze contiene molte piazze eleganti, palazzi rinascimentali, accademie, parchi, giardini, chiese, monasteri, musei, gallerie d'arte e ateliers.
La città è stata inoltre dichiarata, secondo uno studio del 2007, come la destinazione più desiderata nel mondo dai turisti.

La città offre una vasta gamma di collezioni d'arte specialmente quelle conservate a Palazzo Pitti, negli Uffizi (che accolgono circa 1.6 milioni di turisti all'anno) e all'Accademia. È stata la città natale di molte illustri figure storiche come Dante, Boccaccio, Botticelli, Nicolò Machiavelli, Brunelleschi, Michelangelo, Donatello, Galileo Galilei, Caterina de' Medici, Antonio Meucci.

FLORENCE

Florence is the capital city of the Italian region Tuscany. It is the most populous city in Tuscany, with 368,000 inhabitants. The city lies on the River Arno and is known for its history and its importance in the Middle Ages and in the Renaissance, especially for its art and architecture.

A centre of medieval European trade and finance and one of the richest and wealthiest cities of the time, Florence is often considered the birthplace of the Italian Renaissance. It was long under the rule of the Medici family.

The historic center of Florence attracts millions of tourists each year. The city was declared a World Heritage Site by UNESCO in 1982. Florence is widely regarded as one of the most beautiful cities in the world. The city also has a great impact on European architecture, education, cuisine, fashion, philosophy, science and religion.

The historic center of Florence contains many elegant squares, Renaissance palaces, academies, parks, gardens, churches, monasteries, museums, art galleries and ateliers. The city has also been declared, according to a 2007 study, as the most desirable destination for tourists in the world.

The city offers a wide range of collections of art, especially those held in the Pitti Palace, in the Uffizi, (which receives about 1.6 million tourists a year) and in the Accademy. It has been the birthplace of many notable historical figures, such as Dante, Boccaccio, Botticelli, Nicolò Machiavelli, Brunelleschi, Michelangelo, Donatello, Galileo Galilei, Catherine de' Medici, Antonio Meucci.

Piazza del Duomo is located in the heart of the historic center of Florence. Here one can find the **Cathedral** with the Cupola by Brunelleschi, Giotto's Campanile, the Florence Baptistry.

Ponte Vecchio

The "Old Bridge", is a Medieval bridge over the Arno River, in Florence, known for still having shops built along it, as was once common. Butchers initially occupied the shops; the present tenants are jewelers, art dealers and souvenir sellers. It is Europe's oldest bridge made entirely of stone.

Piazza della Signoria is the focal point of the origin and of the history of the Florentine Republic and still maintains its reputation as the political hub of the city. The impressive 14th century **Palazzo Vecchio** is still preeminent with its crenellated **tower**.

The Loggia della Signoria and the Uffizi Gallery are also in the square.

Read the questions and answer in Italian.

1. Firenze è il capoluogo di quale regione italiana?

....

2. Su quale fiume sorge la città?

....

3. Di che cosa Firenze è spesso considerata la culla?

....

4. Quale famiglia governò a lungo la città?

....

5. Quanti turisti attrae ogni anno il centro storico di Firenze?

....

6. Come viene generalmente considerata Firenze?

....

7. Che cosa contiene il centro di Firenze?

....

8. Dove sono conservate le collezioni d'arte?

....

■ Foto panoramica di Firenze

Grammatica

LE FRASI INTERROGATIVE

In English the interrogative is formed by inverting the subject and verb and placing a question mark at the end of a sentence.

Affirmative sentence → You are italian
Interrogative sentence → Are you italian?

In Italian the interrogative is formed by placing a question mark at the end of a statement and, when speaking, changing the intonation. The voice rises at the end of the sentence.
The subject pronoun is only used to point out one person among many.

Ex.: **Chi sei ?** → Normal form to ask for the name.
Chi sei tu? → Is used to target just one person among many.

READING ● SPEAKING

Use these role playing activities to check if you have learned the vocabulary, grammar and idioms in this unit.
Your teacher (or partner) will tell you if your responses are correct or if you need additional review and practice.

A ROLE PLAY

1.
You haven't seen your cousin Anne for a while.
She is coming to stay with you for a few days. You meet her at the airport. How will she say hello to you?
How will you answer?

2.
You are coming back home after a camping trip.
You bring a new friend with you.

3.
You meet your former professor.
Ask him about his health.

4.
You go to the school office to sign up for a course.
Say hello and tell the secretary why you are there.
The secretary then asks you for your personal information.

B THE INTERVIEW

For the school newspaper you interview a famous personality.
What questions will you ask?

C ... and who are you?

● R E V I E W ●

A Check to see if you know the present tense of the verbs studied in this unit.
Complete the chart below.

	AVERE	ESSERE	STARE	ANDARE
io	....	....	....	....
tu	....	sei	....	....
lui/lei/**Lei**	....	....	sta	......
noi	abbiamo	....	....	....
voi	....	....	....	....
loro	....	....	....	vanno

B Complete the short dialogues below with the correct form of the verb ESSERE.

1. Tu .... americana?
Sì, io .... americana.

2. Io .... italiano?
No, tu .... inglese.

3. Marco e Luca .... italiani?
Sì, loro .... italiani.

4. Anche voi .... francesi?
No, noi .... inglesi.

5. Lei .... il signor Rossi?
No, io .... il signor Mauri.

C Complete each sentence below with the correct form of the verb AVERE.

1. Quanti anni ....?
2. Voi .... sedici anni?
3. Io .... la Carta di Identità.
4. Non .... (noi) una casa.
5. Loro .... il test di matematica.
6. Quanti anni .... tuo papà?
7. Marta e Luisa .... 15 anni.
8. La compagna di Luca .... 17 anni.
9. Quanti anni .... Indira e Mike.
10. Tu .... una casa a Firenze.

D Complete each sentence below with the correct form of the verb ANDARE.

1. Jacopo .... alla stazione.
2. Tu .... a Roma?
3. Noi .... a casa di Luca.
4. Dove .... i due ragazzi?
5. Loro .... a casa di Jacopo.
6. Signor Rossi dove .... domani?
7. Ciao Luca, come ....?
8. Voi ragazzi, dove ....?
9. Io .... a casa e Luca .... a Firenze.
10. Mamma e papà .... a Roma.

E Complete each sentence below with the correct form of the verb STARE.

1. Come ...., ragazzi?
2. .... bene, e tu?
3. Iacopo, ... a casa domani?
4. Io non .... a casa, vado a Roma.
5. Giorgio, come .... i ragazzi?
6. Noi .... a Napoli.
7. Come ...., signora Carla?
8. Mamma e papà .... bene.
9. Luisa non .... bene.
10. La ragazza americana .... a Roma.

F Write the numbers in words.

1 ....   10 ....
3 ....   11 ....
4 ....   13 ....
7 ....   17 ....
8 ....   20 ....

G Match each word to the corresponding picture.

CIAO

BENVENUTO

BUONGIORNO

ARRIVEDERCI

BUONANOTTE

H Write a complete sentence in Italian for each group of words.

1. tu, Marco, andare, casa
....

2. Jeanne, essere, francese, Parigi
....

3. Indira, andare, Firenze
....

4. avere, Marta, 15, anni
....

5. quanti, anni, avere,?

I Complete the sentences using the verbs AVERE and ESSERE.

1. Anna, quanti anni ....?
2. .... 18 anni.
3. Di dove ....?
4. (io) .... di Parigi.
5. Paola e Marco .... studenti italiani.
6. Signor Rossi, dove .... nato Lei?
7. .... nato a Milano.
8. Laura e Franca .... 16 anni?
9. Ragazzi, ... un documento?
10. Sì, ... la carta di identità.

L Complete the sentences with the verb STARE.

1. Ciao Silvia, come ....?
2. .... bene, grazie.
3. Marco, come .... mamma e papà?
4. .... abbastanza bene, grazie.
5. Indira e Mike .... a casa di Jacopo.

M Complete the sentences with the verb ANDARE.

1. Ragazze, come ....?
2. Indira, ... a casa di Jacopo?
3. Il ragazzo .... a Firenze.
4. Noi .... a Milano
5. I ragazzi .... in Italia.

N Listen to the text and answer the questions.

1. Come si chiama la ragazza? ....
2. Dove è nata? ....
3. Dove abita? ....
4. Quanti anni ha? ....
5. Qual è la sua professione?.........

U nità 2

Obiettivi / Goals:

- Obiettivi / Goals
- Giving and asking for information
- Ordinal numbers
- Numbers from 20 to 100
- Telling time – timetable

■ Roma, Colosseo

UNA GITA A ROMA

Come andiamo?

Mike's relatives live in Rome. He is thinking of visiting them over the weekend and wants to bring his new friends. Jacopo and Indira are looking forward to making the trip to Rome. Jacopo's parents agree and they decide to make the trip by train.

Jacopo: – Allora, Mike, hai notizie dei tuoi zii?

Mike: – Sì, lo zio Marco vuole che andiamo a Roma per il fine-settimana.

Indira: – Anche noi? Che bello!

Jacopo: – Mamma, papà, posso andare?

Signor Campi: – Sì, una visita a Roma è sempre interessante…

Signora Campi: – È l'ultima gita prima di cominciare la scuola, ricordalo!

Mike: – Ma come andiamo a Roma? In treno o in aereo?

Jacopo: – In treno, Roma è vicina a Firenze… e il treno costa meno!

Cultura

FINE SETTIMANA

Separately the words FINE and SETTIMANA in Italian, are feminine, but the compound word fine-settimana is masculine.
On Friday evening, people wish each other BUON FINE SETTIMANA!
(Have a great weekend!).

Vocabolario

le notizie (f.s.) = news
tuoi = your
lo zio (m.s.) = uncle
gli zii (m.p.) = uncles
vuole = he wants
costa (meno) = it costs less
il fine-settimana (m.s.) = weekend
anche noi = us too
Che bello! = How nice!
Posso andare? = Can (May) I go?
la visita (f.s.) = visit
sempre = always
interessante = interesting

l'ultima (f.s.) = last
la gita (f.s.) = trip
prima = before
cominciare = to begin
la scuola (f.s.) = school
ricordalo = remember it
ma = but
Come andiamo? = How are we going?
in treno = by train
in aereo = by plane
vicino = near
vivere = to live

A Choose the correct answer.

1. Mike ha notizie:
○ del papà
○ della mamma
○ degli zii

2. Lo zio di Mike vive:
○ a Milano
○ a Firenze
○ a Roma

3. Come vanno a Roma:
○ con il treno
○ con l'aereo
○ con gli zii

4. Lo zio di Mike invita:
○ solo Mike
○ i due ragazzi
○ i tre ragazzi

■ Alla stazione... si parte per Roma... arrivederci!

B Complete the sentences below with the verb ANDARE.

1. Io .... a casa
2. Tu .... a scuola
3. Dove .... tuo zio?
4. Noi .... Firenze
5. Voi, dove ....?
6. Mike e Indira .... a Roma.

E 🔘 Listen to the dialogue and fill in the missing words.
– .... zio, sono Mike.
– Ciao Mike, come.........?
– Io .... e tu?
– Bene,......... E tu, dove ....?
– Sto a Firenze, a .... di Jacopo Campi.
– .... a Roma per il ....?
– Sì, ma come .... a Roma?
– Vieni in treno o in ....
– Vengo in ...., costa meno.

C Write the question in Italian.

1. Ask Mike if he has news of his uncles.
....
2. Ask Mike if he is going to Rome for the weekend.
....
3. Ask Indira where she lives.
....
4. Ask Mr. Campi, if you can go to Rome.
....
5. Ask Jacopo how you are going to Rome.
....

Focus grammatica

LE FORME INTERROGATIVE

The most common interrogative forms (question words) at the beginning of a sentence are:

Chi? = Who?
Che cosa = What?
Come? = How?
Dove? = Where?
Quando? = When?
Quanto/Quanti? = How much / How many?

D Complete with the following interrogative forms.

Chi? (Who) • **Quando?** (When) • **Dove?** (Where)
Come? (How) • **Quanti?** (How many)

– .... ragazzi vanno a Roma?
– .... vive lo zio di Mike?
– .... è Jacopo?
– .... vanno a Roma?
– .... sono Indira e Mike?
– .... andate dallo zio?

Attività

● The class is divided into two groups. Each student in the first group, in turn, asks a question to a student in the second group, using the words learned and the interrogative forms. At the end the groups switch roles.

Che ora è? Che ore sono?

Vocabolario illustrato

■ Un orologio

Sono le otto.
It is eight.

Sono le dieci e venti.
It's twenty past ten.

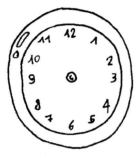

È mezzogiorno.
It's noon.

È l'una meno cinque.
It is five minutes to one.

Manca un quarto alle due.
It is a quarter to two.

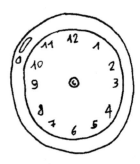

Sono le cinque e mezza.
It is five thirty.

Sono le sei meno un quarto.
It is a quarter to six.

Sono le nove e tre quarti.
It's a quarter to ten.

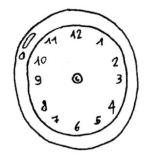

È mezzanotte.
It is midnight.

Gianni wants to explain to George how to tell time in Italian, but George does not understand and continues asking questions. Try to understand their dialogue.

George: – Gianni, che ora è?

Gianni: – Sono le otto e un quarto.

George: – Le otto e un quarto .... sono le otto e 15?

Gianni: – Sì, George, sono le otto e 15.

George: – Allora sono anche le nove meno 45?

Gianni: – No, questo no! Non si dice così!

George: – Quando si dice così?

Gianni: – Dopo le otto e mezza, non prima.

George: – Alle 8 e 40?

Gianni: – Sì! Alle 8 e 40 si dice che sono le nove meno venti…

George: – .... mmmm .... e prima delle otto e mezza?

Gianni: – Si dice che sono le otto e 20.

George: – Va bene, va bene .... ma che ore sono ?

Cultura

CHE ORA É?

In certain situations, such as train and airline schedules, the time is expressed using the 24 hour clock. Therefore, the **5:30** train is the 5:30 train in the **morning**. The **17:30** train refers to the 5:30 train in the **afternoon**. When speaking, however, Italians use only the numbers from 1 to 12. Sometimes people say "in the morning", corresponding to a.m. or "in the afternoon" for p.m. For late hours they say "in the evening" and "at night" after midnight only if it is not clear enough in the sentence context.

A For each drawing write the time (in both numbers and words) when you do this activity.

....

B Answer the questions with PRIMA and DOPO as in the examples below.

A che ora vieni domani? (9:15)
Vengo prima delle 9:15.
Vengo dopo le 9:15.

1. A che ora andiamo a casa? (13:30)

....

2. Quando vieni a Milano? (19:30)

....

3. A che ora è l'ultimo aereo? (17:30)

....

4. A che ora Marco va a scuola ? (8:15)

....

5 A che ora papà va al lavoro ? (7:30)

....

C Write the following times in words, using all possible forms.

8:05	....
9:25	....
4:15	....
5:55	....
11:45	....
12:00	....
10.20	....
3:30	....
7:45	....
13:00	....

Grammatica

L'ARTICOLO DETERMINATIVO

In English the definite article has only one form: **the**.
In Italian, the definite article has different forms according to the gender (masculine or feminine), number (singular or plural) and first letter of the noun or adjective it precedes.

DEFINITE ARTICLE		
	Singular	**Plural**
Masculine	il	i
Masculine	lo/l'	gli
Feminine	la/l'	le

The singular definite articles are: **il, lo, la.**

IL → masculine singular **→ il** cane, **il** bambino.
It is used before words beginning with a consonant.

LO – L' → masculine singular **→ lo** straniero, **lo** zero, **lo** gnomo, l'albero.
LO → is used before S followed by another consonant or before Z and GN.
L' → is used before a vowel **→** l'albero, l'orso.

LA – L' → feminine singular: **la** cosa, l'ancora.
The form with the apostrophe **L'** is used before vowel only.

The plural definite articles are **→ i, gli, le.**
I → masculine plural **→ i** cani, **i** bambini.
It is used as plural of IL?

GLI masculine plural: **gli** stranieri, **gli** zeri, **gli** gnomi, **gli** alberi.
It is used as the plural of LO.

LE → feminine plural **→ le** cose, **le** ancore.
LE is used as plural of LA.

A che ora parte...?

Anna has to go to Puglia on business. She takes the train in Bologna and wants to go to Bari, where a colleague is waiting for her. She goes to the station and gets in line at the ticket office to buy the ticket.

IN LINE

Anna: – Scusate, chi è l'ultimo?

Signore: – Sono io…e prima di me c'è la signora…

Anna: – Grazie. Prende anche lei il treno delle 9:13 per Bari?

Signore: – No, io vado a Firenze.

Lei va a Bari? In vacanza?

Anna: – No, vado per lavoro. È la prima volta…

AT THE TICKET OFFICE

Anna: – Buongiorno, un biglietto per Bari.

Impiegato: – Ecco a lei. Costa 54 €.

Il treno è al binario 13, il quarto dopo il sottopassaggio.

Anna: – Grazie. Corro al binario, sono in ritardo!

Impiegato: – No signora: è il treno in ritardo di venti minuti.

Anna: – Allora vado con calma…

A Complete the dialogue below.

You are at the station. Before leaving you buy the ticket and ask for information.

Passeggero: – ………, a che ora parte il ……… per Roma?

Bigliettaio: – ……… alle 7:30.

Passeggero: – Per favore, quanto ……… il biglietto?

Bigliettaio: – Il ……… costa 25 €.

Passeggero: – Il treno ……… in orario?

Bigliettaio: – No, è in ……… di dieci minuti.

B Complete the sentences below whit the verb PRENDERE.

1. Matteo ……… il treno alle 5:40.

2. Noi ……… il treno per Roma.

3. Tu, a che ora ……… l'aereo?

4. Spesso ……… l'aereo alle 13:30.

5. Voi dove ……… il treno?

6. Marta e Luisa non ……… il treno.

Grammatica

**LA SECONDA CONIUGAZIONE
PRESENTE INDICATIVO**

PRENDERE	
io	prend – **o**
tu	prend – **i**
lui/lei/**Lei**	prend – **e**
noi	prend – **iamo**
voi	prend – **ete**
loro	prend – **ono**

The second group of verbs in Italian is made up of words that end in –ERE and are conjugated like PRENDERE.

Vocabolario

prendere il treno (m.s.) = to take the train
perdere il treno (m.s.) = to miss the train
essere in ritardo = to be late
essere in orario = to be on time
essere in anticipo = to be early
la vacanza (f.s.) = vacation
molto = much
partire = to leave
arrivare = to arrive
salire sul treno = to get on the train (board)
fare il biglietto (m.s.) = to buy the ticket
affollato = crowded
scusi = sorry, excuse me
per favore = please

spesso = often
l'orario (m.s.) = timetable
il binario (m.s.) = platform
il sottopassaggio (m.s.) = underpass
la fila (f.s.) = line
c'è = there is
corro = I run
con calma = calmly
la prima volta (f.s.) = the first time
i minuti (m.p.) = minutes
ultimo = last
andare di corsa = to go running (to run)
scendere da = to get off from

C Read the dialogues and choose the right answer.

1. Anna è in fila:
○ è la prima
○ è la terza
○ è la seconda

2. Anna è in fila:
○ prima di un signore
○ dopo un signore
○ prima di una signora.

3. Anna va a Bari:
○ in vacanza
○ per lavoro
○ a casa

4. Il treno parte:
○ alle 13:00
○ alle 9:13
○ alle 3:13

5. Il treno è:
○ in orario
○ in anticipo
○ in ritardo.

D Complete the sentences with the verb PARTIRE.

1. Chi .... per Roma?
2. Mike e Indira .... per Roma.
3. Quando .... (loro) ?
4. E tu, non ....?
5. Sì, anch'io ....con Mike e Indira.
6. Noi, allora, ... domani.
7. E voi, quando ....?
8. Quando .... Anna?
9. Vuoi .... con me?

E Read and answer the questions.

1. Dove va Anna?
....
2. Dove prende il treno?
....
3. A che ora parte?
....
4. Dove va il signore?
....
5. Quanto costa il biglietto?
....
6. Che cosa chiede Anna alla biglietteria?
....

F 🔘 Listen to the text and mark the statements Vero V or Falso F (True/False).

1. Luisa abita a Bologna. V F
2. Luisa lavora a Modena. V F
3. Luisa abita a Modena. V F
4. Prende il treno per Bologna. V F
5. Il treno arriva al terzo binario V F
6. Alla biglietteria c'è la fila. V F
7. Il treno parte alle 8:00. V F
8. Il treno arriva alle 8:00 a Bologna. V F
9. Il treno è spesso è in ritardo. V F

Grammatica

LA TERZA CONIUGAZIONE
PRESENTE INDICATIVO

PARTIRE	
io	part-**o**
tu	part-**i**
lei/lui/**Lei**	part-**e**
noi	part-**iamo**
voi	part-**ite**
loro	part-**ono**

The third group of verbs in Italian is made up of words that end in IRE and are conjugated like PARTIRE.

Vocabolario

NUMERI ORDINALI

primo = first	**undicesimo** = eleventh
secondo = second	**dodicesimo** = twelfth
terzo = third	**tredicesimo** = thirteenth
quarto = fourth	**quattordicesimo** = fourteenth
quinto = fifth	**quindicesimo** = fifteenth
sesto = sixth	**sedicesimo** = sixteenth
settimo = seventh	**diciassettesimo** = seventeenth
ottavo = eighth	**diciottesimo** = eighteenth
nono = ninth	**diciannovesimo** = nineteenth
decimo = tenth	**ventesimo** = twentieth

Focus pronuncia

GI/GHI – GE/GHE
The consonant G before E / I has a soft sound, as in English:
Ex.: Giant and George → **Gi**ta, An**ge**lo
The consonant G when followed by the consonant H has a hard sound as in English:
Ex.: Get, Guitar, Gate → pre**ghi**era, ri**ghe**.

G Read the answer and write the question.

1. ....
Ci vediamo domani.
2. ....
Vado a scuola alle 8:00.
3. ....
Sono le 10:30.
4. ....
Mario prende il treno a Bologna.
5. ....
No, è in ritardo di 10 minuti.
6. ....
È al quinto binario.

H Complete the sentences using the PRESENTE of the verbs in brackets.

1. Domani non .... (*io, andare*) a scuola.
2. L'aereo .... (*arrivare*) in ritardo.
3. Noi .... (*prendere*) l'aereo domani.
4. Tu .... (*scendere*) dal treno a Milano.
5. Il biglietto aereo .... (*costare*) molto.
6. Mamma e papà .... (*andare*) in vacanza.
7. Maria .... (*correre*) a casa.
8. Quando .... (*tu, prendere*) il treno?
9. Anna e Luis .... (*partire*) per Bari.
10. Io .... (*partire*) alle 7:00.
11. E voi, quando .... (*partire*)?
12. Dove .... tu, (*correre*)?

I 🖴 Listen to the text and fill in the correct time.

1. A che ora arriva il treno? ....
2. A che ora arriva Mario? ....
3. A che ora ferma a Bologna? ....
4. A che ora parte Anna? ....
5. A che ora arriviamo noi? ....
6. Quando arriva Marc? ....
7. A che ora arriva il treno a Napoli? ....

a. Alle sette e quarantacinque.
b. Alle undici e quarantacinque.
c. Alle sei e mezza.
d. Alle cinque meno venti.
e. Alle otto e un quarto.
f. Alle nove e quaranta.
g. Alle nove.

L Complete with the prepositions A, IN, DA.

1. Quando andate .... Luisa?
2. Il treno va .... Napoli.
3. Gianna e Mario vanno .... Francia
4. I ragazzi vanno .... Roma.
5. Chi va .... zio Rolando?
6. Andiamo .... centro domani?
7. Spesso andiamo .... giardino.
8. Dove andate? .... scuola.
9. Con chi vai .... Sicilia?

M Complete the sentences below with the PRESENTE of the verbs PARTIRE and ARRIVARE.

1. Jane e Daria .... da Bologna e .... a Firenze.
2. La mamma .... da Verona e .... a Venezia
3. Noi .... da Roma e .... a Napoli.
4. Tu .... in aereo alle 7:00 e .... in Egitto alle 9:00.
5. Voi, quando .... ? E quando .... ?
6. Io .... da Milano e .... a Roma alle 9:00 di sera.

Grammatica

IL VERBO ANDARE
Vado a / vado in / vado da

After the verb **ANDARE** (to go) you use different prepositions depending on the situations below.

• If you indicate a direction or a place the preposition **A** is used.
Ex.: Vado a **casa**. Vado a **scuola**. Vado a **Nord**.

• If you give the idea of "going inside" the preposition **IN** is used.
Ex.: Vado in **centro**. Vado in **città**. Vado in **giardino**.

• With a personal name or identifying a person the preposition **DA** is used.
Ex.: Vado **da Luisa**. Vado **da lui**. Vado **da papà**.

• With names of towns and small islands the preposition **A** is used.
Ex.: Vado a **Milano**. Vado a **Londra**. Vado a **Capri**.

• With the names of states, regions and major islands the preposition **IN** is used.
Ex.: Vado in **Grecia**. Vado in **Sicilia**. Vado in **Veneto**.

GIOCO

HELP! WHERE'S MY TRAIN?

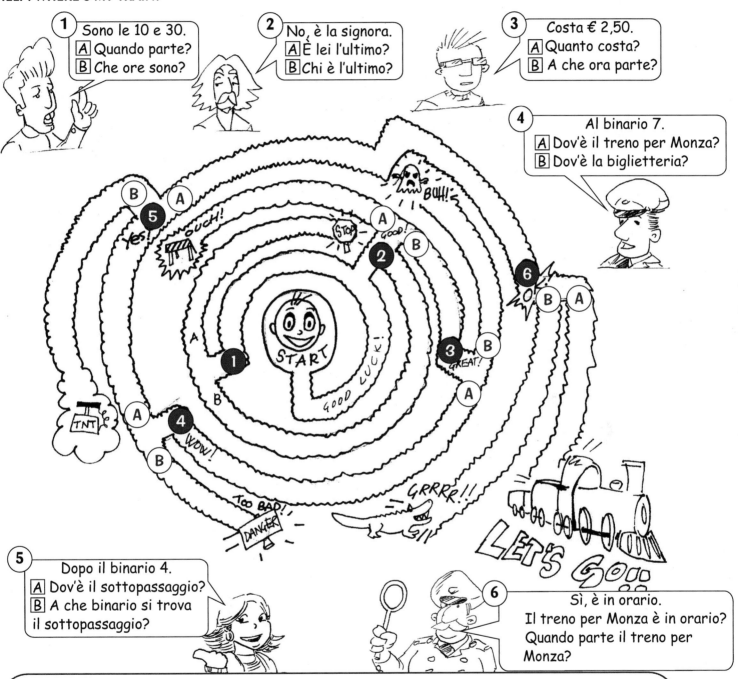

1 Sono le 10 e 30.
A Quando parte?
B Che ore sono?

2 No, è la signora.
A È lei l'ultimo?
B Chi è l'ultimo?

3 Costa € 2,50.
A Quanto costa?
B A che ora parte?

4 Al binario 7.
A Dov'è il treno per Monza?
B Dov'è la biglietteria?

5 Dopo il binario 4.
A Dov'è il sottopassaggio?
B A che binario si trova il sottopassaggio?

6 Sì, è in orario.
Il treno per Monza è in orario?
Quando parte il treno per Monza?

Focus lingua

In Italian they say:

- PERDERE IL TRENO: means to lose a chance.
- CORRI CHE PERDI IL TRENO: means hurry up, you're late for work or something important.
The literal meaning is: "Run, you are missing your train!"

- VA COME UN TRENO: referring to a person who moves decisively and quickly towards a goal, just like a train over mountains and valleys without any problems.

How would you this say in English? ....

TUTTE LE STRADE PORTANO A ROMA

Tutte le strade portano a Roma è un proverbio italiano che ha origine dal sistema stradale dell'antica Roma e che è ancora largamente usato per il sistema di strade italiane di oggi. Molte strade romane partivano da Roma e se percorse al contrario "tornavano a Roma".

Le strade romane furono costruite durante l'Impero Romano. I Romani le usavano per il trasporto veloce di materiali da un luogo all'altro, per il bestiame, i veicoli o qualsiasi altro simile spostamento. Esse furono essenziali per lo sviluppo dell'Impero Romano. Le strade permisero ai Romani di trasportare armi e beni commerciali e di comunicare notizie. Il sistema delle strade romane si estendeva per più di 400.000 chilometri, inclusi 80.500 chilometri di strade lastricate con pietra. Le strade romane furono chiamate "viae" (plurale del nome "via") in Latino. La parola è in relazione con il termine inglese way.

ALL ROADS LEAD TO ROME

All roads lead to Rome is an Italian proverb originating from the system of streets in ancient Rome, which is largely used for the current Italian road system. Many Roman roads started from Rome and then, if taken in reverse, "led to Rome."

The Roman roads were built during the Roman Empire. The Romans used them for quick transport of materials from one place to another, for cattle, vehicles, or any similar traffic along the path. They were essential for the growth of the Roman Empire. These roads enabled the Romans to move armies and trade goods and to communicate news. The Roman road system spanned more than 400,000 km, including over 80,500 km of paved roads. Romans roads were called "viae" (plural of the singular term *via*) in Latin. The word is related to the English way.

■ La via Appia

The Appian Way was one of the earliest and strategically most important Roman roads, named after Appius Claudius Caecus, the Roman censor who began and completed the first section.
It connects Rome to Brindisi, Apulia. After the fall of the Western Roman Empire, the road fell out of use. A new Appian Way was built parallel to the old one.
The new road is the Via Appia Nuova as opposed to the old section, now known as Via Appia Antica.
The old Appian Way close to Rome is now a major tourist attraction.
The Appian way is commonly said to be the queen of the long roads.

■ La Pietra Miliare

Most viae, were divided into numbered miles by milestones. The modern word mile derives in fact from the Latin milia passuum, "one thousand paces", which amounted to 4,841 feet (1,480 m).

I Romani costruirono ponti per attraversare i fiumi. Un ponte poteva essere di legno, di pietra o di entrambi i materiali. I ponti di legno furono costruiti su pali conficcati nel fondo dei fiumi o su pilastri di pietra. I ponti più grandi o di maggior durata richiedevano delle arcate. Questi grandi ponti furono costruiti in pietra e avevano l'arco come struttura di base. Molto usato era anche il calcestruzzo, che i Romani furono i primi a usare per i ponti. I ponti romani furono costruiti così bene che molti sono ancora in uso oggi giorno.

The Romans built bridges to cross rivers. A bridge could be of wood, stone, or both. Wooden bridges were constructed on pilings sunk into the river, or on stone piers. Larger or more permanent bridges required arches. These larger bridges were built with stone and had the arch as its basic structure. Most also used concrete, which the Romans were the first to use for bridges. Roman bridges were so well constructed that many are in use today.

■ **Ponte Romano**

■ **Foro Romano**

■ **Ponte Milvio**

■ **Colosseo**

Read the question and answer in Italian.

1. Da dove partivano e dove tornavano molte strade dell'antica Roma?

....

2. Per che cosa usavano le strade i Romani?

....

3. Perchè esse furono essenziali?

....

4. Per quanti chilometri si estendeva il sistema delle strade romane?

....

5. Con quale parola Latina è in relazione il termine inglese way?

....

6. Che cosa costruirono i Romani per attraversare i fiumi?

....

7. Di quali materiali potevano essere i ponti?

....

8. Quale materiale usarono per primi i Romani?

....

FORME PARTICOLARI DI PLURALE

Note!

The change of final vowel A/O – I/E in some cases needs a change in the way you write the word, to keep the hard sound.

Normally nouns ending in –O are masculine and form the plural by changing O to → I.

Normally nouns ending in –A are feminine and form the plural by changing A to → E.

Nouns ending in –E can be masculine or feminine and form the plural by changing E to → I.

In some cases there are orthographic (spelling) changes needed to keep the hard sound of the preceding consonant.

Remember!

Nouns ending in the singular **GO/GA** – **CO/CA** form the plural → in **CHI** – **GHI** if masculine,

→ in **CHE** – **GHE** if femine.

Ex.: bruco → bru**chi**   fungo → fun**ghi**

amica → ami**che**   maga → ma**ghe**

Note!

• Only **BELGA** (is inhabitants of Belgium) form the plural BEL**GI**.

R E A D I N G ● S P E A K I N G

THE VOLLEYBALL TEAM

| ROSSI | MARIANI | GIORGI | VILLA | COSSI | MAZZI | TRILLO | MAURI | AGOSTI | LUPI |

For next Saturday's game the coach is choosing the players who took the field in the earlier game. Because he does not remember their names he points them out by giving their position in line up. Guess and tell their names.

1. Under the net are:

• il primo della fila ....

• il sesto ....

• l'ultimo della fila ....

2. The center is:

• il settimo della fila ....

• At the bottom are: il nono ....

• il quinto della fila ....

Who is sitting on the bench? Answer.

• R E V I E W •

A Put the singular definite article before each noun.

.... ragazzo (m)   .... fila (f)

.... biglietto (m)   ....biglietteria (f)

.... orario (m)   .... stazione (f)

.... treno (m)   .... casa (f)

.... lavoro (m)   .... piazza (f)

.... terreno (m)   .... notizia (f)

.... legno (m)   .... pietra (f)

.... arco (m)   .... ragazza (f)

.... proverbio (m)   .... salsa (f)

.... olio (m)   .... via (f)

.... peperoncino (m)   .... mamma (f)

B Fill in the correct interrogative forms.
Choose among:

quando (when)? • **dove** (where)? • **come** (how)?

chi (who)? • **quanto** (how much)?

.... parte per Roma?   .... è il legno?

.... sono i ragazzi?   .... è il ponte?

.... parte il treno?   .... è il cemento?

.... costa il biglietto per Milano?   .... è italiano?

.... è Mike?   .... andiamo a Napoli?

.... portano le strade romane?   .... arrivano le merci?

C Fill in with correct forms of the verbs below.

PRENDERE

Tu .... noi .... loro ....

SCENDERE

noi .... lei .... io ....

PARTIRE

Io .... lui .... voi ....

COPRIRE

Tu .... io .... loro ....

ANDARE

Tu .... voi .... lei ....

PARLARE

Io .... noi .... loro ....

D Write the time in numbers.

1. Parti alle diciassette e quindici? ....
2. Vai dallo zio alle dieci meno venti? ....
3. Arrivo a Roma alle tredici in punto. ....
4. Partiamo alle nove e un quarto. ....
5. Gianni arriva a mezzanotte. ....
6. Lo incontro spesso a mezzogiorno. ....
7. Vado a scuola alle sette e mezza. ....
8. Tu prendi il treno alle ventidue e venti? ....
9. Parti alle otto meno cinque?.........
10. No, parto alle otto e dieci. ....

E Read the answer and write the question.

1. ....
È al quinto binario.
2. ....
Mi chiamo Giovanni.
3. ....
Sono le 17,30.
4. ....
Oggi andiamo a Roma.
5. ....
Andiamo in treno.
6. ....
No, è in ritardo.

F Answer the questions.

1. Dove va Giovanni? (*scuola*)

....

2. Dove andate voi? (*casa*)

....

3. Dove vanno in vacanza? (*Napoli*)

....

4. Dove vado con Marta? (*giardino*)

....

5. Dove va Amina? (*Egitto*)

....

6. Dove vanno i signori (*Maria*)

....

G Give the singular form of the verb in italics.

1. *Partiamo* alle 8.30
....

2. Da dove *partono* i treni?
....

3. Come *andate* a Roma?
....

4. I ragazzi *scendono* dal treno
....

5. Loro *sono* a Madrid.
....

6. Le ragazze *hanno* 15 anni.
....

H Write the question in Italian.

1. Chiedi a che ora parte il primo treno per Napoli.
....

2. Chiedi quanto costa il biglietto.
....

3. Chiedi a quale binario è il treno.
....

4. Chiedi se il treno è in orario.
....

5. Chiedi dove è il sottopassaggio.
....

I Write the following times in numbers.

cinque e un quarto ....
sette e mezza ....
un quarto alle undici ....
quattro e venti ....
cinque meno venti ....

L Write a complete sentence for each situation.

M Listen to the dialogue between Gianna and Claudio and complete the sentences.

1. Gianna va alla stazione per ....
2. Parte .... per Roma.
3. Va alla stazione .... della partenza.
4. Gianna è sempre ....
5. Claudio spesso .... il treno.

N Complete the sentences with prepositions A, IN, DA.

1. Marco e Gianni vanno .... scuola.
2. Domani vai .... Claudio?
3. In vacanza andiamo .... Palermo.
4. Noi invece andiamo .... Messico.
5. Dopo le sette i ragazzi vanno .... piazza.

O Form the plural of the nouns below.

ragazzo........
biglietto........
orario ....
treno ....
lavoro ....
vacanza ....
ragazza ....

fila ....
biglietteria ....
stazione ....
casa ....
piazza ....
partenza ....
scuole ....

P Complete with the correct form of the verb in brackets.

1. Maria .... (*scendere*) dal treno a Pavia.
2. Chi .... (*partire*) domani?
3. Gianni e Luca .... (*andare*) a scuola alle 9:00.
4. Voi .... (*arrivare*) spesso in ritardo.
5. Tu .... (*prendere*) l'aereo per Los Angeles.

IN CITTÀ

Unità 3

Obiettivi / Goals:

- Giving and asking for information
- Using connective space/location adverbs
- Using the indefinite article
- About modal verbs

■ **Roma**, Piazza Navona,
Fontana del Tritone

Come ci arrivo?

The three boys are traveling to Rome. Uncle Marc, who works at the university, has an unexpected appointment and can not go to the station to welcome them. He calls them and explains how to reach him. He will be waiting for them outside the subway station, near the university. Here is their telephone conversation.

Marc: – Hello Mike. This is Marc. I have to explain something to Jacopo.

Mike: – OK, Marc, here is Jacopo. See you soon.

Marc: – Jacopo, non posso venire a prendervi alla stazione… ti spiego come arrivare all'università.

Jacopo: – Va bene, ti ascolto.

Marc: – Dovete prendere la metropolitana B e scendere alla fermata Policlinico.

Jacopo: – Ok, ma come ci arriviamo da qui?

Marc: – Andate alla biglietteria centrale. Poi girate a destra e dopo il bar c'è l'indicazione per scendere ai treni della metro.

Jacopo: – Va bene, e poi?

Marc: – Prendete il treno per Rebibbia e scendete alla seconda fermata. Seguite l'indicazione Policlinico e uscite dalla metro. C'è una piazza e a sinistra ci sono tre alberi alti. Io vi aspetto lì.

Jacopo: – Va bene. Ci vediamo sotto gli alberi dopo le 11.00. Ciao.

Focus grammatica

QUI – LÌ – CI

These adverbs of place are used as follows.

Qui → is used to point to a place close to the speaker.

Lì → is used to point to a place away from the speaker.

Ci → means here / there. In particular, this is joined to the verb to be used in expressions like there is / there are.

Vocabolario

posso = I can
ti spiego = I am explaining to you
va bene = okay
ti ascolto = I am listening to you
dovete = you should
metropolitana/metro = subway /underground
la fermata (f.s.) = stop
vicino a = near
ma = but
da qui = from here
poi = then
girate = turn

(a) destra = right
il bar (m.s.)= bar/coffee house
l'indicazione (f.s.)= indication
seguite = follow
uscite = go out
(a) sinistra = left
gli alberi (m.p.)= trees
alti = tall
ci vediamo = we will meet
sotto = under
vi aspetto = I am waiting for you

A Complete the sentences with the correct verbs.

1. I ragazzi .... in treno.
2. Non .... venire alla stazione.
3. Va bene, ti ....
4. .... prendere la metropolitana.
5. Come ci .... da qui?
6. Dopo la biglietteria .... a destra.
7. .... alla seconda fermata.
8. .... indicazione e .... dalla metro.
9. Sulla piazza .... tre alberi.
10. Ci .... sotto gli aberi dopo le 11.00.

■ I ragazzi vanno alla stazione a incontrare lo zio Marc.

B Complete the sentences with the correct nouns.

1. Mike va a Roma dallo .... Marc.
2. Jacopo e Indira sono sul ....
3. Marc non può andare alla ....
4. I ragazzi devono arrivare all' ....
5. Per andare da Marc devono prendere la ....
6. Dopo il .... c'è .... per la metropolitana.
7. Devo prendere il .... per Rebibbia.
8. Devono scendere alla seconda ....
9. Sulla .... ci sono tre ....

C Complete the sentences with QUI, LÌ, CI, C'.

1. Dove sei? Sono ...., a casa.
2. Dov'è la metro? È .... a sinistra della piazza.
3. Dov'è la biglietteria. È .... davanti a te.
4. Non vedo Mike. Dov'è? È .... vicino a me.
5. Quando venite da me. .... veniamo alle 10.00.
6. Venite a scuola domani? Sì, ... veniamo.
7. C'è la zia? No, non ....
8. I ragazzi sono da te? No, non .... sono.

Focus grammatica

PRONOMI PERSONALI COMPLEMENTO

In Italian the object pronouns have two forms (one hard and one soft).

SOGGETTO	COMPLEMENTO	
	Hard	Soft
io	me	mi
tu	te	ti
noi	noi	ci
voi	voi	vi

The **hard forms** are used when they are preceded by a preposition.
Ex.: Vengo da **voi** domani.

The **soft forms** normally precede the verb. They follow the verb only when the verb is an imperative or an infinitive form.
Ex.: **Ti** parlo.
    Vieni a prender**ci**.
    Ascolta**ci**.

D 🔘 Listen to the dialogue and fill in the missing words.

– Ciao Giorgio, ... sei?
– Sono in .... , vicino .... Milano.
– A .... arrivate in .... tu e Marta?
– Dopo le 8.00, il treno è ....
– Scusa, ... non .... venire a prendervi.
– Allora, come posso arrivare da te?
– .... dalla stazione e prendete la ....
– Dove .... ?
– Alla quarta ...., piazza Cordusio.
– Va bene , ci .... lì.

Attività

Il gioco del telefono

● In this activity students working in pairs simulate telephone calls in which they exchange messages and information using the words and expressions already learned. To make the work easier the teacher provides examples to use as a starting point.

Con che mezzo vieni?

Mr. Brown, a journalist, is collecting information in order to understand how people get around in a big city. Today he has interviewed some people near the university. Here are three interviews.

Mario comes from the suburbs and uses public transportation.

Pei Chin is from Taiwan and lives in student housing near the university.

Mrs. Morris, a teacher, who comes from London.

Brown: – Buongiorno, mi dici da dove vieni?
Mario: – Da Torre Spaccata, un quartiere periferico.
Brown: – Con che mezzo vieni qui?
Mario: – Con un autobus e poi con la metropolitana.
Brown: – Quanto ti costa il biglietto?
Mario: – Non faccio il biglietto, ho l'abbonamento mensile.

Brown: – Buongiorno signorina, sto facendo una ricerca.
Pei Chin: – Che cosa vuole sapere?
Brown: – Con che mezzo viene in università?
Pei Chin: – Nessun mezzo, vengo a piedi.
Brown: – Quanto tempo impiega?
Pei Chin: – Dieci minuti, abito lì, in piazza.

Brown: – Buongiorno professoressa…
Morris: – Buongiorno a lei…
Brown: – Lei usa i mezzi pubblici?
Morris: – Sì, di solito prendo la metro.
Brown: – E oggi?
Morris: – Oggi arrivo dall'aeroporto, in taxi…

A Complete each sentence with the name of the character referred to in the dialogue.

1. Arriva in taxi. (………)
2. Abita in un quartiere periferico. (………)
3. Va a piedi all'università. (………)
4. Di solito prende la metro. (………)
5. Prende l'autobus. (………)
6. Ha l'abbonamento mensile. (………)
7. Prendono la metro. (……… ………)

B Fill in the correct definite article.

……… ricerca
……… università
……… piazza
……… signora
……… professoressa
……… fermata

……… aeroporto
……… taxi
……… quartiere
……… autobus
……… abbonamento
……… albero

Vocabolario

il quartiere (m.s) = neighborhood
periferico = suburban
l'autobus (m.s) = bus
l'abbonamento (m.s.) = ticket
mensile = monthly
la signorina (f.s.) = Miss
sto facendo = I am doing
la ricerca (f.s.) = research
sapere = to know
nessun mezzo (m.s.) = no means of transportation

a piedi (m.p.) = walking (on foot)
impiega = it takes
io abito = I live
la professoressa (f.s.) = Professor
i mezzi (m.p.) = transport
pubblici = public
di solito = usually
oggi = today
l'aeroporto (m.s.) = airport
il taxi (m.s.) = taxi

■ La metropolitana

C Match the noun to the picture.

1. TRENO   2. AUTOBUS   3. TAXI

4. METROPOLITANA   5. AEREO

D Match answer to question.

1. Che cosa vuol sapere?   a. Nella piazza vicino all'università.
2. Con che mezzo viene qui?   b. Di solito sì.
3. Quanto tempo impiega?   c. Dall'aeroporto.
4. Usa i mezzi pubblici?   d. Con l'autobus.
5. Da dove arriva?   e. Di solito 15 minuti.
6. Dove abita?   f. Che mezzi usa per venire qui.

E 🔊 Listen to the conversation between Anna and her sister, then complete the sentences.

1. Anna deve andare ....
2. Ci va prima ....
3. Prende l'autobus e poi ....
4. Scende alla ....
5. Lì c'è ....
6. Poi le due vanno .... in università.

■ Un autobus di linea

Grammatica

I VERBI MODALI

These are known as **modal verbs**.
They are used to help other verbs express the idea of possibility, will, duty.

POT-ERE	
io	posso
tu	puoi
lui/lei/**Lei**	può
noi	possiamo
voi	potete
loro	possono
VOL-ERE	
io	voglio
tu	vuoi
lui/lei/**Lei**	vuole
noi	vogliamo
voi	volete
loro	vogliono
DOV-ERE	
io	devo
tu	devi
lui/lei/**Lei**	deve
noi	dobbiamo
voi	dovete
loro	devono

Note!
The present tense of these verbs is irregular.
You must memorize them.

Scusi, qui vicino c'è?

Indira, Mike and James went downtown. Now they want to go home, but they do not know where the subway station is. They ask a traffic officer for information.

Indira: – Ragazzi, ecco un vigile. Chiediamo a lu dov'è la fermata più vicina della metro.

Mike: – Va bene, ma lo chiede Jacopo. Io non capisco bene l'italiano, quando una persona parla in fretta…

Jacopo: – D'accordo, faccio io. Scusi, qui vicino c'è una stazione della metro?

Policeman: – Quale linea dovete prendere?

Jacopo: – La linea B, quella che va verso l'università.

Policeman: – Sì, c'è. È in via Neri, la seconda strada a destra.

Jacopo: – Dove possiamo fare i biglietti?

Policeman: – All'edicola, dentro la stazione, di fianco alle scale.

Jacopo: – Grazie dell'informazione.

Vocabolario

il vigile (m.s.) = traffic officer
chiediamo = let us ask
chiede = he/she asks
più vicina = nearest
capisco = I see
la persona (f.s.) = person
parla = he/she talks
in fretta = fast
d'accordo = okay

faccio/fare = I do / to do
quale? = what? which?
quella che = the one
verso = towards
l'edicola (f.s.) = newsstand
dentro = inside
di fianco = next
le scale (f.p.) = stairs
l'informazione (f.s.) = information

Grammatica

L'ARTICOLO INDETERMINATIVO

The indefinite article in Italian has three forms. Its use is related to gender, masculine or feminine, and the first letter of the word following.

UN → masculine singular: **un** cane   **un** albero

UNO → masculine singular: **uno** zaino   **uno** gnomo
(Names beginning with: x-y-z / s + consonant / pn /ps / gn)

UNA → feminine singular: **una** ragazza

UN' → feminine singular: **un'**edicola

The plural is: **dei** (un) – **degli** (uno) – **delle** (una).

A Write a complete sentence in Italian as requested.

1. Ask if there is a means of transportation to go downtown.

....

2. Explain that you do not understand Italian well.

....

3. Ask where the bus stops.

....

4. Ask where you can buy your ticket.

....

B Read the dialogue and answer the questions in Italian.

1. Where is the station?

....

2. Where is the newsstand?

....

3. Whom does Jacopo ask for information?

....

4. What should he ask?

....

Vocabolario

SEGNALI STRADALI

 VAI DIRITTO

 FARMACIA

 POSTA

 VAI A DESTRA

 OSPEDALE

 HOTEL

 VAI A SINISTRA

 PARCHEGGIO

A Write complete sentences using the words provided. Follow the example below.

Maria, autobus, aspettare, 21. →
Maria aspetta l'autobus 21.

1. Metro, ragazzi, prendere. → ....
2. Mike, andare, zio, università. → ....
3. Tu, prendere, dovere, treno. → ....
4. Autobus, a sinistra, girare. → ....
5. Gianna, biglietto, chiedere. → ....
6. Io, volere, con Marta, parlare. → ....

B Write a question in Italian.

1. Ask where the newsstand is.

....

2. Ask where the pharmacy is.

....

3. Ask where you must get off the bus.

....

C Complete the dialogue with the words below.

Girare · c'è · cosa · deve · destra · qui · posso · via

– Scusi signora, ... un Ufficio Postale .... vicino?

– Sì, è in .... Manara al numero 61.

– Come .... arrivarci?

– .... andare diritto fino all'edicola.

– E poi che .... devo fare?

– Deve .... a ...., l'Ufficio è lì.

D Write a complete dialogue in Italian using these sentences.

1. Luke asks John to go to his house.
2. John answers that he will and asks how he can get there.
3. Luke tells him that he is going to explain it to him.
4. John says that he is listening.
5. Luke says that John should take the bus number 25.
6. John asks at what bus stop he has to get off.

Focus grammatica

USO DEGLI ARTICOLI DETERMINTATIVI E INDETERMINATIVI

To understand the use of the definite articles or indefinite articles in Italian read this sentence.

• Color THE triangle red, color A circle yellow and color A square green.

(Colora IL triangolo rosso, colora UN cerchio giallo e UN quadrato verde.)

The use of the article IL indicates that the object is a well defined one.

The use of the article UN indicates that there are many similar objects.

Ex.: I have to paint **one** of them at random.

Attività

● The teacher gives the students the map of a neighborhood with the directions to be followed. Students in turn play the role of the policeman, the tourist, the newsstand employee and the passersby. They must give and ask for information.

E Complete with the verb in brackets.

1. Dove .... (*potere*) essere i ragazzi?
2. In quale piazza .... (*voi dovere*) aspettare Marc?
3. Quando .... (*voi, volere*) andare a Roma?
4. Come .... (*noi, potere*) arrivare in centro?
5. Quale mezzo .... (*loro, dovere*) prendere?
6. Chi .... (*volere*) andare in vacanza?
7. Quando .... (*tu, potere*) venire da me?
8. A chi .... (*io, potere*) chiedere un'informazione?
9. Dove .... (*noi, dovere*) scendere?
10. Con quale mezzo .... (*lui, potere*) arrivare qui?
11. .... (*noi, volere*) prendere l'autobus.
12. Gianni e Marco non .... (*volere*) venire da me.
13. Quando .... (*voi, potere*)uscire?

F Fill in the definite articles in the sentences below.

1. Dovete prendere .... metropolitana B.
2. Ci vediamo sotto .... alberi.
3. Quanto costa .... biglietto della metro?
4. Quella è .... piazza dell'università.
5. Prendete .... treno per Rebibbia
6. Ho .... abbonamento mensile
7. Dov'è .... casa di Maria.
8. Quella è .... fermata della metro.
9. Come si chiama .... amico di Mike?
10. Domani vedo .... papà di Marco.
11. Dov' è .... fermata della metro?

G Fill in the indefinite articles in the sentences below.

1. Abito in .... quartiere periferico.
2. Ci sono .... parcheggi in centro?
3. Prendo .... taxi per andare a casa.
4. Mi dà .... biglietto, per favore?
5. Chiedo .... informazione a .... vigile.
6. Scusi, c'è .... treno per Napoli?
7. Mike ha .... zio a Roma.
8. Qui vicino c'è .... parcheggio?
9. Chiedi dove puoi trovare .... ristorante.
10. Vado a vedere .... casa in periferia.

H Complete each sentence as in the example.

Vai a scuola con l'autobus? No, ci vado a piedi.

1. Vai a Roma con Mario?

.... con Mattia.

2. Andate in centro con la metro?

.... con l'autobus.

3. Maria viene da te domani?

No, ... oggi.

4. La mamma viene a casa a piedi?

No, ... in taxi.

5. I ragazzi vengono a Roma in aereo?

No, ... in treno.

I 🔘 Listen to the dialogue, complete the sentences, and answer the questions.

– Ciao Alessia, come .... ?
– Bene, e tu? Che cosa .... a Roma?
– Sono .... con dei ragazzi, in gita.
– In .... albergo siete?
– Stiamo a casa di uno zio di Mike.
– In un .... della periferia?
– No, siamo vicino ....
– Allora devi venire da me, ... abito lì vicino.
– Quando ci .... vedere?
– Domani, verso .... , va bene?
– Sì. Mi va bene, ... presto.

Focus grammatica

I CONTRARI
These are some expressions that indicate the position of an object. These words are usually learned in pairs with their opposite.

sopra/sotto	→ up/down - on/under
davanti/dietro	→ infront of/behind
a destra/a sinistra	→ on the right/on the left
dentro/fuori	→ inside/outside
vicino/lontano	→ near/far

G I O C O

DOV'È IL GATTO?

1. Il gatto bianco è .... l'albero.
2. Il gatto nero è .... all'albero.

1. Il gatto bianco è .... l'albero.
2. Il gatto nero è .... l'albero.

1. Il gatto bianco è .... dell'albero.
2. Il gatto nero è .... dell'albero.

1. Il gatto bianco è .... all'albero.
2. Il gatto nero è .... dall'albero.

CRUCIVERBA
Find the word corresponding to the drawings and put it in the puzzle.

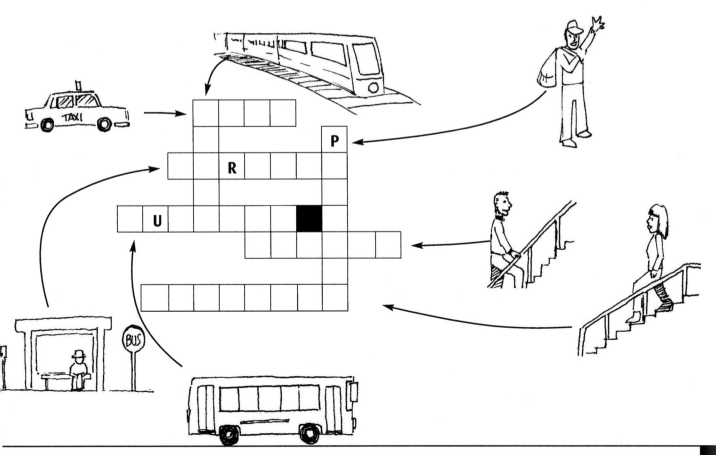

LE ORIGINI DI ROMA

Vedi, qui, appena si comincia a scavare, vien fuori qualche pezzo della Roma antica.

Come mai in una città così grande ci sono solo due linee di metro?

Vuoi dire che noi stiamo camminando sopra la Roma di Augusto?

Sì ma... sotto i tuoi piedi ci sono gli strati antichi... quelli di cui si parla nelle leggende.

Due gemelli, Romolo e Remo, figli di un dio e di una mortale, furono abbandonati in un cesto sulle acque del Tevere. Una lupa li salvò e li nutrì per qualche tempo.

Mi piacciono le leggende, dai, racconta...

Poi un pastore li trovò e li portò nella sua capanna. Solo quando furono grandi conobbero la verità sulle loro origini.

CULTURA ITALIANA

■ Città del Vaticano
The territory of Vatican City is part of the Mons Vaticanus, and of the adjacent former Vatican Fields, where St. Peter's Basilica, the Apostolic Palace, the Sistine Chapel, and museums were built. Rome is a city filled with cultural treasures. Its many museums contain some of the most famous paintings and sculptures in the world. The Vatican Museums are among the most famous and important in the world, with over 4.2 million visitors a year.

ROMA, LA CAPITALE D'ITALIA

Roma è la capitale d'Italia ed è il comune più grande e più popolato del Paese; l'area urbana è stata stimata che abbia una popolazione di 3.7 milioni di abitanti.
La città è situata nella parte centro-occidentale della Penisola italiana sul fiume Tevere nella regione Lazio.

Roma è la sede del Governo italiano. La residenza ufficiale del Presidente della Repubblica italiana e del Primo Ministro, la sede di tutte e due le Camere del Parlamento italiano e quella della Corte Costituzionale sono situate nel centro storico.

La storia dell'origine di Roma è avvolta nella leggenda. Secondo la tradizione, Romolo fondò la città il 21 aprile del 753 a.C. L'origine leggendaria del nome della città deriva dal fondatore e primo re Romolo.

ROME THE CAPITAL OF ITALY

Rome is the capital of Italy and the country's largest city. The urban area was estimated to have a population of 3.7 million inhabitants.
The city is located in the central-western portion of the Italian Peninsula, on the Tiber river within the Lazio region.

Rome is the seat of the Italian Government. The official residences of the President of the Italian Republic and the Italian Prime Minister, the seats of both houses of the Italian Parliament and that of the Italian Constitutional Court are located in the historic center.

Rome's early history is shrouded in legend. According to the myth, Romulus founded the city on April 21, 753 B.C. The legendary city gets its name from its founder and first king Romulus.

■ Le piazze di Roma
Rome is also famous for its huge and majestic squares (often adorned with obelisks), many of which were built in the 17th century.
The principal squares are Piazza Navona, Piazza di Spagna (picture), Campo de' Fiori, Piazza Venezia, Piazza Farnese and Piazza della Minerva.

■ Fontana di Trevi
One of the most emblematic examples of Baroque art is the Fontana di Trevi.

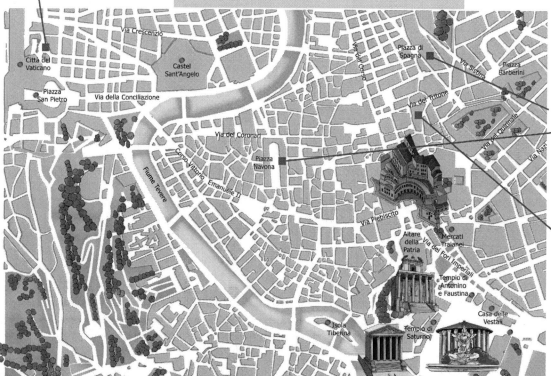

Uno dei simboli dell'antica Roma è il Colosseo (70-80 d.C.), il più grande anfiteatro costruito dall'Impero Romano. Originariamente era in grado di ospitare 60.000 spettatori, fu usato per il combattimento dei gladiatori.

L'elenco dei monumenti più importanti comprende: il Foro Romano, la Domus Aurea, il Pantheon, la Colonna Traiana, il mercato di Traiano, le Catacombe, il Circo massimo, le Terme di Caracalla, Castel Sant'Angelo, il mausoleo di Augusto, l'Ara Pacis, l'Arco di Costantino e la Bocca della Verità.

La seconda metà del quindicesimo secolo vide spostarsi la sede del Rinascimento da Firenze a Roma. Il Papato volle uguagliare e sorpassare la magnificenza delle altre città italiane e per questo creò originali chiese, ponti, piazze e pubblici spazi. I Papi furono anche mecenati delle arti assumendo artisti come Michelangelo, Raffaello, Botticelli.

One of the symbols of ancient Rome is the Colosseum (70-80 AD), the largest amphitheatre ever built in the Roman Empire. Originally capable of seating 60,000 spectators, it was used for gladiatorial combat.

A list of important monuments includes the Roman Forum, the Domus Aurea, the Pantheon, Trajan's Column, Trajan's market, the Catacombs, the Circus Maximus, the Baths of Caracalla, Saint Angel Castle, the Mausoleum of Augustus, the Ara Pacis, the Arch of Constantine, and the Mouth of the Truth.

The latter half of the 15th century saw the seat of the Italian Renaissance move to Rome from Florence. The Papacy wanted to equal and surpass the grandeur of other Italian cities and to this end created ever more extraordinary churches, bridges, squares and public spaces. The Popes were also patrons of the arts engaging such artists as Michelangelo, Raphael, Botticelli.

■ Piazza di Spagna

■ Fontana di Trevi

Read the question and answer in Italian.

1. Qual è la capitale d'Italia?

....

2. Come è il suo comune?

....

3. Dove è situata la città?

....

4. Dove si trova?

....

5. Quali istituzioni hanno sede in Roma?

....

6. Chi fondò la città e quando?

....

7. Qual è uno dei simboli dell'antica Roma?

....

8. Quanti spettatori era originariamente in grado di ospitare il Colosseo?

....

9. Quali sono i più importanti monumenti di Roma?

....

10. Che cosa creò il Papato?

....

■ Basilica di San Pietro

Grammatica

LE PREPOSIZIONI SEMPLICI E ARTICOLATE

A preposition is a word used before the noun it modifies.

Simple prepositions are:

di	a	da	in	con	su	per	tra/fra
of	to	from	in	with	on	for	between

A preposition may be linked with the article so it is an articulated preposition.

Articulated prepositions are:

	il	lo	la	i	gli	le
di +	del	dello	della	dei	degli	delle
a +	al	allo	alla	ai	agli	alle
in +	nel	nello	nella	nei	negli	nelle
su +	sul	sullo	sulla	sui	sugli	sulle

READING ● SPEAKING

A ROLE PLAY

1.
Your friend arrived at the station and has to get to your house.
He wants to walk. Tell him on the phone how to get to you.

2.
You are lost in an unfamiliar city. Call the local police station and try
to explain where you are by pointing out what you see around you.

3.
A passerby stops you and asks you how to get to the bus station.
Give him/her the correct information.

B THE MESSAGE

Write a note to Mark to tell him that you will arrive in his city tomorrow. Tell him by which means of transportation
you are arriving. Explain that you do not speak Italian well and ask if he can pick you up. If it is not possible, ask him
to tell you whether there is public transportation you can take to get to his house.

R E V I E W

A Check to see if you know the PRESENTE of the verbs studied in this unit.
Complete the chart below.

	POTERE	DOVERE	VOLERE	CHIEDERE
io	....	....	....	....
tu	....	devi	....	....
lui/lei/**Lei**	....	....	vuole	....
noi	possiamo	....	....	....
voi	....	....	....	....
loro	....	....	....	chiedono

B Read and answer the questions as in the example.

1. Puoi venire da me?   **No, non posso venire da te.**
2. Potete venire da me?   No, ...
3. Carlo può venire da me?   No, ...
4. Possono venire da me?   No, ...
5. Vuoi venire da me?   No, ...
6. Volete venire da me?   No, ...
7. Vogliono venire da me?   No, ...
8. Devo andare a scuola?   Sì, ...
9. Dobbiamo andare a scuola?   Sì, ...
10. Mario deve andare a scuola?   Sì, ...

C Read the answer and ask the question.

1. ....
Sì, potete prendere l'autobus.
2. ....
Vogliamo andare a casa di Maria.
3. ....
Non posso venire a Roma domani.
4. ....
Alle sette devo essere a scuola.
5. ....
No, non vogliamo andare dallo zio.
6. ....
Potete prendere il treno a Firenze.

D Fill in the simple prepositions or the articulated prepositions.

1. Dovete scendere .... terza fermata.
2. Quando venite .... Roma?
3. Dopo l'edicola c'è l'indicazione .... prendere la metro.
4. Devi chiedere .... Maria l'indirizzo .... casa.
5. Abito .... un quartiere periferico.
6. Prendo il taxi .... andare .... aeroporto.
7. Vado .... centro .... piedi.
8. Ti aspetto .... fermata .... autobus.
9. Ci vediamo .... piazza.
10. Domani non venite .... me. Non ci sono.

E Read and answer the questions.

1. Dove ti posso vedere?
....
2. Quando ci potete chiamare?
....
3. Mi vuoi vedere?
Sì, ...
4. Possiamo venire da voi?
Sì, ...
5. Ci aspettate in piazza?
No, ...
6. Marco ci viene a prendere?
Sì, Marco ....

F Match the adverb to its opposite.

1. sopra
2. lontano
3. dietro
4. a sinistra
5. dopo

a. davanti
b. a destra
c. sotto
d. prima
e. vicino

G Write the correct nouns under the drawing.

....

....

H Complete with the PRESENTE of the verb in brackets.

1. Oggi .... (*noi, dovere*) andare a Milano.
2. Quando .... (*voi, potere*) arrivare?
3. Io non .... (*volere*) salire sul treno.
4. Loro .... (*potere*) chiamare domani.
5. Tu .... (*potere*) chiedere informazioni.

I Complete the sentences below with articles and prepositions.

1. Scusi, qui vicino c'è .... stazione .... metro?
2. Seguite .... indicazione Policlinico e uscite .... metro.
3. Oggi vado .... aeroporto, ... taxi.
4. È .... via Neri, ... seconda strada .... destra.
5. Grazie .... informazione.

L Complete with the correct pronouns.

1. .... vediamo dopo le otto. (*noi*)
2. Marta viene da .... oggi. (*io*)
3. Lo zio .... aspetta in piazza. (*noi*)
4. Il vigile .... spiega dove andare. (*io*)
5. .... chiedo un'informazione. (*voi*)

M Write a postcard to Mary.

Cara Maria....

- Ask how she is.
- Tell her you can not go on vacation with her because you have to go to France.
- Tell her you want to meet her before you leave.
- Ask if you can meet her this weekend.
- Ask if she might come to Turin.
- Tell her when the train leaves from Milan.
- Tell her when the train arrives in Turin.
- Tell her that you will wait for her at the station.
- Say goodbye.

N Listen to the text and answer.

1. Dove deve andare Mike?
....
2. Con che mezzo ci va?
....
3. Dove fa il biglietto?
....
4. A che fermata scende?
....
5. Dove lo aspetta Jacopo?
....

■ La fermata dell'autobus è davanti alla stazione Termini.

Unità 4

Obiettivi / Goals:

- Describing daily activities
- Using adverbs of frequency
- Knowing and using reflexive verbs

LA GIORNATA DI...

■ **Siena**, Contrada dell'Oca

■ **Siena**, il Palio

■ **Siena**, Le bandiere delle contrade

Che giorno è?

Uncle Marc has a small baby, Maxi, who is four years old. He likes the new guests so much that he always tries to stay with them when he is not at school. Indira is very patient and plays with Maxi.

Mike and Jacopo like to ask him about what he does in school.
Maxi has just learned the days of the week. Listen to him ....

Maxi: – Ciao Mike, so una cosa nuova.
Mike: – Sentiamo, che cos'è?
Maxi: – So dire i giorni della settimana…
Jacopo: – Tutti in fila? Che bravo!
Mike: – Prova a dirli…
Maxi: – Lunedì, martedì, mercoledì… venerdì…
Jacopo: – Aspetta, cominciamo da capo…
Mike: – Ti aiuto io…
Maxi: – No, da solo… mercoledì, giovedì, venerdì, sabato e domenica.
Mike: – …e sai anche che giorno è oggi?
Maxi: – Sì, è venerdì, domani è sabato e sto a casa!
Jacopo: – Sai anche i nomi dei mesi?
Maxi: – Sì… ma sono tanti… te li dico un'altra volta

Vocabolario

so/sai = I know / you know
la cosa nuova (f.s.) = something new
sentiamo = let us listen
i giorni (m.p.) = days
la settimana (f.s.)= week
tutti = all
che bravo! = how clever!
dire = to say
prova a dirli = try to say them
cominciamo = let us begin
da capo = again
ti aiuto = I will help you
da solo = alone
i nomi (m.p.)= names
i mesi (m.p.) = months
tanti = many
te li dico = I will tell them to you
un'altra volta = next time

Cultura

SETTIMANE A CONFRONTO

For Italians the week starts on **lunedì**. (Monday).
The following days are: **martedì**, **mercoledì**, **giovedì**,
venerdì, **sabato**, **domenica**.
The first five days got their names by adding "dì" (day)
to the names of different pagan gods. .
The last two are different: **sabato** comes from the Latin "sabbatum", which in turn comes from the Jewish "Shabbat", Sunday, the day of rest, **domenica**, comes from the Latin "dies dominica" the Lord's day, and goes back to the Christian age.
If you compare them with the names of the days of the week in English,
you will see that the structure is the same,
but Saturday and Sunday kept the ancient name:
Saturday, the day of Saturn, and Sunday, the day of the Sun.
Besides, just as in ancient times, in the
United States the week begins on Sunday
and ends on Saturday.

A Match question to answer.

1. Che cosa sa dire Maxi?
2. Che giorno è oggi?
3. Sai dire i nomi in fila?
4. Ti aiuto io?
5. Sai dire i nomi dei mesi?
6. Ricominciamo da capo?
7. Domani che giorno è ?
8. Provi a dire i nomi dei mesi?

a. Te li dico un'altra volta.
b. No, sono tanti.
c. Oggi è venerdì.
d. No, ricominciamo da mercoledì.
e. Sì, li so tutti in fila.
f. Domani è sabato.
g. I nomi dei giorni.
h. No, faccio da solo

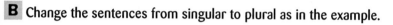

B Change the sentences from singular to plural as in the example.

Maxi sa dire i giorni della settimana. →
Maxi e Jeanne sanno dire i giorni della settimana.

1. Lui chiede che ore sono.

....

2. Domani stai a casa?

....

3. Prova a dire come ti chiami.

....

4. Non vuoi cominciare?

....

5. Lui fa molto bene.

....

6. Sai che giorno è oggi?

....

C Listen to the dialogue and fill in the missing words.

– .... anni hai, Maxi?
– .... quattro anni.
– Vai a .... o no?
– .... a scuola e .... tante cose!
– Dove .... a scuola?
– .... scuola Montessori, vicino .... casa.
– Che cosa .... fare?
– So .... i nomi .... giorni e dei mesi.
– Tutti? .... a dirli.
– Dico i .... , i mesi sono tanti.
– Va bene, ma .... in fila! Ti ascolto.

■ Orologio della Torre del Mangia

Grammatica

IL VERBO SAPERE / PRESENTE INDICATIVO

SAPERE	
io	so
tu	sai
lui/lei /**Lei**	sa
noi	sappiamo
voi	sapete
loro	sanno

IL VERBO FARE / PRESENTE INDICATIVO

FARE	
io	faccio
tu	fai
lui/lei /**Lei**	fa
noi	facciamo
voi	fate
loro	fanno

Note!
The PRESENTE of these verbs is very irregular and must be memorized.

Che cosa fai oggi?

Vocabolario

MATTINA
alzarsi =
to get up
lavarsi =
to wash oneself
vestirsi =
to dress oneself
fare colazione =
to have breakfast
andare a scuola =
to go to school

POMERIGGIO
incontrare gli amici =
to meet friends
fare i compiti =
to do homework
andare in piscina =
to go to the swimming pool
fare un giro per negozi =
to go shopping

SERA
cenare in famiglia =
to have dinner with the family
guardare la TV =
to watch TV
leggere =
to read
andare al cinema =
to go to the movies
andare a dormire =
to go to sleep

AVVERBI DI FREQUENZA
■ sempre = always
▬ spesso = often
▦ qualche volta / a volte = sometimes
☐ mai = never
di solito/abitualmente = usually
ogni giorno = every day

A Complete the sentences below.

Paolo .... uno studente, ... 16 anni.
Tutti i giorni .... alle 7.00, si lava e ....
con calma.
Di solito .... colazione a casa. Alle 8.00
va scuola a piedi. .... Gianna e parla
con lei delle .... da fare.

Nel .... fa i .... o studia fino ....
cinque, poi va .... centro.
Qui incontra .... amici. Spesso .... un
giro per negozi. Tre giorni alla settimana,
.... sei, va .... piscina e arriva a casa
alle otto.

Di solito .... a casa .... famiglia, poi
.... la TV o fa un giro in Internet.
Qualche .... deve studiare anche ....
cena. Il mercoledì .... al cinema con
.... amici. Non va mai a .... prima
delle 11.00.

B Read and answer the questions.

1. A che ora ti alzi?
.... alle 8.00.
2. Come ti vesti?
.... casual.
3. Quando vai a scuola?
....
4. Con chi vai in centro?
....
5. Quando fai i compiti?
....

C Complete the sentences with the frequency adverbs below:

sempre • a volte • a volte - a volte • sempre - mai • spesso - spesso

1. Ti alzi .... alle 6.00?
No, non mi alzo .... prima delle 7.00.

2. Vai .... a scuola a piedi?
No, ... prendo l'autobus.

3. Prendi .... il taxi?
No, non lo prendo ....

4. .... vai al cinema?
Si, ... vado al cinema.

D Arrange the drawings in chronological order. Under each drawing write the name of the activity shown.

....

....

....

E Read the answer and ask the question.

1. ....

Mi alzo alle sette.

2. ....

Di solito verso mezzanotte.

3. ....

A piedi, con un'amica.

4. ....

Vado al cinema dopo cena.

5. ....

In centro? Dopo le cinque.

F 🔘 Listen to this story and choose the correct statements.

1. Anna non abita in centro.
2. Lavora all'edicola della stazione.
3. Alla mattina si alza prima delle 7.00.
4. Si lava e si veste con calma.
5. Fa colazione a casa.
6. Va al lavoro a piedi.
7. Lavora fino a mezzogiorno.
8. Dopo il lavoro va spesso al bar.
9. A volte incontra una amica.
10. Vanno a fare un giro per negozi.

Grammatica

I VERBI RIFLESSIVI

ALZARSI – VEDERSI – VESTIRSI

Reflexive verbs indicate that the subject of the sentence has performed an action on itself.
Reflexive pronouns are: **mi, ti, ci, si, vi**. Reflexive pronouns come before the conjugated verb and agree with the subject.
The pronoun follows the verb in the infinitive.
The conjugation of reflexive verbs follows the three models of the active conjugation.

ALZARSI		VEDERSI		VESTIRSI	
io	**mi** alzo	io	**mi** vedo	io	**mi** vesto
tu	**ti** alzi	tu	**ti** vedi	tu	**ti** vesti
lui/lei/**Lei**	**si** alza	lui/lei/**Lei**	**si** vede	lui/lei/**Lei**	**si** veste
noi	**ci** alziamo	noi	**ci** vediamo	noi	**ci** vestiamo
voi	**vi** alzate	voi	**vi** vedete	voi	**vi** vestite
loro	**si** alzano	loro	**si** vedono	loro	**si** vestono

A che ora ci vediamo?

L'APPUNTAMENTO

Segretaria: – Buongiorno, signora Campi, sono la segretaria del dottor Bianchi.

Signora Campi: – Buongiorno signorina, la ascolto.

Segretaria: – Il dottore è libero venerdì prossimo, nel pomeriggio.

Signora Campi: – Sì, venerdì pomeriggio mi va bene.

Segretaria: – Allora l'appuntamento è per le 15.00.

Signora Campi: – D'accordo. Grazie e arrivederci.

DAL CAMICIAIO

Giorgio: – Buonasera Matteo, sono Giorgio…

Matteo: – Buonasera Giorgio, che cosa c'è?

Giorgio: – Sono ancora in negozio… Ti chiamo per dirti che le camicie sono pronte… Puoi venire domani?

Matteo: – Domani no, devo andare a Milano. Se vengo martedì, quando esco dall'ufficio, va bene?

Giorgio: – Sì, d'accordo. Ci vediamo martedì dopo le cinque.

FRA AMICHE

Anna: – Ciao Maria, sono Anna… passo a prenderti alle sette.

Maria: – Così presto!! Ma devo cenare e poi vestirmi…

Anna: – Va bene… alle sette e mezza, non un minuto dopo!

Maria: – Ti fermi sotto casa o nel parcheggio?

Anna.: – Sotto casa… così facciamo prima. Il film comincia alle otto!

Maria: – D'accordo, ti aspetto alle sette e mezza sotto casa.

Vocabolario

Il dottor / il dottore (m.s.) = doctor / medical doctor
la ascolto = I am listening to you
libero = free
prossimo = next
l'appuntamento (m.s.)= appointment
d'accordo = okay

ancora = still
le camicie (f.p.)= shirts
esco = I go out
l'ufficio (m.s.)= office
passo a prenderti = I will pick you up
così presto = so soon

Grammatica

IL VERBO VENIRE
PRESENTE INDICATIVO

VENIRE	
io	vengo
tu	vieni
lui/lei /**Lei**	viene
noi	veniamo
voi	venite
loro	vengono

Attività

● The dialogues are meant to be performed; the teacher can ask students to work in pairs to memorize them and to repeat them, trying not just to learn the pronunciation, but also the tone and gestures …

Vocabolario illustrato

 **lavare la macchina**
(f.s.) = to wash the car

 **cucinare** =
to cook

 **telefonare** =
to call

 **giocare a basket** =
to play basketball

 **la palestra**
(f.s.) = gym

 **il parrucchiere**
(m.s.) =
barber

A Write who performs the action.

1. Deve andare dal dottore. (..........)
2. Fissa un appuntamento. (..........)
3. Ordina le camicie. (..........)
4. Chiama Anna. (..........)
5. È libero di venerdì. (..........)
6. Sta in negozio. (..........)
7. Lavora in ufficio. (..........)
8. Non vuole arrivare in ritardo. (..........)
9. Deve andare a Milano. (..........)
10. Va a prendere Anna. (..........)
11. Va al cinema. (..........)

B Complete the sentences with the correct preposition.

1. Ci vediamo .... 9.00 .... bar.
2. Ci incontriamo dopo cena .... Mario.
3. Ti aspetto domani vicino .... casa .... Mike.
4. L'appuntamento è sempre .... venerdì .... due.
5. Vieni domani, ti aspetto .... negozio.
6. Lavorano .... un Ufficio Postale.
7. Sono qui, davanti .... farmacia.
8. Non voglio arrivare .... ritardo.

C Who does these things in your house?

1. Lava la macchina nel fine settimana. (..........)
2. Cucina tutti i giorni. (..........)
3. Gioca a basket di pomeriggio. (..........)
4. Va in palestra al mattino. (..........)
5. Telefona spesso. (..........)
6. Va dal parrucchiere tutte le settimane. (..........)

D Write complete sentences in Italian as in the example below.

Io lavoro	dal	una alle	sette
	dalle	mattino	alla sera
	dall'	**8.30** →	**alle 12.30**
Ci vediamo	al	una e mezza	
	a	bar Florian	
	all'	casa tua	
Vengo con	l'	tram	
	lo	metro	
	il	autobus	
	l'	zio	

Grammatica

IL VERBO FINIRE

Many verbs of the third group that end in –IRE in the present tense insert a suffix ISC between the stem and the ending. There is no a rule to identify them, so if you have not learned them you should check into a dictionary.

The following verbs are conjugated like FINIRE:
capire, costruire, punire, unire, preferire, agire.

VENIRE	
io	fin–isc–**o**
tu	fin–isc–**i**
lui/lei /**Lei**	fin–isc–**e**
noi	fin–**iamo**
voi	fin–**ite**
loro	fin–isc–**ono**

Note!
When ISC is followed by **O / A** the sound is hard, like skateboarding.
When ISC is followed by **I / E** the sound is sweet, as in fish.

E Put the verb in brackets in the right person.

1. Sai dire come .... (*chiamarsi*) quei ragazzi?
2. Luigi chiede quando può .... (*presentarsi*).
3. A che ora .... (*tu, alzarsi*) la domenica?
4. Mi potete dire come .... (*chiamarsi*)?
5. .... (*noi, chiamarsi*) Marta e Luisa.
6. Io non .... (*alzarsi*) prima delle 8.00.
7 .... (*presentarsi*): siamo i signori Campi.
8. Fai colazione o prima .... (*vestirsi*)?
9. No, prima .... (*io, lavarsi*) poi faccio colazione
10. Quando .... (*vedersi*) Mauro e Giorgio?

F Complete the dialogues with the verbs SAPERE and FARE.

1. Che cosa .... oggi, Maria?

.... un giro in centro. Vieni?

Non .... se posso, devo .... un lavoro.

2. Venite a .... i compiti da me?

Come .... ad arrivare da te?

Come, non .... dove abito?

No, non lo ....

3. Mi .... (*tu*) dire come si chiama la mamma di Marta?

Non lo ...., chiedi a Maria se lo ....

D'accordo, ... (*io*) come dici tu.

G Complete with the corresponding form of the verb VENIRE.

1. Gianni .... dopo le cinque.
2. Alessia, da dove ....?
3. Noi .... con voi a scuola.
4. Quando .... gli zii?
5. Io non .... in gita domani.
6. Voi due, ... qui da me!

H Complete with the corresponding verbs form.

1. Prova a dire.   (*voi*) ....
2. Ti ascolto.   (*noi*) ....
3. Luisa comincia il lavoro. (*loro*) ....
4. Vai al cinema.   (*voi*) ....
5. Chiamo Maria domani.   (*noi*) ....
6. Carlo ci aspetta a casa. (*loro*) ....

I Today is Tuesday, which day completes each of these sentences?

1. Marta va a Parigi domani. (.........)
2. Vengo da te tra quattro giorni. (.........)
3. Ci vediamo tra due giorni. (.........)
4. Sono qui a Milano da tre giorni. (.........)
5. La mamma arriva per il fine-settimana. (......... /.........)
6. Se parto oggi e il viaggio dura tre giorni, quando arrivo? (.........

L Listen to the dialogue and choose the correct answer.

1. Anna chiama Indira per:
○ chiedere un'informazione
○ chiedere di uscire insieme
○ parlare con lei

4. Indira non può perché:
○ deve studiare
○ deve stare con Maxi
○ deve uscire con Maxi

2. Indira chiede:
○ Quando esci?
○ Quando ci vai ?
○ Quando arrivi ?

5. Indira può stare con Anna
○ prima delle cinque
○ fino alle cinque
○ dopo le cinque

3. Anna dice:
○ giovedì mattina
○ venerdì pomeriggio
○ venerdì verso le sei

6. Le ragazze si incontrano:
○ a casa di Anna
○ a casa di Indira
○ in centro

Focus lingua

USI DEL VERBO FARE

The verb FARE in Italian has many different meanings. Here are some of the most common.

USO IMPROPRIO DI FARE

Fare benzina (rifornirsi di)	→	to fuel
Fare i compiti (svolgere)	→	to do homework
Fare un film (girare)	→	to make a movie
Fare una casa (costruire)	→	to build a house
Fare un incidente (provocare)	→	to have an accident

ESPRESSIONI IDIOMATICHE

Ci sai fare! (Sei proprio bravo!)	→ You're really good.
Non farci caso! (Non dare importanza!)	→ Never mind.
Fai tu. (Scegli, decidi tu.)	→ Do as you please.
Ne faccio a meno. (Rinuncio a una cosa.)	→ To give up.
Ce la fai? (Riesci a fare una cosa?)	→ Are you able to do anything?

G I O C O

CHI LO DICE?

In the dialogues you have read and studied there are some characters. Match each of them to what they have said.

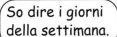

So dire i giorni della settimana.

Alle sette e mezza, non un minuto dopo!

Le camicie sono pronte... Puoi venire domani?

Sì, venerdì pomeriggio va bene.

Sai anche i nomi dei mesi?

CHE SPORT PRATICA ANNA?

Erase the words from the grid that correspond to the words listed below.

Write the letters remaining in the circles below.

G	I	O	R	N	O	P	U	F	F	I	C	I	O	A
L	C	A	S	A	L	S	E	T	T	I	M	A	N	A
C	I	N	E	M	A	A	V	S	P	E	S	S	O	O
L	P	A	L	E	S	T	R	A	O	A	I	U	T	O

PALESTRA   GIORNO   CINEMA

SETTIMANA   SPESSO   AIUTO

CASA   UFFICIO

Lo sport che pratica Anna è:

> **Focus lingua**
>
> **In Italian they say:**
>
> • CI VEDIAMO ALLE CALENDE GRECHE.
> Literally "I'll see you in the Greek calendar".
> It refers to the calendars in use in ancient Athens and Rome.
> The "Kalends" are dates in the Roman calendar that did not exist in the Greek calendar.
> This expression is used when you know that a thing will never happen.

Un sabato mattina, i Campi con gli ospiti lasciano l'auto in un parcheggio fuori dalla Porta Fontebranda.

In pochi minuti, a piedi, dal Duomo i ragazzi raggiungono la piazza più famosa di Siena, Piazza del Campo.

SIENA E IL PALIO

Siena è una città della Toscana. Il centro storico di Siena è stato dichiarato dall'UNESCO Patrimonio dell'Umanità. È una delle città più visitate dai turisti. Siena è famosa per la sua cucina, per l'arte, per i musei, per il suo aspetto medievale e per il Palio.

Piazza del Campo, la piazza della città a forma di conchiglia, con i suoi Palazzo Pubblico e Torre del Mangia, è un tesoro architettonico ed è famosa per ospitare la corsa dei cavalli denominata Palio.

SIENA AND THE PALIO

Siena is a city in Tuscany. The historic center of Siena has been declared a World Heritage Site by UNESCO. It is one of the most popular tourist attractions in Italy. Siena is famous for its cuisine, art, museums, medieval cityscape and the palio.

The shell-shaped Piazza del Campo, the town square, which houses the Palazzo Pubblico and the Torre del Mangia, is an architectural treasure and is famous for hosting the Palio horse race.

■ Palazzo pubblico

The Palazzo Pubblico, itself a great work of architecture, houses an important art museum. Included within the museum is Ambrogio Lorenzetti's series of frescoes on good government and the results of good and bad government and also some of the finest frescoes of Simone Martini and Pietro Lorenzetti.

■ La Cattedrale

Siena's cathedral (Duomo), begun in the 12th century, is one of the great examples of Italian Romanesque-Gothic architecture. Its main façade was completed in 1380. Inside is the famous Gothic octagonal pulpit by Nicola Pisano (1266–1268) supported by statues of lions, and some perfectly preserved renaissance frescos by Ghirlandaio. The baptistry contains the baptismal font with bas-reliefs by Donatello, Ghiberti, Jacopo della Quercia and other 15th century sculptors.

Il Palio di Siena (localmente conosciuto solo come il Palio) è una corsa di cavalli che si svolge due volte all'anno il 2 luglio e il 16 agosto, durante la quale dieci cavalli e i loro fantini, senza sella e abbigliati con i propri colori, rappresentano dieci delle diciassette contrade o rioni della città.
Il giorno della corsa è carico di passione e di orgoglio.

Il magnifico Corteo storico precede la corsa, attrae visitatori e spettatori da tutto il mondo.
La gara compie tre volte il giro di Piazza del Campo e solitamente in non più di 90 secondi. Il cavallo che vince il Palio è fonte di orgoglio per la sua Contrada.

Quando una Contrada non vince da più tempo è chiamata "nonna".
Questo titolo al momento appartiene alla Lupa che non vince dal 2 luglio 1989.

The Palio di Siena (known locally simply as Il Palio) is a horse race held twice each year on July 2 and August 16, in which ten horses and their jockeys, bareback and dressed in their colors, represent ten of the seventeen Contrade, or city wards.
Race day is invested with passion and pride.

A magnificent pageant, the Corteo Storico, precedes the race, which attracts visitors and spectators from around the world.
The race itself circles the Piazza del Campo, three times and usually lasts no more than 90 seconds. The horse that wins the Palio is a source of pride for its Contrada.

The Contrada that has not a victory for some times is called the "Nonna" (grandmother). This title is currently held by Lupa which has not won a race since July 2,1989.

■ **Drago (Dragon)**

■ **Aquila (Eagle)**

■ **Lupa (Female wolf)**

Read the question and answer in Italian.

1. Che cos'è Siena?

....

2. Da chi è stato dichiarato "patrimonio dell'umanità" il centro storico di Siena?

....

3. Per che cosa è famosa Siena?

....

4. Quale forma ha Piazza del Campo?

....

5. Per che cosa è famosa Piazza del Campo?

....

6. Quando si svolge il Palio?

....

7. Che cosa rappresentano cavalli e fantini?

....

8. Quanti giri compie la gara?

....

9. Chi vince il Palio?

....

10. Quando una Contrada è chiamata "nonna"?

....

■ **Piazza del Campo**

Grammatica

GLI AVVERBI DI FREQUENZA

The position of frequency adverbs in a sentence.
The adverb is usually close to the verb. Sometimes it precedes the verb. Sometimes it follows it.

• DI SOLITO, GENERALMENTE (usually, generally) they always precede the verb. Ex.: Di solito mi alzo presto.

• SEMPRE, SPESSO, MAI (always, often, never) they always follow the verb.

Ex.: Non esco **mai** di sera.   Prendo **sempre** l'autobus.   Vado **spesso** al cinema.

• ADESSO, ORA, A VOLTE, OGNI GIORNO, TUTTI I GIORNI (now, right now, sometimes, every day, all the days).

There is no specific rule: they may precede or follow the verb.

Ex.: **Ogni giorno** vado in palestra.   Vado in palestra **ogni giorno**.

READING • SPEAKING

A ROLE PLAY

1. Chiamata per il dottor Parri

You are the secretary in a medical office with several doctors. A patient calls for an appointment.

• Answer the phone call.
• Ask with whom he/she wants to speak.
• Explain that the doctor is not there on the weekend.
• Say that the doctor will be there next week.
• Make the appointment and say good-bye.

You are the patient who calls the doctor's office.

• Greet the person answering the phone.
• Ask to see Dr. Parri.
• Ask if the doctor will be there next Monday.
• Ask for an appointment for Tuesday afternoon.
• Say good-bye.

2. Vieni a teatro?

Anna invited Susi to go to the movies with her.
She calls her to make plans, but Susi is not at home.
There is an answering machine Anna leaves a message.

• She says hello.
• She reminds her that the film starts at 8.30 p.m.
• She tells her she has already got the tickets.
• She is now going to fill up at the gas station and then she will go to pick her up.
• She arrives there at 8:00 p.m..
• She says that the movie theater is not closeby.
• She says that she does not want to be late.
• She asks Susi to wait downstairs to save time.
• She says good-bye.

B THE INTERVIEW

You are on the staff of the school newspaper. You have been asked to conduct a survey on the habits of students in the first grade. Plan your interview. Ask them:

• at what time their day begins
• if they eat breakfast in the morning
• where they eat breakfast
• how they come to school
• at what time their classes start
• how many hours they are at school during the day
• if they go out at night and when.

• what they do in the afternoon
• if they practice sports
• if they go out with friends
• If they go shopping
• how many hours they study at home
• if they study before or after dinner

● R E V I E W ●

A Check if you know the verbs below.

	SAPERE	FARE	VENIRE	FINIRE	ALZARSI
io	so	....	....	finisco	....
tu	....	fai	....	....	....
lui/lei/**Lei**	....	....	viene	....	....
noi	sappiamo	....	....	....	....
voi	....	....	....	....	vi alzate
loro	....	....	....	....	....

B Change the sentences into the plural.

1. A che ora vieni da me?

....

2. Lui si alza sempre alle nove.

....

3. Ragazza, vestiti con calma.

....

4. Io non faccio colazione al mattino.

....

5. Quando finisci di cenare, vieni qui.

....

6. Lei sa che oggi non c'è scuola.

....

C Complete the sentences with the correct prepositions and articles.

1. Carlo incontra .... due ragazzi .... palestra.
2. Ci vediamo .... casa .... Susi, vieni?
3. Mamma e papà questa sera vanno .... cinema.
4. Quando lavi .... macchina?
5. .... bar dove lavoro è .... quartiere .... periferia.
6. Chi arriva ultimo, fa .... giro .... altra volta.
7. Quanti sono .... giorni .... settimana?
8. Prendi .... autobus o .... taxi?
9. Vado .... piedi con .... zio fino .... Università.
10. Gianna non vuole arrivare .... ritardo .... cinema.

D Complete the sentences below.

1. Con chi .... al cinema Giorgio?
2. Posso .... a cena da te?
3. La mamma .... presto la mattina.
4. A che ora .... a dormire alla .... ?
5. Vado a .... benzina e poi vengo .... te.
6. Sara va .... i giorni .... palestra.
7. Le camicie .... pronte .... Vieni?
8. Sai .... i nomi .... mesi?
9. Spesso, alla .... ceno da Mario.

E Read the answer and write the question.

1. ....

Arrivo domani in treno.

2. ....

Voglio parlare con il dottore questa sera.

3. ....

Nel pomeriggio vado in piscina.

4. ....

Adesso siamo in macchina, vicino alla stazione.

5. ....

No, spesso faccio colazione al bar.

6. ....

L'appuntamento è alle dieci in piazza.

7. ....

Questa sera andiamo da Maria.

F Write the correct word under each drawing

....

....

G Complete the sentences with the words below.

Mattino • pomeriggio • sera • giorno • notte

1. Mario al .... si alza presto.
   Di .... lavora in ufficio.
   Nel .... dopo il lavoro va in palestra.
   La .... a volte va al cinema.
   Quando va a dormire è già ....

2. Mia sorella di .... lavora.
   Alla .... va a scuola.
   Al .... ha sempe sonno.
   Di ...., a volte, studia.

H Write a complete sentence in Italian with each group of words below.

1. Chi, domani, piscina, andare.
....

2. Auto, prendere, venire, te.
....

3. Maxi, giorni, settimana, dire, sapere.
....

4. Mamma, cucinare, cena, famiglia.
....

5. Venire, te, cinema, domani, sera.
....

I Complete the sentences with the verb in brackets.

1. Ogni mattina .... (*alzarsi, noi*) alle sette.
2. Maria .... (*vestirsi*) con calma.
3. Il ragazzo .... (*fare*) colazione a casa.
4. Maria e Gianni .... (*andare*) a piedi in centro.
5. Che cosa .... (*voi, sapere*) di nuovo?
6. Ce la .... (*fare, voi*) a salire in treno?
7. Quando .... (*finire, io*) i compiti vengo da te.
8. Quando .... (*finire, voi*) il lavoro?
9. Maria e Gianni .... (*sapere*) dov'è la scuola?
10. Non .... (*dovere, voi*) perdere l'autobus.

L Put the adverb in the correct place.

1. Non .... prendo .... il treno. (*mai*)
2. .... Ascolto .... chi parla. (*sempre*)
3. Papà .... va .... in Francia. (*spesso*)
4. Mike .... studia .... di sera. (*a volte*)
5. Il martedì .... andiamo .... al cinema. (*di solito*)

M Listen to the voice mail and answer the questions.

1. Chi parla al telefono? ....
2. A chi telefona? ....
3. Dove non può andare? ....
4. Dove deve andare? ....
5. Che cosa deve fare con Maria? ....
6. Quando c'è il test? ....
7. Che cosa chiede Susi? ....
8. Che cosa vuole fare sabato? ....
9. Dove si incontra con Anna? ....
10. A che ora è l'appuntamento? ....

AL LAVORO!

Obiettivi / Goals:

- Giving and asking fot information
- Describing jobs and activities
- Describing occupations and workplaces
- Reading and understanding advertisments
- Showing agreement

■ **Leonardo da Vinci**, Macchina scientifica

■ **Michelangelo**, Cupola di San Pietro

■ **Leonardo da Vinci**, Cenacolo, Milano

Che lavoro fai?

A group of people is gathered at Marc's house. They are university colleagues, friends and even foreigners who are there for different reasons. From their conversation we learn about the lifestyle of Italians.

Sono **Angelo** e faccio il **falegname**.
Costruisco e riparo mobili in una piccola bottega artigiana.
Lavoro da solo e non ho orari.
Uso strumenti particolari e macchine per tagliare il legno.

Sono **Guido** e faccio il **medico**.
Curo le persone malate in un grande ospedale. Lavoro con molti colleghi e il mio orario cambia a seconda dei turni settimanali.
A volte lavoro anche di notte.

Sono **Massimo**, faccio il **giornalista**.
Il mio lavoro è interessante: scrivo su un giornale importante e mi occupo delle pagine di economia. Non ho orari e viaggio molto. Il mio lavoro mi piace.

Vocabolario

il falegname (m.s.) = carpenter
i mobili (m.p.) = furniture
la bottega (f.s.) = shop
gli strumenti (m.p.) = tools
le macchine (f.p.) = machines
il legno (m.s.) = wood
il medico (m.s.) = medical doctor
le persone (f.p.) = people
l'ospedale (m.s.) = hospital
i colleghi (m.p.) = colleagues
i turni (m.p.) = working hours/duty hours
il/la giornalista (m./f.s.)= journalist
il giornale (m.s.) = newspaper
le pagine (f.p.) = pages
l'economia (f.s.) = economy
piccola = small

i particolari (m.p.) = details
malate = sick/ill
grande = big
molti = many
settimanali = weekly
interessante = interesting
importante = important
costruisco = I build
riparo = I repair
uso = I use
tagliare = to cut
curo = I care
cambia = it changes
mi occupo = I care
viaggio = I travel
mi piace = I like

A Read the phrases and identify the person associated with each activity.

1. Viaggio molto. (.........)
2. Curo le persone malate. (.........)
3. Lavoro da solo. (.........)
4. Mi occupo di economia. (.........)
5. Riparo mobili. (.........)
6. Scrivo su un giornale. (.........)
7. Lavoro di notte. (.........)
8. Lavoro con colleghi. (.........)
9. Mi piace il mio lavoro. (.........)
10. Uso strumenti particolari. (.........)

B Complete with articles and prepositions.

1. Io faccio	**2. Io lavoro**	**3. Io curo**	**4. Io riparo**
.... medico	.... casa	.... persone	.... autobus
.... giornalista(m)	.... ospedale	.... alberi	.... mobili
.... falegname	.... stazione	.... ragazzi	.... orologi
.... studente	.... bottega	.... zio	........macchine

C Change the sentences below into the plural.

1. Lavoro in ospedale.

....

2. Aggiusta i mobili.

....

3. Costruisco case.

....

4. Scrivi su un giornale.

....

5. Viaggia spesso.

....

6. Tagli il legno?

....

D Complete the sentences with the verb COSTRUIRE.
(see grammar pag. 61)

1. Mike e Maxi .... un aereo.

2. Chi .... le stazioni?

3. Lo zio di Gianni .... i treni.

4. Noi non .... case.

5. Voi, che cosa ....?

6. Io .... macchine, lui .... mobili.

E Choose the correct form of the verbs in brackets.

1. Quando vai a scuola (*usi/usa*) l'autobus?

2. Il mio orario (*cambia/cambiano*) tutte le settimane.

3. Noi (*lavoriamo/lavorano*) in un ospedale.

4. Tu (*fai/fa*) i turni settimanali?

5. Che cosa (*ripara/ripari*) il signore?

6. (*Viaggiate/viaggiano*) spesso, voi due?

7. Quando (*cambi/cambia*) casa la zia?

F 🔘 Listen to the dialogue and fill in the missing words.

– Ciao zio, ... chiederti una cosa?

– Che .... fa la .... inglese?

– Quale? La ragazza che .... qui sotto?

– Sì. Proprio lei.

– .... che lavora in negozio.

– Qui .... o in centro?

– .... cose vuoi sapere!

– ...., mi .... dove lavora o no?

– Ti .... proprio quella ragazza?

– Nooo! .... cosa dici!

■ Un maestro vetraio a Murano, Venezia.

■ Gioielli artigianali

Cultura

LAVORI E MESTIERI

Even if you think that these words have the same meaning, there is a difference.

Lavoro: any work activity that allows you to produce something (or perform a task) and get a reward.

Mestiere: a particular job that requires expertise and a long apprenticeship.

Attività

● For this activity you will design a survey. You have to interview at least 10 people including young/elderly, women/men – boys/girls, etc). Ask each person about his/her work using the words you have learned.
The questions may be in English. Translate the answers into Italian. Use the data collected to build a chart.

Che strumenti usi?

How many types of work exist in the world and how many tools are needed? Listen to the interviews.

Sono un **parrucchiere**. In negozio ci sono pettini, forbici e spazzole. Di sera seguo un corso per conoscere tutti i prodotti e le tecniche più aggiornate.

Sono un **meccanico,** aggiusto le macchine. Uso pinze, cacciaviti e apparecchi elettronici. Mi piace stare in officina, anche se il lavoro è faticoso.

Sono **commessa** in un negozio di abbigliamento. Sto sempre in piedi, ma mi piace consigliare le persone e vestirle con gusto. Che strumenti uso? La mia testa.

Sono **ragioniera** e lavoro in una azienda. In ufficio uso il computer e la calcolatrice. Ho il fine settimana libero e un buono stipendio, ma il lavoro è impegnativo.

Vocabolario

il meccanico (m.s.) = mechanic
le macchine (f.p.) = machines
le pinze (f.p.) = pliers
i cacciaviti (m.p.) = screwdrivers
gli apparecchi elettronici (m.p.) = electronic tools
l'officina (f.s.) = workshop
la ragioniera (f.s.) = accountant
l'azienda (f.s.) = company
il computer (m.s.) = computer
la calcolatrice (f.s.) = calculator
lo stipendio (m.s.) = salary/ income
la commessa (f.s.) = sales person
l'abbigliamento (m.s.) = clothing
il gusto (m.s.) = taste
la testa (f.s.) = head/brain

il parrucchiere (m.s.) = hair-dresser
il pettine (m.s.) = comb
le forbici (f.p.) = scissors
le spazzole (f.p.) = brushes
il corso (m.s.) = course
i prodotti (m.p.) = products
le tecniche (f.p.) = techniques
buon = good
impegnativo = challenging
aggiornate = latest
uso = I use
aggiusto = I repair
seguo = I follow
consigliare = to advise
cerco = I try

A Match the occuption to the correct work place.

1. giornalista
2. medico
3. falegname
4. parrucchiere
5. commessa
6. ragioniere
7. meccanico

a. negozio
b. officina
c. giornale
d. ospedale
e. ufficio
f. negozio
g. bottega

B Read the sentences below and complete them.

1. Il giornalista lavora per ....
2. Il meccanico lavora in ....
3. Il medico lavora in ....
4. Il parrucchiere lavora in ....
5. Il falegname lavora in ....
6. La commessa lavora in ....
7. Il ragioniere lavora in ....

C Change the sentences below to the plural.

1. Tu consigli un cliente.
2. Dove lavori questa settimana?
3. Io uso la macchina.
4. Io ritorno a casa domani.
5. Lo studente usa spesso il computer.
6. La commessa lavora in negozio.
7. Il ragioniere usa la calcolatrice.

D Complete the sentences with the correct indefinite article.

1. Il falegname costruisce .... mobile.
2. Il medico cura .... persona malata.
3. La giornalista scrive .... articolo.
4. Il meccanico ripara .... macchina.
5. La commessa consiglia .... cliente.
6. Il ragioniere usa .... calcolatrice.
7. Il parrucchiere segue .... corso.
8. Io faccio .... viaggio in aereo.
9. Noi prendiamo .... autobus.
10. Il medico lavora in .... ospedale.

E Make complete sentences in Italian with the words below. Follow the example:

Io, meccanico, officina →
Io faccio il meccanico, lavoro in officina.

1. Tu, segretaria, ufficio.
2. Voi, falegnami, bottega.
3. Gianni, ragioniere, azienda.
4. Emma, giornalista, giornale.
5. Noi, medici, ospedale.

F Listen to the dialogue and fill in the missing words.

– Ciao Anna, che cosa fai nel ....?
– Vado dal ....
– Da .... vai?
– Da Gianni, qui in .... Grandi.
– Ci sa fare?
– Sì, ... proprio bravo!
– E dopo .... cosa fai?
– Vado da Marianna a prendere una ....
– Conosco la ...., ha buon gusto.
– Sì, e sa .... bene le clienti.

Grammatica

AGGETTIVI E PRONOMI POSSESSIVI

The **possessive adjective** agrees in gender and number with the noun it modifies.
Ex.: i **miei** clienti, la **tua** casa.

PRONOMI PERSONALI	AGGETTIVI E PRONOMI POSSESSIVI							
	m.s.		f.s.		m.p.		f.p.	
	aggettivo	pronome	aggettivo	pronome	aggettivo	pronome	aggettivo	pronome
io	mio	il mio	mia	la mia	miei	i miei	mie	le mie
tu	tuo	il tuo	tua	la tua	tuoi	i tuoi	tue	le tue
lui/lei/**Lei**	suo	il suo	sua	la sua	suoi	i suoi	sue	le sue
noi	nostro	il nostro	nostra	la nostra	nostri	i nostri	nostre	le nostre
voi	vostro	il vostro	vostra	la vostra	vostri	i vostri	vostre	le vostre
loro	loro	il loro	loro	la loro	loro	i loro	loro	le loro

Pay attention to the use of the third person **suo / loro → suo** if the noun is singular, **loro** if the noun is plural.
Ex.: **Paolo** usa solo le **sue** forbici. → **Paolo e Gianni** usano solo le **loro** forbici.

Note!
You usually put the definite article before the possessive adjective, unless it is accompanied by the name of a relative in the singular. The definite article is always used with the name of relatives in the plural.
Ex.: la **tua** macchina   **tua** zia   i **tuoi** zii

G Check to see if you know. Write under each drawing what he/she is doing.

....
....

....
....

H Under the drawing of the tool write the name of the worker who uses it.

....

I Change the sentences to the plural as in the example.

1. Matteo costruisce una casa.

   Matteo e Gianni costruiscono una casa.

2. Tu costruisci una casa.

   ....

3. Io costruisco una casa.

   ....

L Change the sentences to the singular.

1. Loro finiscono di cenare alle 8.00.
2. Noi finiamo di cenare alle 8.00.
3. Voi finite di cenare alle 8.00.

M Read the answer and ask the question.

1. ....
   Mi piace fare il meccanico.
2. ....
   Uso forbici e pettine.
3. ....
   Lavoro in un grande ospedale.
4. ....
   Adesso vado in negozio.
5. ....
   Finisco dopo le cinque.

N Transform the sentences as in the example.

Ti piace il tuo lavoro? Sì, mi piace.

1. Ti piace la mia casa?
2. Ti piace la tua macchina?
3. Ti piace il tuo computer?
4. Ti piace il tuo film?

O Listen to the words and read them, then mark in red the words where SC has a soft sound and mark in blue those in which SC has a hard sound.

esco	scusi	esce
finisci	scale	piscina
finiscono	ascolto	capisco
costruisce	scendo	capisci
costruisco	preferisco	costruisci
escono	finisce	scuola

Focus pronuncia

PAROLE CON QU O CU
Scusa, quando vai a scuola, quale treno prendi e quanto costa il biglietto?

This is one of the few difficulties in Italian spelling. From the pronunciation one can not distinguish which letters are used, so you must memorize the spelling of the word or, if in doubt, consult the dictionary.

Note!
Cuore, cuoco are always written with CU.

Vocabolario illustrato

AVVERBI DI QUANTITA'

troppo poco /pochissimo =
too little

poco =
a little

abbastanza =
enough

molto /tanto =
so much

troppo =
too much

P Transform the sentences as in the example.

Uso poco l'autobus. → Usiamo poco l'autobus.

1. Il meccanico lavora molto.

....

2. La giornalista viaggia molto.

....

3. La commessa sta troppo tempo in piedi.

....

4. Tu lavori pochissimo.

....

5. L'autobus è troppo in ritardo.

....

6. Il film è abbastanza interessante.

....

7. Il mio amico legge pochissimo.

....

Q Choose the most appropriate/correct form of the verbs in brackets.

1. Il meccanico (*usa / prende*) strumenti elettronici.
2. La commessa (*consiglia / segue*) le persone.
3. Il medico (*cura /consiglia*) le persone.
4. La giornalista (*lavora / sta*) al giornale.
5. Il ragioniere (*usa / aggiusta*) il computer.
6. Il falegname (*lavora / aggiusta*) il legno.
7. Noi (*lavoriamo / costruiamo*) dei mobili.
8. Chi (*ripara / usa*) le macchine?
9. Gianni (*ha / sta*) un buono stipendio
10. La commessa (*sta / va*) in piedi.
11. Mario (*lavora / costruisce*) i mobili.
12. Di sera (*seguo / uso*) un corso per aggiornarmi.

R Listen to the dialogue and fill in the missing words.

Mezzogiorno

– Ciao Luisa, sei libera nel.........?

– Sì, ... cosa vuoi fare?

– Ci vediamo al bar di via Neri, poi ti ....

– Va bene alle due e ...., Marta?

Due ore dopo

– ...., che cosa mi devi dire?

– Ho un lavoro. In una ....

– Per fare ....? Dove?

– Segretaria. Vicino all'........

– Con che mezzo vai fuori ....?

– Con un ....

– .... è lo stipendio?

– Buono! E .... il fine settimana libero.

S Read and answer the questions.

1. Dove si vedono Luisa e Marta?

....

2. Qual è il lavoro di Marta? Con che mezzo va al lavoro?

....

Focus pronuncia

ALLORA – ALL'ORA.

ALLORA is an adverb and it can be used to give an indication of time, with the meaning at that moment, at that time. It can also introduce a sentence. See the example below.

Ex.: La casa di **allora** → The house **at that time**.
Allora, andiamo! → And **then**, let us go!

Not to be confused with ALL'ORA that means per hour.

Ex.: L'auto va a cento chilometri all'ora.
The car goes 100 kilometers **per hour**.

Un lavoro per ogni cosa

Have you ever thought that everything you use like books, food, toys, shoes etc.
requires the work of many people?
Listen to the conversation between Indira and Mike one morning at breakfast.

Mike: – Questi panini dolci sono proprio buoni!

Indira: – Si vede che ti piacciono, ne hai già mangiati tre.

Mike: – Devo dire alla zia che è proprio brava.

Indira: – Guarda che non li fa tua zia, li compera dal panettiere.

Mike: – Nel negozio di via Ranieri? Quello che fa anche le focacce?

Indira: – Proprio da lui… e fa anche torte e biscotti.

Mike: – Deve essere un lavoro piacevole.

Indira: – Non sempre… pensa al caldo del forno e che si alza presto.

Mike: – Hai ragione, ogni lavoro ha i suoi problemi, ma ci pensi…

Indira: – A che cosa?

Mike: – Al fatto che ogni cosa che tocchiamo, che usiamo è fatta da qualcuno?

Indira: – Come le scarpe, fatte dal calzolaio o i vestiti fatti dal sarto?

Mike: – Proviamo a fare un elenco dei lavori che servono alla vita di tutti i giorni!

A Read the dialogue and complete the sentences.

1. Mike ha mangiato tre ………
2. Pensa che li ha ……… la zia.
3. La zia, invece, li ……… dal panettiere.
4. Il panettiere fa anche ………
5. Il lavoro del panettiere non è sempre ………

Vocabolario

i panini dolci (m.p.) = sweet rolls
il panettiere (m.s.) = baker
le focacce (f.p.) = buns
le torte (f.p.) = pies
i biscotti (m.p.) = cakes
piacevole = nice
caldo = hot
il forno (m.s.) = oven
hai ragione = you are right
i problemi (m.p.) = problems

l'elenco (m.s.) = list
ogni = every, each
tocchiamo = we touch
qualcuno = somebody
le scarpe (f.p.) = shoes
il calzolaio (m.s.) = shoemaker
i vestiti (m.p.) = clothing
il sarto (m.s.) = tailor
servono = they are useful
la vita (f.s.) = life

Grammatica

IL PASSATO PROSSIMO
This tense corresponds in its structure to the English present perfect.
It is formed by using the past participle of the verb, preceded by the present tense of AVERE in transitive verbs and by the present tense of ESSERE in intransitive or reflective verbs.

PARL-ARE → io ho parl-**ato**	**TEM-ERE** → io ho tem-**uto**	**FIN-IRE** → io ho fin-**ito**
AND-ARE → io sono and-**ato**	**PART-IRE** → io sono part-**ito**	**ALZ-ARSI** → io mi sono alz-**ato**

When the verb ESSERE is used the past participle of the verb agrees in gender and number with the subject.
Ex.: Maria è **andata** a casa. → Le ragazze **sono andate** a casa.
     Mario è **andato** a casa. → I ragazzi **sono andati** a casa.

The past participle is formed by replacing the endings ARE – ERE – IRE with ATO – UTO – ITO.
Ex.: ANDATO – TEMUTO – FINITO.

Vocabolario illustrato

il cameriere (m.s.) = waiter
serve i clienti = he helps customers

l'insegnante (m./f.s.) = teacher
insegna = he/she teaches

il cassiere (m.s.) = cashier
fa il conto = he writes the check

la babysitter (f.s.) = babysitter
sorveglia i bambini =
she looks after the children

l'infermiere (m.s.) = nurse
assiste = he assists

il panettiere (m.s.) = baker
vende il pane = he sells bread

l'ingegnere (m./f.s.)= engineer
progetta = he/she designs /plans

l'autista (m./f.s.) = driver
guida = he/she drives

lo scrittore (m.s.)= writer
scrive = he writes

il cuoco (m.s.) = cook/chef
cucina = he cooks

B Change the PRESENTE into the PASSATO PROSSIMO.

1. Mario lavora in ospedale

....

2. Tu curi le persone malate.

....

3. Io studio inglese e francese.

....

4. La mamma di Carla insegna inglese.

....

5. La cassiera gli fa il conto.

....

6. Mio fratello lavora in un bar.

....

C Complete with the correct possessive adjective.

1. Gianni, ripari la .... macchina per domani?
2. Signora, quanti sono i .... bambini?
3. Ragazzi, la .... insegnante è arrivata.
4. Marta guida il .... taxi a Roma.
5. Mario ha finito di scrivere il .... libro.
6. Carla, la .... babysitter è molto brava.
7. Non voglio quel cuoco nella .... cucina.
8. Ho chiamato il medico e ha risposto la .... segretaria.
9. Dottore, ci sono molte infermiere nel .... ospedale?
10. Non guido la .... macchina, c'è l'autista.

D Change the sentences below into the plural.

1. Al bar c'è un cameriere gentile.

....

2. Posso andare dal parrucchiere?

....

3. Il vostro cuoco cucina bene.

....

4. Lavoro in una agenzia turistica.

....

5. L'ingegnere che ha progettato
questo ponte è molto bravo.

....

6. Il mio panettiere vende
diversi tipi di pane.

....

7. L'autista guida con molta prudenza.

....

■ Lavori nel Medioevo

E Check to see if you know. Complete with the correct form of the verbs below.

	ANDARE	PRESENTARE	FINIRE	VESTIRSI
io	sono andato	ho presentato	ho finito	mi sono vestito
tu	....	....	....	ti ....
lui/lei/**Lei**	....	....	....	si ....
noi	siamo andati	abbiamo presentato	abbiamo finito	ci siamo vestiti
voi	....	....	....	vi ....
loro	....	....	....	si ....

Note!

Before doing the exercises read the focus at the end of the page and memorize it.

F Read the answers and ask the questions.

1. ....
Per una famiglia.

2. ....
In una casa in centro a Milano.

3. ....
Sorveglio due bambini.

4. ....
Dal lunedì al venerdì di mattina.

5. ....
Dieci euro all'ora.

G Change the sentences below into the plural.

1. Il cuoco ha lavorato molto questa mattina.
....

2. L'autista è andato a prendere la macchina.
....

3. L'insegnante ha chiamato i miei genitori.
....

4. La commessa mi ha venduto questa camicia.
....

5. Quel commerciante è stato molto gentile.
....

6. Quell'infermiera è molto attenta.
....

H Fill in the missing words.

1. La mia macchina è dal ...., deve ripararla.
2. Cinzia lavora in ...., fa l'infermiera.
3. L'ingegner Rossi .... una nuova linea della metro.
4. Tuo zio fa l'......... Guida l'autobus della scuola.
5. Dove ha insegnato la nuova ....?
6. Hai letto il .... di quel giovane scrittore ?
7. Chi è la giornalista che .... sul "Corriere"?
8. Per il mio bar ho bisogno di un bravo ....
9. Mia sorella fa la .... in un bel negozio.
10. Il .... ha preparato molte torte.

Focus lingua
I PRESTITI LINGUISTICI
In Italian many commonly used words come from foreign languages. These are known as **loan words**. Most of them come from English especially in technology, but some come from French, some others from Spanish or German.
These are some examples of loan words:

computer	→ calcolatore
stage	→ periodo di lavoro non pagato
babysitter	→ bambinaia
single	→ persona non sposata o fidanzata
atelier	→ laboratorio / bottega
tram	→ mezzo pubblico elettrico
autobus	→ mezzo di trasporto pubblico su strada
paella	→ ricetta per riso
würstel	→ salsiccia
brioche	→ cornetto
collant	→ calze lunghe da donna

I Transform the statements below into a direct question.

1. Chiedi a Carlo se lavora in ufficio.

....

2. Chiedi al signor Rossi che lavoro fa.

....

3. Chiedi a Gianni quali lingue straniere conosce.

....

4. Chiedi a Luisa che cosa fa in negozio.

....

5. Chiedi ai ragazzi se hanno finito la scuola.

....

6. Chiedi alla giornalista per quale giornale lavora.

....

L Complete the sentences with adverbs.

troppo poco • poco • molto • troppo

1. Lo zio di Luisa è sempre a casa, lavora ....
2. La casa costa .... per me, non ho uno stipendio alto.
3. Andrea lavora .... , è sempre in negozio.
4. Sta in ufficio fino alle dieci di sera, lavora ....
5. Oggi ho lavorato .... , vado a casa.
6. La commessa mi piace: è .... gentile.
7. C'è un cuoco .... bravo in cucina.
8. Hai studiato solo un'ora ? È ....

M Change the sentences below into the plural as in the example.

Una nuova giornalista è venuta a lavorare da noi. →
Due nuove giornaliste sono venute a lavorare a noi.

1. La commessa ha consigliato bene la sua cliente.

....

2. Il dottore è andato a casa di una persona malata.

....

3. Ho usato il computer e tu hai usato la calcolatrice.

....

4. Matteo ha lavorato in un ospedale in Francia.

Matteo e Gianni ....

5. Il cuoco ha cucinato per il ristorante.

....

N Fill in the correct possessive adjective.

1. Chi ha usato le (*mie / miei*) forbici?
2. Ci vediamo davanti al (*mio / mia*) negozio.
3. Sono pronte le (*tue / tuoi*) camicie.
4. Qual è il (*suo / vostro*) titolo di studio, signor Rossi?
5. Siamo andati da Maria per vedere la (*sua/ tua*) casa.
6. Dove avete comperato il (*vostro / vostri*) computer?
7. Daniela cerca una baby sitter per i (*suoi / nostri*) bambini.
8. Cercano falegnami per la (*loro / sua*) nuova azienda.
9. Sapete dov'è il (*nostro / vostro*) negozio?

O Listen to the dialogue and choose the correct answer.

1. Franco va	2. Deve partire
◯ a casa	◯ tra un'ora
◯ al lavoro	◯ tra mezz'ora
◯ alla stazione	◯ tra un'ora e mezza.

3. Franco	4. Franco fa
◯ va a Firenze	◯ il medico
◯ torna da Firenze	◯ l'infermiere
◯ sta a Firenze	◯ l'impiegato

5. Il lavoro gli piace	6. Franco ha esperienza?
◯ abbastanza	◯ sì
◯ molto	◯ no
◯ troppo	◯ sì, da un anno

Grammatica

I VERBI IRREGOLARI
PRESENTE INDICATIVO

DIRE	
io	dico
tu	dici
lui/lei/**Lei**	dice
noi	diciamo
voi	dite
loro	dicono

SALIRE	
io	salgo
tu	sali
lui/lei/**Lei**	sale
noi	saliamo
voi	salite
loro	salgono

Participio passato: detto – salito

P Answer the questions. Find the answer in the syllables below. Use the remaining syllables to form the name of the university where uncle Marc works.

1. Dove lavora il meccanico?
2. Chi cura il medico?
3. Chi usa pettine e forbici?
4. Dove lavora un cuoco?
5. Cosa aggiusta il meccanico?

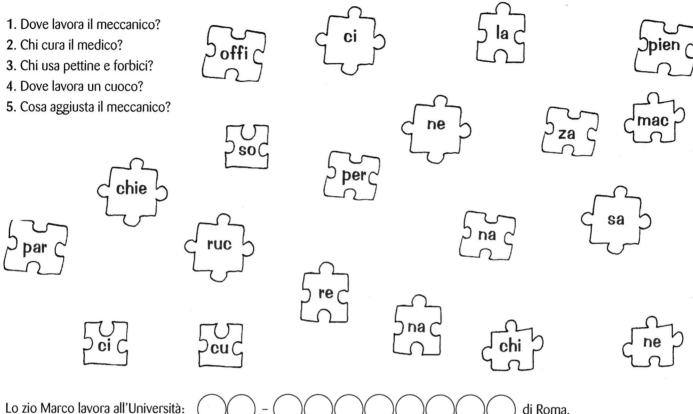

Lo zio Marco lavora all'Università: ◯◯ – ◯◯◯◯◯◯◯◯◯ di Roma.

Q Read the grammar in the box at the bottom of the page and try to divide the stem from the ending of the verbs below. Then write the correct infinitive form of the verbs as in the example.

radice = stem   **desinenza** = ending   **infinito** = infinitive form

PREND–ETE → PREND–ERE

Dovete, parlano, usiamo, aspetta, scendono, abitate, salgono, parte, arriviamo.

Attività

Mime
● A student or a group of students must guess the work that a partner or a group of students are mimicking. Only three questions are allowed.

Grammatica

LA STRUTTURA DEL VERBO E LE CONIUGAZIONI
Each verb form consists of two parts:
• the **stem**, which contains the invariable part and meaning of the word;
• the **ending**, that is the variable part, which contains information relating to the verb tense, mode and person.
So in Italian it is not required to express the subject personal pronoun.

Ex.: **PARLATE: PARL →** radice   **ATE →** desinenza
the ending contains this information: present tense, indicative mode, second person plural, the first conjugation (group).

Do you remember the three groups of the Italian verbs?
Review: Unit 1/Grammar 1 page 11, Unit 2/Grammar 2 page 28, 29.

GIOCO

CHE COSA FANNO? DOVE VANNO?
Follow the route of each character and write the name of the place where he/she is going. Then answer the questions.

1. Dove va il medico?
2. Dove va la signora? Con chi deve parlare?
3. Dove va il signore a far aggiustare la macchina?
4. Dove va la ragazza a prendere le sue camicie?
5. Dove va il cuoco a lavorare?

A .... va al .... a prendere la sua macchina.
B. .... va in .... a parlare con un medico.
C. .... va in .... a far aggiustare la macchina.
D. .... va all' .... a prendere le sue camicie.
E. .... va al .... a lavorare.

Focus lingua
In Italian they say:

• IN BOCCA AL LUPO
This expression is a way of wishing someone good luck.
You might say it to a person who is taking an exam, finding a new job, or overcoming a difficult situation.

How would you say this in English? ....

Di ritorno da Siena, Mike e Indira parlano con Giorgio delle loro impressioni.

Dopo aver visto Siena, piccola, ma ricca di capolavori, mi chiedo se tutte le città italiane sono così.

Tutte no, ma molte sì. E non solo le città. Ci sono paesi piccoli con opere d'arte straordinarie

L'Italia è come un grande museo a cielo aperto. Anche nel mio paese ci sono zone ricche di edifici storici molto belli e importanti, ma non così numerosi e vicini.

Gran parte di questi capolavori sono il risultato del lavoro di centinaia di persone. Per esempio nelle cattedrali c'era un maestro costruttore e con lui lavoravano molti artigiani esperti, ciascuno nel suo settore.

Ma i grandi artisti, quelli famosi in tutto il mondo?

GRANDI PITTORI ITALIANI
Michelangelo

Michelangelo Buonarroti (1475 – 1564), comunemente conosciuto come Michelangelo, fu un pittore, scultore, architetto, poeta e ingegnere del Rinascimento.

La sua versatilità nelle discipline fu talmente di alto livello che fu spesso considerato il contendente per il titolo di "uomo del Rinascimento" con il suo rivale italiano, Leonardo da Vinci.

Tutto ciò che fece Michelangelo in ciascun campo durante la sua lunga vita fu prodigioso. La grande quantità di corrispondenza, di disegni e memorie che gli sono sopravvissute fanno di lui l'artista maggiormente documentato del sedicesimo secolo.

Due dei suoi lavori più conosciuti sono La Pietà e il Davide. Michelangelo creò anche uno dei più importanti affreschi della storia occidentale sulle pareti della Cappella Sistina in Roma.

Egli successe ad Antonio Sangallo il giovane, come architetto della Basilica di San Pietro.

GREAT ITALIAN PAINTERS
Michelangelo

Michelangelo Buonarroti (1475 – 1564), commonly known as Michelangelo, was an Italian Renaissance painter, sculptor, architect, poet and engineer.

His talent in each of these disciplines was of such a high order that he is often considered a contender for the title of "the Renaissance man". His rival for that honor is another Italian, Leonardo da Vinci.

Michelangelo's output in every field during his long life was prodigious. When the sheer volume of correspondence, sketches, and reminiscences that survive is taken into account, he is the best-documented artist of the 16th century.

Two of his best-known works are the Pietà and the David. Michelangelo also created one of the most influential works in the history of Western art: the frescoes on the walls of the Sistine Chapel in Rome. He succeeded Antonio da Sangallo the younger, as the architect of Saint Peter's Basilica.

■ David
A colossal statue portraying David, the symbol of Florentine freedom is located the Piazza della Signoria, in front of the Palazzo Vecchio.
This masterpiece was created out of a marble block from the quarries at Carrara that had already been worked on by an earlier hand.

■ La Cappella Sistina
Michelangelo painted the ceiling of the Sistine Chapel. The work took approximately four years to complete (1508–1512).

Leonardo da Vinci

Leonardo di ser Piero da Vinci (1452-1519) fu un italiano erudito: pittore, scultore, architetto, musicista, scienziato, matematico, ingegnere, inventore, anatomista, geologo, cartografo, botanico e scrittore.

Leonardo è stato spesso descritto come "l'uomo del Rinascimento". Egli è generalmente considerato uno dei più grandi pittori di tutti i tempi e forse la persona con la maggior varietà di talenti che sia mai vissuta.

Lavorò in Milano, Roma, Bologna e Venezia e trascorse i suoi ultimi anni in Francia. Due dei suoi lavori Monnalisa e l'Ultima Cena, dipinti in Milano, sono i più famosi e i più riprodotti in tutti i tempi. Il disegno di Leonardo dell'Uomo di Vitruvio è stato riprodotto su ogni cosa: dall'euro ai libri di testo, alle magliette.

Leonardo da Vinci

Leonardo di ser Piero da Vinci (1452 – 1519) was an Italian scholar, painter, sculptor, architect, musician, scientist, mathematician, engineer, inventor, anatomist, geologist, cartographer, botanist and writer.

Leonardo has often been described as the "Renaissance man". He is widely considered to be one of the greatest painters of all time and perhaps the most diversely talented person ever to have lived.

He worked in Milan, Rome, Bologna and Venice and spent his last years in France. Two of his works, the Mona Lisa and The Last Supper, painted in Milan, are the most famous and most reproduced of all times. Leonardo's drawing of the Vitruvian Man has been reproduced on everything from the euro to text books to t-shirts.

■ Mona Lisa or La Gioconda, Louvre, Paris, France
Among the works created by Leonardo in the 1500s is the small portrait known as the Mona Lisa or "la Gioconda", the laughing one. Today it is the most famous painting in the world. Its fame rests, in particular, on the elusive smile on the woman's face.

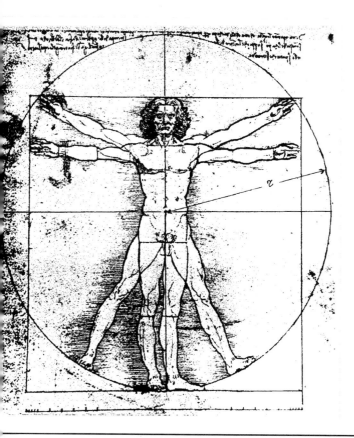

■ Leonardo, L'Uomo vitruviano, 1490

Read the question and answer in Italian.

1. Chi fu Michelangelo Buonarroti?

....

2. Come fu spesso considerato?

....

3. Quali sono i due suoi lavori più conosciuti?

....

4. Come è generalmente considerato Leonardo?

....

5. Dove lavorò e dove trascorse i suoi ultimi anni?

....

6. Dove è stato riprodotto il disegno di Leonardo dell'Uomo di Vitruvio?

....

FORME IRREGOLARI DI PARTICIPIO PASSATO

Among the verbs you have learned so far, some have an irregular form of past participle.
Below is a list of verbs and their conjugation.

INFINITO	PRESENTE INDICATIVO	PARTICIPIO PASSATO	PASSATO PROSSIMO
vedere	vedo	visto	ho visto
prendere	prendo	preso	ho preso
essere	sono	stato	sono stato
leggere	leggo	letto	ho letto
venire	vengo	venuto	sono venuto
nascere	nasco	nato	sono nato
dire	dico	detto	ho detto
scendere	scendo	sceso	sono sceso
correre	corro	corso	sono corso
chiedere	chiedo	chiesto	ho chiesto
fare	faccio	fatto	ho fatto

A Change the PRESENTE into the PASSATO PROSSIMO in the sentences below.

1. Quando vai dal medico?

....

2. Chi prende il libro di italiano?

....

3. Che mezzo prendete?

....

4. A che fermata scendi dal treno?

....

5. Dove prendi l'autobus?

....

B Change the sentences below to the PRESENTE.

1. Mario è andato dal dottore.

....

2. Spesso sono venuto a casa tua.

....

3. Abbiamo salutato la mamma.

....

4. Maria ha lavorato in un ufficio.

....

5. Ha portato la macchina dal meccanico.

....

C Change the sentences below as in the example.

Quando porti le camicie? → Le ho portate ieri.

1. Quando vedi il meccanico?

....

2. Quando fai una torta?

....

3. Porti il computer nuovo?

....

4. Chiami il dottore?

....

5. Quando fai il turno di notte?

....

D Check the most appropriate/correct possessive adjectives in the sentences below.

1. Gianni, porta (*la tua / la sua*) macchina dal meccanico!
2. Gianni deve portare (*la sua / la loro*) macchina dal meccanico.
3. Il falegname fa i mobili (*per il mio / la mia*) ufficio.
4. Cerchi una commessa (*per il tuo / mio*) negozio?
5. I signori Rossi cercano una babysitter per (*il loro / il suo*) bambino.
6. Conosco (*il tuo / la tua*) ragazzo.
7. Devi parlare con (*il tuo / i tuoi*) medico.
8. Chi ha preso (*le mie / i miei*) pinze?
9. Non devi usare (*le mie / la mia*) forbici.
10. Quando è (*il nostro / i nostri*) turno?

E Read the short text and answer the questions below.

Mi chiamo Gianni e sono uno studente dell'ultimo anno del liceo Carducci di Milano.

Tra due mesi prendo il diploma, ma penso di non andare all'università.

Mi piace lavorare in officina e aggiustare le macchine. Quando non sono a scuola, vado da un meccanico vicino a casa e lavoro con lui. Voglio avere un'officina tutta mia. La mia famiglia vuole farmi frequentare l'università, ma io non voglio lavorare in ufficio o in azienda come loro.

1. Che cosa fa adesso Gianni?..........

2. In quale città abita? ....

3. Che cosa gli piace fare? ....

4. Che cosa non vuole fare? ....

5. Perché pensa di non andare all'università? ....

F The artist does not speak Italian and wrote the wrong word above each drawing. Write the correct combination.

A. Today I drove a new bus.

D. I write for a great newspaper.

E. I take money from customers in a store.

C. I teach English to children.

B. I am very good in the kitchen.

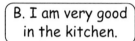

CUOCO

INSEGNANTE

AUTISTA

SCRITTORE

CASSIERA

G Who is not telling the truth? Check the right answer.

A. Mi piacciono tanto i bambini!

B. Quando finisco il lavoro ho male ai piedi.

C. Progettare treni è impegnativo!

D. Le persone malate non hanno bisogno di me.

Grammatica

USO DELL'AUSILIARE CON I VERBI MODALI

As you have already learned in the compound tenses, transitive verbs need the auxiliary verb AVERE to make the present perfect; intransitive verbs need the auxiliary verb ESSERE. The verbs of movement form the compound tense with the auxiliary verb ESSERE.

Ex.: **sono andato**, **sono tornato**, **sono partito**.

Modal verbs do not have their own auxiliary verb, but they use the auxiliary of the verb that follows them.

ANDARE	→ ausiliare ESSERE sono dovuto andare.	• **Sono andato** (ANDARE follows the modal verb DOVERE).
PARLARE	→ ausiliare AVERE ho potuto parlate.	• **Ho parlato** (PARLARE follows the modal verb POTERE).
PRENDERE	→ ausiliare AVERE ho voluto prendere.	• **Ho preso** (PRENDERE follows the modal verb VOLERE).
ALZARSI	→ ausiliare ESSERE mi sono dovuto alzare.	• **Mi sono alzato** (ALZARSI follows the modal verb DOVERE.)

R E A D I N G ● S P E A K I N G

A ROLE PLAY

1.

In pairs act out the following situation:
Take your car to the mechanic's and tell him that it does not work well. Ask him to check it out, ask how long it will take to get the car repaired, say that you are going on vacation in two days and ask how much you have to pay for repairs. The mechanic says he must check the car, then he will be able to say how long it will take to get your car repaired and how much it will cost. He does not know if he can do it quickly.

3.

With a partner act out the following situation. After several years you meet a schoolmate and you begin talking to him. After the greetings ask him how he/she is, where he/she lives and what his/her job is. He/she answers and tells you what kind of work he/she does and asks you what your job is. The job description should contain as much information as possible.

2.

In pairs prepare some notes to be displayed on the blackboard. They are about some students who are looking for summer jobs. Tell about their skills.

B THE RESEARCH

Plan an interview among students in your class or other classes on the topic: "What do they do in their free time". Ask about their hobbies or jobs. Then write a small report for the school newspaper, accompanied by charts and drawings.

● R E V I E W ●

A Complete the chart with the missing verb forms.

	DIRE	FINIRE	COSTRUIRE	SALIRE
io	....	....	....	salgo
tu	....	....	....	....
lui/lei/**Lei**	....	....	costruisce	....
noi	diciamo	....	....	....
voi	....	finite	....	....
loro	....	....	....	salgono

B Read and answer the questions.

1. Chi ha fatto i mobili nuovi?

....

2. Dove lavora il tuo medico?

....

3. A chi chiedi informazioni in segreteria?

....

4. Chi assiste i malati in ospedale?

....

5. Chi tiene i conti in azienda?

....

6. Chi ti cura i bambini?

....

C Change the words in italics into the plural.

1. Hai visto *il mio libro?*

....

2. Parlate con *il vostro insegnante.*

....

3. *Sei andato* nel loro negozio?

....

4. Deve consigliare *il suo cliente.*

....

5. A chi *porti la macchina* da riparare?

....

6. Chi fa *il conto* al ristorante?

....

D Change the PRESENTE into the PASSATO PROSSIMO as in the example.

Oggi vado dal parrucchiere. →

Ieri sono andato dal parrucchiere.

1. Gianni guida l'autobus.

....

2. Andiamo in ufficio dopo le dieci.

....

3. Voi presentate quello scrittore.

....

4. Mi fate usare il computer nuovo.

....

E ◉ Listen to the dialogue and complete the sentences below.

1. Marco prende ....

2. Sale sull'autobus in ....

3. La fermata è davanti ....

4. Lì ci sono tante ....

5. Sono lì per essere ....

6. Matteo ha lavorato ....

7. A Matteo le macchine ....

8. A Marco invece ....

F Complete the table with the verbs in the PASSATO PROSSIMO.
Pay attention to the use of AVERE and ESSERE.

	SCENDERE	PRENDERE	PARLARE	VEDERE	ARRIVARE
io	....	ho preso	....	....	....
tu	sei sceso	....	....	....	....
lui/lei/**Lei**	....	....	ha parlato	....	....
noi	....	....	....	....	siamo arrivati
voi	....	....	....	....	....
loro	....	....	....	hanno visto	....

G Change the statements below into the PRESENTE from PASSATO PROSSIMO.

1. Quando sei andato dal medico?

....

2. Ho parlato con la segretaria.

....

3. Mi ha chiamato Andrea.

....

4. Hanno progettato un ospedale.

....

5. Avete preso una camicia per me?

....

6. Ho visto un bel film al cinema.

....

H Change the statements below from the PRESENTE into the PASSATO PROSSIMO.

1. Devo andare a casa.

....

2. Posso usare la tua macchina.

....

3. Devo parlare con la commessa.

....

4. Non posso uscire di casa.

....

5. Voglio dire una cosa a Maria.

....

6. Voglio salire sul treno da sola.

....

7. Devo chiamare Andrea.

....

I Read the answer and write the question.

1. ....
Sono andato a vedere dei mobili

2. ....
Da un falegname qui vicino.

3. ....
Noi siamo andati in negozio da Marta.

4. ....
Abbiamo visto le nuove camicie.

5. ....
Costano troppo per me!

6. ....
Io vado nel negozio di Paolo.

L Write complete sentences with the words below.

1. Marco, ieri, parrucchiere, andare

....

2. infermiera, malata, signora, assiste

....

3. mattino, bambini, stare, babysitter

....

4. giornalista, dovere, sapere, inglese

....

5. falegname, particolari, costruisce, mobili

....

6. cuce, sarta, ottimo taglio, camicia

....

7. vedere, ieri, tanto, amica, dopo, tempo

....

Unità 6

Obiettivi / Goals:

- Learning about family relationships and relatives
- Talking about one's own family
- Stating preferences

IN FAMIGLIA

■ **Pompei**, Strada romana

■ **Pompei**, Affresco

■ **Pompei**, Panorama delle rovine

Quanti siete in famiglia?

Indira and Mike have come back to Jacopo's in Florence. The friends share their experiences and compare the customs in their countries. The most common topic of conversation is their families and relatives.

> **Bè, la mia famiglia la conoscete. Sono tutti molto simpatici!**

> **La mia è una famiglia molto tradizionale.**

> **Io vado molto d'accordo con i miei.**

Jacopo: – Sai, Mike, i tuoi zii sono stati gentili con noi!

Indira: – Mi sembra che tutta la famiglia di Marc sia molto simpatica.

Jacopo: – Sono d'accordo, mi sono piaciuti tutti.

Indira: – Sono molto ospitali… è come essere a casa propria.

Jacopo: – Certo, anche Maxi e sua sorella sono molto socievoli.

Mike: – Sono abituati… per loro è normale. Colleghi di Marc o studenti americani che arrivano a Roma sono spesso loro ospiti.

Jacopo: – E la tua famiglia, Mike, com'è?

Mike: – Anche noi siamo in quattro: mio padre, mia madre, io e il mio fratellino.

E tu, Indira, quanti fratelli hai?

Indira: – Sono l'ultima di quattro figli, tutti più grandi di me. Le mie due sorelle sono sposate e vivono a Calcutta. Mio fratello, invece, è andato a Bangalore perché studia lì. I miei genitori, adesso vivono da soli.

Vocabolario

la sorella (f.s.)= sister
gli ospiti (m.p.)= guests
il padre (m.s.)= father
la madre (f.s.)= mother
il fratellino (m.s.)= little brother
i fratelli (m.p.)= brothers
i figli (m.p.)= children
modo = way
i genitori (m.p.)= parents
gentile = kind
simpatica = nice
socievoli = friendly
ospitali = hospitable
propria = own
abituati = accustomed
normale = normal
tranquillo = quiet
più grandi = older
sposate = married
mi sembra = I think
sia = it is
considerano = they consider
vivono = they live

A Read the dialogue and answer the questions.

1. Che cosa dice Jacopo dello zio di Mike?
   ....
2. Che cosa dice Indira di tutta la famiglia?
   ....
3. Chi sono, di solito, gli ospiti di Marc?
   ....

B Complete the sentences in Italian.

1. Marc ha due ....
2. Indira ha due .... e un ....
3. Nella famiglia di Mike ci sono quattro ....
5. Marc ospita spesso .... e ....
6. Il .... di Indira vive a Bangalore.
7. Le .... di Indira sono sposate.
8. I .... di Indira vivono da soli.

Cultura

OSPITE/OSPEDALE • OSTELLO/HOTEL

These words have very different meanings.
All of them come from the Latin word meaning one foreign person passing by.
Ospite is a guest who comes to live in our country or in our house for a while.
Ospedale (hospital) is the transformation of the adjective "ospitale".
Which is still used with the meaning of welcoming.
In medieval Italy, the ospitale was the place
where tired and often sick travelers were hosted.
The word **ostello** corresponds to the French hostel/hotel which refers
to a place where a weary traveler could find lodging.

C Change the following words into the plural.

1. Lo studente americano

....

2. Il fratello sposato

....

3. Un ragazzo socievole

....

4. Una casa tranquilla

....

5. Una madre tranquilla

....

6. Un padre gentile

....

7. Il figlio più grande

....

8. Lo zio ospitale

....

D Write the correct definite article (singular or plural) for each of the nouns below.

.... ospite   .... ospiti

.... collega   .... colleghi

.... sorella   .... sorelle

.... genitore   .... genitori

.... figlio   .... figli

.... zio   .... zii

E Change the sentences below as in the example.

La casa è grande. → **Penso che la casa sia grande.**

1. Tua sorella è simpatica.

....

2. Suo padre è gentile.

....

3. Tu sei abituato.

....

4. La tua famiglia è ospitale.

....

F Make each sentence negative.

1. Credo che Giovanni sia vecchio.

2. Pensiamo che lui sia in casa.

3. Credi che i ragazzi siano a Roma.

4. Pensate che la mamma sia alla stazione.

5. Credo che tu sia gentile.

G Fill in the correct form of the verb ESSERE.

1. Credi che Anna .... in casa?

2. No, penso che non .... in casa.

3. Pensano che noi .... ospitali.

4. Non credete che io ....

5. Pensi che loro ....

6. Claudia crede che voi .... alla stazione.

H Listen to the dialogue and memorize it.
Act out the skit. Pay attention to pronunciation and intonation. Try to make the skit believable.

– Ciao Luisa, è libero tuo fratello?

– Quale dei tre?

– Non lo so, quello alto e simpatico.

– Quello che sembra simpatico!!!

– Perché, tu pensi che non lo sia?

– Io sono sua sorella e con me non è tanto gentile!

– Anch'io con i miei fratelli non vado d'accordo, ma…

– … ma mio fratello ti piace, vero?

– Sì, mi sembra molto interessante.

– Allora, vuoi uscire con lui?

– Non so, te lo dico un'altra volta.

Grammatica

IL VERBO ESSERE / CONGIUNTIVO PRESENTE

ESSERE	
io	sia
tu	sia
lui/lei /**Lei**	sia
noi	siamo
voi	siate
loro	siano

The subjunctive in Italian is required in expressions using verbs like "I believe" (*credo*) "I think" (*penso*) because it points out that this is a personal opinion and not a certainty. It is important to get accustomed to using the subjunctive when learning to speak Italian correctly.

Attività

● Now that the students know a good number of verbal adjectives and a new verbal mode and tense they can play the game "What is he/she like?".

The teacher writes a list of adjectives referring to a person on the blackboard. Then a person is chosen, the students ask "What is Mr. X / Miss Y like?". The students answer with a simple adjective, and then they reinforce the statement "Sì, penso che sia…".

Ex.:

Adjective → giovane   Person → Mr. Campi
**   intelligente**
**   → ospitale**

Com'è il signor Campi? Il signor Campi è ospitale.
Sì, penso che sia ospitale.

... e lui chi è?

One night the friends are looking at a photo album belonging to Jacopo's mother. Some of the photos are very old. Mike asks who the people in the pictures are and when the photos were taken.

Mike: – Scusa Jacopo, chi sono queste persone ?

Jacopo: – Uno è mio padre, da giovane, in montagna... gli altri sono i suoi fratelli.

Mike: – ... e questi, così eleganti, chi sono?

Jacopo: – Sono i nonni, il giorno del loro matrimonio.

Mike: – Sono i genitori di tuo padre?

Jacopo: – No, sono i nonni materni... belli vero?

Mike: – Non dirmi che questa è una tua fotografia?

Jacopo: – No, quella è una bambina! È una mia cugina. Ha la mia età e vive a Torino.

Mike: – ... e anche questo vecchio signore fa parte della tua famiglia?

Jacopo: – Sì, è il mio bisnonno, il nonno di papà. È stato lui a venire a Firenze per primo.

Grammatica

QUESTO O QUELLO? AGGETTIVI DIMOSTRATIVI

QUESTO indicates an object or a person close to the speaker.
QUELLO means an object or a person far from the speaker.

They are demostrative adjectives.

MASCHILE		FEMMINILE	
singolare	plurale	singolare	plurale
questo/quest'	questi	questa/quest'	queste
quello/quell'	quegli	quella/quell'	quelle
quel	quei		

There are two masculine forms. They are used in the same way as for the article LO and article IL.

Ex.: **quell'**albero   **quel** negozio   **quegli** alberi   **quei** negozi

Before a noun beginning with a vowel QUELLO and QUELLA, QUESTO and QUESTA drop the final vowel and need the apostrophe.

Ex.: **quest'**anno   **quest'**estate

Vocabolario

la montagna (f.s.) = mountain
i nonni (m.p.) = grandparents
il matrimonio (m.s.) = wedding
la cugina (f.s.) = cousin
l'età (f.s.) = age
il bisnonno (m.s.) = great grandfather
la fotografia (f.s.) = photo
gli altri = the others
giovane = young
eleganti = elegant, smart
materni = maternal
belli vero? = beautiful aren't they?
vecchio = old
fa parte = is part of

A Read the answer and ask the question.

1. ....
Questo è lo zio Marc.

2. ....
No, è una bambina.

3. ....
Questa è una fotografia.

4. ....
Questo signore ha settant'anni.

5. ....
È il mio bisnonno.

B Answer the questions as in the exampl

1. Dov'è la bambina? (*casa*, *in*)

È in quella casa.

2. Dov'è lo zio? (*taxi*, *in*)
....

3. Dov'è Mike? (*treno*, *su*)
....

4. Dov'è l'insegnante? (*classe*, *in*)
....

5. Dove sono i ragazzi? (*alberi*, *sotto*)
....

C Read the dialogue and, under each picture, write who the character is.

....

D Complete the sentences and answer the questions as in the example.

1. Sai dov'è il nonno? (*montagna*)

Penso che sia in montagna.

2. Di dov'è sua cugina? (*Milano*)

....

3. Dov'è la sorella di Mario? (*in negozio*)

....

4. Dove sono i tuoi genitori? (*al lavoro*)

....

5. Dove siamo adesso? (*in centro*)

....

E Change the words in italics into the plural.

1. Non capisco *questa parola*.

....

2. Per favore, prendi *quel libro*.

....

3. Avete riparato *questo computer*?

....

4. È arrivato con *quell'amico*.

....

5. Conosciamo bene *quella ragazza*.

....

F Complete the sentences with QUESTO, QUESTA, QUELLO, QUEL, QUELLA.

1. Per favore mi ripara .... calcolatrice?

2. Anna abita in .... casa lì.

3. Loro lavorano qui, in .... ufficio.

4. Fammi vedere .... fotografia.

5. Questa è la nonna? No, è .... signora alta.

6. Ci sono molte persone qui, in .... bar.

7. È tardi! A .... ora di solito sono a casa.

8. Per favore, non parlare di .... storia.

9. Vedi .... signore sul taxi? È il nonno di Maria.

10. .... fotografie sono veramente belle.

G 🔘 Listen to the dialogue and fill in the missing words.

– Non vedo Marco, ...?

– Non c'è. Nel .... non è libero.

– Deve studiare, forse?

– No, sono .... i suoi cugini .... Francia.

– Allora deve stare con loro, non parlano italiano.

– .... sera, invece, andiamo .... in centro.

– Anche i ....?

– Tu li .... visti?

– Sì, sono un ragazzo di .... anni e una ragazza di sedici.

La famiglia di Anna

Vocabolario

I PARENTI / RELATIVES
i genitori (m.p) = parents
la madre, la mamma (f.s) = mother, mom
i nonni = grandparents
il nonno (m.s) = grandfather
la nonna (f.s) = grandmother
lo zio (m.s) = uncle
la zia (f.s) = aunt
i figli (m.p) = children
il figlio (m.s) = son
la figlia (f.s) = daughter
il fratello (m.s) = brother
i fratelli (m.p) = brothers
la sorella (f.s) = sister
i nipoti (dei nonni) (m.p) = grandson and grandaughter
i nipoti (degli zii) (m.p) = nephew and niec
i cugini (m.p) = cousins
i coniugi (m.p) = couple
il marito (m.s) = husband
la moglie (f.s) = wife
il cognato (m.s) = brother–in–law
la cognata (f.s) = sister–in–law
il suocero (m.s) = father–in–law
la suocera (f.s) = mother–in–law
il genero (m.s) = son–in–law
la nuora (f.s) = daughter–in–law

Labels in tree:
Matilde — MIA NONNA
Giuseppe — MIO NONNO
Maria — MIA MAMMA
Giovanni — MIO PAPÀ
IO — Anna
MIO FRATELLO — Filippo
MIA SORELLA — Marta
MIO COGNATO — Marco
MIO ZIO — Antonio
MIA ZIA — Rosa
MIO CUGINO — Dario
MIA CUGINA — Laura
MIA NIPOTE — Elena
MIO NIPOTE — Ludovico

A Look at Anna's family tree and fill in the names of her relatives.

1. Anna è .... di Giovanni e Maria.

2. Giovanni e Maria sono i .... di Anna.

3. Anna è .... di Marta e Filippo.

4. Antonio è .... di Giovanni e .... di Anna.

5. Elena e Ludovico sono .... di Marta e .... di Giovanni.

6. Filippo è nipote di .... e di ....

7. Matilde è .... di Anna.

8. Marco è .... di Marta.

B Read and answer the questions.

1. Quanti sono i mariti nella famiglia di Anna? (.........)

2. Quanti nipoti ci sono? (.........)

3. I nonni sono solo Giuseppe e Matilde? (.........)

4. Gli zii sono solo Antonio e Rosa? (.........)

5. Per Giovanni e Maria chi sono i nipoti? (.........)

6. Chi è la moglie di Antonio? (.........)

7. Chi è Marco per Marta? (.........) e per Anna? (.........)

8. Filippo ha dei nipoti? (.........)

C Change the sentences below into direct questions.

1. Chiedi a un amico come si chiama suo padre.

....

2. Chiedi a Filippo quanti fratelli ha.

....

3. Chiedi a un signore se è sposato.

....

4. Chiedi a Marta quanti figli ha.

....

5. Chiedi a Filippo chi è Marco?

....

D Answer the questions asked in the previous exercise.

1. ....

2. ....

3. ....

4. ....

5. ....

E Complete the sentences with the words below.

Moglie • fratello • famiglia • miei • figlie • nonni • grande • famiglia • sposato • cognata

1. Io sono Marco e ho ventidue anni.

2. In .... siamo in quattro.

3. Mio .... si chiama Gianni.

4. Lui è più .... di me ed è già ....

5. Sua .... si chiama Laura.

6. Gianni ha due ....: Mimma e Carla.

7. Laura, mia ...., è molto simpatica.

8. Mio fratello e la sua .... abitano vicino a noi.

9. In settimana Mimma e Carla stanno con i ....

10. I .... sono abituati a fare da babysitter.

F Change the feminine nouns and adjectives into masculine nouns and adjectives.

1. Ieri ho visto tua sorella.

....

2. Tua nonna sta bene?

....

3. Come si chiama tua cognata?

....

4. Carla ha una nipote di tre anni.

....

5. Conosci le figlie di Marta?

....

6. La madre di Federico è italiana.

....

7. Oggi arriva la zia di Luisa.

....

8. Le presento mia moglie.

....

G 🔘 Listen to the dialogue and choose the correct answer.

1. Di chi parla Anna?
○ di un amico
○ del fratello
○ del cugino

2. Quanti fratelli ha Anna?
○ due
○ tre
○ uno

3. Come si chiama la ragazza di Filippo?
○ Carla
○ Caroline
○ Jeanne

4. Da dove viene?
○ da Londra
○ dalla Francia
○ dal Canada

5. Quanti anni ha Caroline?
○ diciotto
○ ventidue
○ venti

6. Che cosa fa?
○ studia
○ lavora
○ insegna

Focus grammatica

L'AGGETTIVO POSSESSIVO MASCHILE PLURALE
The masculine plural possessive adjective, preceded by the article, without any other name indicates:
• a family tie
• belonging

Ex.: Anna va al mare con i **suoi** (con i genitori, con la famiglia).
È uno dei **nostri** (fa parte del nostro gruppo).

Mi parli dei tuoi?

I miei vanno abbastanza d'accordo.

Mio padre lavora troppo ed è sempre stanco.

Mia madre è una casalinga, è molto tranquilla.

I miei fratelli sono simpatici.

I miei discutono a volte.

A mio padre piace stare con noi nel weekend.

Mia madre ha una piccola azienda, lavora tanto.

I miei fratelli sono noiosi.

I miei sono spesso fuori, li vedo poco.

Mi piace stare con i miei.

Preferisco stare con gli amici.

Vocabolario

la casalinga (f.s.) = housewife
simpatici = nice
stanco = tired

vanno d'accordo = they get along
litigano = they quarrel
preferisco = I prefer

Grammatica

IL VERBO PREFERIRE
PRESENTE INDICATIVO

PREFERIRE	
io	preferisc-o
tu	preferisc-i
lui/lei /**Lei**	preferisc-e
noi	prefer-**iamo**
voi	prefer-**ite**
loro	preferisc-**ono**

A Change the sentences below into the plural.

1. Tu vai d'accordo con tua madre.

....

2. A me piace stare in famiglia.

....

3. Mia sorella è noiosa.

....

4. Suo fratello studia a Boston.

....

5. Il nonno vive a Milano.

....

6. Ho conosciuto tua zia.

....

7. Preferisco stare con gli amici.

....

8. Hai visto la sorella di Lucia?

....

B Write complete sentences using the PASSATO PROSSIMO.

1. noi , conoscere, cugina Matteo

....

2. ieri, mamma, stare, ufficio, molto

....

3. zia, fare, viaggi, spesso, mia

....

4. cognato, lavora, ospedale, sempre

....

5. nonni, vacanza, andare montagna, settimana, per

....

6. suoi, fuori, spesso, lavoro, per, essere

....

7. piace, padre, tuo, andare, montagna, sempre

....

8. dovere, andare, zio, Milano

....

Grammatica

I PRONOMI DI TERZA PERSONA

The third person singular of the personal pronoun varies according to gender.

The third person singular pronouns:
- EGLI / LUI refer to a male person
- ELLA /LEI refer to a female person
- ESSO / ESSA refer to an animal or an object, but are seldom used
- the form LUI / LEI are used most frequently especially in the spoken language.

The third person plural pronouns are:
- LORO / ESSI refer to masculine people, animals or objects
- LORO / ESSE refer to feminine people, animals or objects .
- the forms ESSI / ESSE are only used in formal written texts.

The personal pronouns in the objective case are:

- LUI / LEI / LORO → they are used following a preposition or when they come after the verb.
  Ex.: Vai con **lui**. Ho chiamato **lei**.

- LO/LA/LI/LE → direct object before the verb.
  Ex.: **La** vedo.   **Le** sento.

- GLI/LE → indirect object.
  Ex.: **Gli** parlo.   **Le** scrivo.
  Ex.: Io **lo** vedo. → Io vedo **lui**.   Tu **la** conosci.   → Tu conosci **lei**.
       Tu **gli** parli → Tu parli a **lui**.   Noi **le** parliamo. → Noi parliamo a **lei**.

C Complete the sentences below with the feminine personal pronoun as in the example below.

Vedi la casa in fondo? Sì, la vedo.

1. Quando ripari la macchina? → .... riparo domani.
2. Chi cura la tua bambina? → .... cura la nonna.
3. Dove portate vostra figlia? → .... portiamo dal medico.
5. Lo zio usa la calcolatrice? → Sì, ... usa spesso.
6. Ricordate mia cognata? → No, non .... ricordiamo.

D Complete the sentences below with the masculine pronoun. See the example below.

Hai chiamato i nonni? Sì, li ho chiamati.

1. Hai fatto i compiti? → No, ... faccio dopo.
2. Chi ha visto i miei figli? → .... ha visti Mario.
3. Puoi chiamare i tuoi? → Sì, ... chiamo tra un'ora.
4. Vedi spesso i tuoi nipoti? → No, non .... vedo spesso.
5. Tuo marito fa i turni? → Sì, ... fa una volta al mese.
6. Hai scritto i nomi dei bambini? → Sì, ... ho scritti.

E Complete the sentences below with the correct personal pronoun.

1. Carlo chiama Lucia e .... invita al cinema.
2. Ho visto la zia e .... ho parlato.
3. Questo non va bene! Non .... devi fare più.
4. Telefono ai miei e dico .... di venire qui.
5. Il pettine non c'è più. Chi .... ha preso?
6. Quando vedi Maria, ... dai questo libro?

F Complete the sentences below with the correct personal pronoun.

1. Ieri ho visto i miei cognati e ho parlato con ....
2. Hai preso il treno? No, ... prendo tra dieci minuti.
3. Lo zio parla italiano? Sì, ... parla bene.
4. Chiama i tuoi fratelli! .... chiamo subito.
5. Parlo con la zia e .... spiego tutto.
6. Vado da Gianni e .... invito alla festa.
7. Domani vado dai nonni e .... accompagno al supermercato.

Lavori di casa

In many modern Italian families both husband and wife work. They take care of the house and also care for the children together. Traditional families, where only the husband has a job and the wife works in the home and cares for the children, are becoming less and less common.

Here is the story of a young woman.

A Read the text above and fill in the name of the person performs the task.

1. Curano il bambino di Marco e Giovanna. (.........)
2. Lavora in ospedale. (.........)
3. Pulisce la casa. (.........)
4. Lava e stira. (.........)
5. Lavora in un'azienda. (.........)
7. Lava i piatti. (.........)
8. Lavora anche di notte. (.........)
9. È impiegato. (.........)

B Answer the questions as in the example

Chi pulisce la casa? La pulisce Marco.

1. Chi cura il bambino?
....

2. Chi lava i piatti?
....

3. Chi cambia Dario ?
....

4. Chi fa giocare i bambini?
....

5. Chi aiuta Giovanna e Marco?
....

Sono Giovanna e ho 27 anni.
Lavoro in un piccolo ospedale come infermiera e il mio orario è impegnativo.
A volte inizio al mattino presto, a volte lavoro dal pomeriggio alla sera.
Almeno una volta alla settimana devo fare il turno di notte. Da due anni sono sposata con Silvio, che è impiegato e lavora in un'azienda in città.
Abbiamo un figlio, Dario, che ha quasi un anno.
Io e Silvio ci dividiamo i lavori di casa: lui lava i piatti e pulisce la casa, io cucino, lavo e stiro. Insieme curiamo Dario.
Quando io non ci sono, Silvio lo cambia, gli dà la pappa, lo fa giocare, lo mette a letto... Quando non ci siamo tutti e due, sono i miei genitori a curare il bambino.
Per fortuna ci sono i nonni!

Vocabolario
- - - - - - - - - - - - - - - -

quasi = almost
presto = early
insieme = together
tutti e due = both
per fortuna = luckily
la pappa (f.s.) = baby food
i piatti (m.p.) = dishes
il letto (m.s.) = bed
mette = he puts
aiutare = to help
ci dividiamo = we share
lava = he washes
pulisce = he cleans
cucino = I cook
lavo = I wash
stiro = I do the ironing
cambia = he changes
giocare = to play

C Answer the questions below.

. Che cosa preferisci fare in casa?

....

. Preferite pulire o cucinare?

....

. Quale lavoro preferisce fare suo marito?

....

. Noi preferiamo restare a casa e voi?

....

. I nostri amici preferiscono l'aereo e i vostri?

....

. Lui preferisce andare al cinema e i suoi amici?

....

D Change the verbs into PASSATO PROSSIMO.

. Marco pulisce la casa.

....

. Voi curate i bambini.

....

. Giovanna va in ospedale.

....

. I nonni vengono a casa nostra.

....

. Noi ci dividiamo i lavori.

....

. Il papà fa giocare Dario.

....

E Complete the sentences below with the correct form of QUESTO, QUELLO, QUEL.

. ... (questo) mattina devo fare molti lavori.

. A Dario non piacciono .... (quel) giochi.

. Ho fatto .... (quel) lavoro che mi hai detto.

. ... (quello) amica di Giorgio è gentile.

. Il bambino non mangia .... (questo) cose.

. ... (questo) bambini sono con i nonni.

. Vedi .... (quello) casa? Ci abita Giovanna.

. Quando lavi .... (quel) piatti?

. Paolo lavora in .... (quello) ospedale.

F Change the sentences below as in the example.

È bello curare un bambino → Penso che sia bello curare un bambino.

1. È utile avere una casa grande

....

2. È interessante lavorare in ospedale.

....

3. Voi siete molto ospitali.

....

4. Marco è un buon marito.

....

5. I nonni sono molto gentili.

....

G Listen to the dialogue and answer the questions.

1. Che cosa chiede Gianna a Paolo?

....

2. Dove deve andare Gianna?

....

3. Paolo può restare a casa?

....

4. Che cosa deve fare per il bambino?

....

5. Che cosa fa se il bambino non dorme?
(See the picture below.)

....

Vuoi giocare un po' prima di dormire?

Sì, papà, giochiamo?

H Fill in the correct prepositions.

1. Giovanna lavora .... un piccolo ospedale.

2. A volte va .... lavoro .... mattino.

3. A volte lavora .... pomeriggio e .... sera.

4. Una volta .... settimana fa il turno .... notte.

5. È sposata .... Marco.

6. Marco è impiegato .... un'azienda in città.

7. Tutti e due fanno i lavori .... casa.

8. Marco e Giovanna sono sposati .... due anni.

9. A Dario piace giocare .... il papà.

I Read the answer and ask the question.

1. ....

Mio padre è andato in montagna con lo zio.

2. ....

I miei figli, di pomeriggio, stanno con i nonni.

3. ....

Sì, a mia moglie piace cucinare.

4. ....

No, mio figlio non c'è, è a scuola.

5. ....

Vediamo nostro nipote tutti i giorni.

6. ....

La zia Paola è sorella di mio padre.

L Fill in the verb in brackets using the correct verb tense: PRESENTE or PASSATO PROSSIMO.

1. Chi .... (*pulire*) la casa di solito?

2. Ieri .... (*lavare*) la macchina.

3. A che ora .... (*andare*) in ufficio?

4. L'altra sera .... (*andare*) al cinema.

5. Mio fratello .... (*arrivare*) alle otto.

6. Mia sorella .... (*arrivare*) da due ore.

7. La zia .... (*chiamare*) Luisa questa mattina.

8. I miei, ieri, ... (*partire*) per Roma.

9. Di solito .... (*mettere*) a letto il bambino alle otto.

Focus grammatica

I PRONOMI DOPPI

The personal pronouns **mi, ti, si, ci, vi, gli**, if combined with **lo, la, li, le**, form double pronominal pronouns:
me lo • te lo • glielo • se lo • ce lo • ve lo • glielo.

These pronouns usually precede the verb, but when used with the infinitive of the verb they are joined with it at the end.

Ex:
Me lo porti? → Ricorda di portar**melo**!
Glielo dico! → Pensi di dir**glielo**?
Te la prendo? → Mi chiedi di prender**tela**.

M Who says it? Reread the text on page 102. Fill in the missing letters in the baloons (A, B, C, D) using the syllables below. Then match the sentence to the character.

| PIA | FFI | IPO | GNA |

GIOVANNA   NONNI   MARCO   DARIO

A mi, nonni, stare, con, _ _ _ ce.

B di, lavoro, in, giorno, u _ _ _ cio.

C un, abbiamo, n _ _ _ te, di, anno, un.

D piace, ma, mi, in, lavorare, è, impe _ _ _ ivo, ospedale.

GIOCO

A PAROLA NASCOSTA

Find the word that corresponds to the definition below
and erase it from the chart. The letters that remain
form the name of the ceremony in which a man and a
woman become husband and wife.

1. He has parents. He is a…
2. My parents are also his. He is my…
3. She is the daughter of my sister. She is my …
4. If my father and his are brothers, he is my …
5. Mom and Dad are my ….
6. The father of my husband is my …
7. The wife of my brother is my …
8. For each husband there is a …

M	F	A	T	G	R	I	M
M	R	N	C	E	S	C	O
F	A	I	U	N	U	O	G
I	T	P	G	I	O	G	L
G	E	O	I	T	C	N	I
L	L	T	N	O	E	A	E
I	L	E	O	R	R	T	O
O	O	N	I	I	O	A	O

B PICCOLO LABIRINTO

Help the bride get to the church.
Answer the question and show her the way.

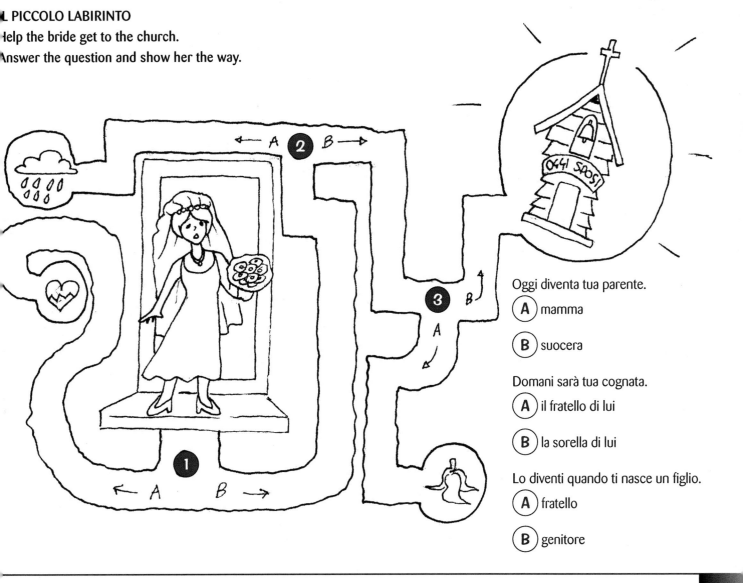

Oggi diventa tua parente.
(A) mamma
(B) suocera

Domani sarà tua cognata.
(A) il fratello di lui
(B) la sorella di lui

Lo diventi quando ti nasce un figlio.
(A) fratello
(B) genitore

Prima dalla cima del vulcano si alzò una colonna di fumo e ceneri alta 15 chilometri. Poi la colonna si trasformò in un immenso ombrello di nuvole...

Pompei

POMPEI

Pompei è una antica città romana distrutta e sepolta vicino a Napoli nella regione Campania. Una catastrofica eruzione del vulcano Vesuvio durata due giorni nel 79 d.C. distrusse Pompei e la vicina città Ercolano.

L'eruzione seppellì Pompei sotto circa 6 metri di cenere e pietra vulcanica. La città fu dimenticata quasi per 1600 anni e fu incidentalmente ritrovata intorno al 1592. Da allora, gli scavi hanno fornito uno straordinario e dettagliato spaccato della vita della città durante l'Impero Romano.

Oggi l'UNESCO ha dichiarato Pompei Patrimonio dell'Umanità.
Pompei è una delle più conosciute attrazioni d'Italia con circa 2.500.000 visitatori ogni anno.

Tre strati di sedimento sono stati trovati sopra la lava che copre la città e, uniti ai sedimenti, gli archeologi hanno trovato pezzi di ossa di animali, cocci di ceramica e piante.
La città era un importante luogo di passaggio per le merci che arrivavano dal mare e dovevano essere spedite verso Roma o verso il Sud Italia lungo la vicina Via Appia. Anche l'agricoltura e la produzione di vino erano importanti.

POMPEI

Pompeii is the famous buried Roman city near modern Naples in the Italian region of Campania. A catastrophic eruption of the volcano Vesuvius, spanning two days in 79 AD, destroyed Pompeii and Herculaneum, its sister city.

The eruption buried Pompeii under about 18 feet of ash and pumice. The city was lost for nearly 1,600 years until its accidental rediscovery around 1592. Since then, its excavation has provided an extraordinarily detailed insight into the life of a city of the Roman Empire.

Today, UNESCO has declared Pompeii as World Heritage Site.
It is one of the most popular tourist attractions in Italy, with approximately 2,500,000 visitors every year.

Three sheets of sediment have been found on top of the lava that lies below the city and, mixed in with the sediment, archaeologists have found bits of animal bone, pottery shards and plants.
The town was an important passage for goods that arrived by sea and had to be sent toward Rome or Southern Italy along the nearby Appian Way. Agriculture and wine production were also important.

■ Vittime dell'eruzione
During the excavations in 1860 occasional voids in the ash layer were found that contained human remains. These were spaces left by the decomposed bodies. Scientists devised the technique of injecting plaster into them to perfectly recreate the forms of Vesuvius's victims. What resulted were highly accurate and eerie forms of the doomed Pompeiani who failed to escape, in their last moment of life.

Plinio il Giovane racconta dell'eruzione del Vesuvio in una versione che scrisse venticinque anni dopo l'evento. L'esperienza era ben impressa nella sua memoria perchè suo zio morì mentre cercava di salvare le vittime sepolte dalle macerie.

Pliny the Younger provides an account of the eruption of Mount Vesuvius in a version which was written 25 years after the event. The experience must have been etched in his memory because his uncle died while attempting to rescue stranded victims.

■ Il golfo di Napoli e il Vesuvio
By the 1st century, Pompeii was one of a number of towns located around the base of the volcano, Mount Vesuvius. The area had a substantial population which grew prosperous from the region's renowned agricultural fertility. Many of Pompeii's neighboring communities, most famously Herculaneum, also suffered damage or destruction during the 79 eruption.

■ Museo Archeologico di Napoli
A large number of artifacts from Pompeii are preserved in the Naples National Archaeological Museum.

Read the question and answer in Italian.

1. Che cos'è Pompei e dove si trova?

....

2. Che cosa e quando distrusse Pompei ed Ercolano?

....

3. Quando Pompei fu incidentalmente ritrovata?

....

4. Come ha dichiarato l'UNESCO Pompei?

....

5. Quanti sono i visitatori di Pompei ogni anno?

....

6. Che cosa hanno ritrovato gli archeologi?

....

7. Perché era importante Pompei?

....

8. Chi racconta dell'eruzione del Vesuvio?

....

■ La villa dei Misteri

R E A D I N G ● S P E A K I N G

A Read the text below and check the correct statements.

La mia è una famiglia tranquilla. Viviamo in una piccola città vicino a Milano. Mio padre ha un negozio ed è molto impegnato nel lavoro; quando può, aiuta la mamma o ci porta a fare un giro. Mia madre è insegnante e dopo il lavoro ha tempo per seguire me e mio fratello. Noi due andiamo ancora a scuola: io ho 16 anni e mio fratello ha 12 anni. Vicino a noi abitano i genitori di mio padre e la domenica ceniamo tutti insieme. A volte viene anche lo zio Giorgio, che non è sposato e vive a Milano.

1. Questa famiglia vive:
○ a Milano
○ in una piccola città
○ in un quartiere della periferia

2. In famiglia ci sono:
○ due persone
○ quattro persone
○ cinque persone

3. Il padre lavora:
○ in ufficio
○ in officina
○ in negozio

4. La madre lavora:
○ in una scuola
○ a casa
○ in negozio

5. Chi parla è:
○ un ragazzo
○ una ragazza
○ non si sa

6. Vicino alla famiglia abitano:
○ gli zii
○ i genitori del padre
○ i nonni

7. Alla domenica:
○ giocano insieme
○ cenano insieme
○ parlano insieme

8. C'è uno zio che:
○ vive con loro
○ vive a Milano
○ vive con i genitori

B Read the statements below and write in the brackets which one of Luca's relatives (nonno, nonna, mamma, papà, zia, sorelle) is speaking.

Hai capito chi parla?

1. Mio marito, quando è nato il nostro primo figlio, ha voluto chiamarlo Luca. (........)
2. Mio marito, Luca, è ancora un artigiano molto bravo. (........)
3. Mio fratello desiderava tanto un figlio, e finalmente è arrivato Luca. (........)
4. Luca fa tutto quello che vuole, mentre io e mia sorella siamo meno libere. (........)
5. Quando è nato Luca, mio nipote, sono stato molto felice. (........)
6. Mio nipote non ha voluto imparare il mio mestiere! (........)

C This cartoon shows a funny family situation. Try to write at least four sentences to describe what it is happening.

1. ....
....
2. ....
....
3. ....
....
4. ....
....

Grammatica

IL VERBO USCIRE
PRESENTE INDICATIVO

USCIRE	
io	esc–o
tu	esc–i
lui/lei /**Lei**	esc–e
noi	usc–**iamo**
voi	usc–**ite**
loro	esc–**ono**

Note!
• **SC** followed by O/A has a hard sound as in skate.

• **SC** followed by I/E has a soft sound as in fisher.

Ex.:
bosco • ta**sc**a
sciare • **sc**endere

Grammatica

L'IMPERATIVO: ORDINARE E PROIBIRE
The **imperative** is generally used to give commands.
Only two forms of the imperative are used: the second person singular (tu) and the second person plural (voi).

First conjugation (group)	Second conjugation (group)	Third conjugation (group)
parl–**a**	tac–**i**	dorm–**i**
parl–**ate**	tac–**ete**	dorm–**ite**

The imperative of auxiliary verbs is:

	ESSERE	AVERE
	si–i	abb–i
	si–ate	abb–iate

When general instructions are given the infinitive form may be used.

Ex.: **Lavare** con cura.   **Agitare** prima dell'uso.

The imperative in the negative form is :
• **non + infinito** → for the second person singular **non parlare**.
• **non + imperativo** → for the second person plural **non parlate**
Note! The imperative is generally followed by an exclamation mark (!).

S P E A K I N G • W R I T I N G

A ROLE PLAY

1.
The teacher asks seven students to identify themselves with one of the seven characters drawn and to introduce himself/herself to his/her classmates.
The students are given some guidelines to be followed in their presentation.

2.
Anna, Alberto and Giorgio are talking about what they will do on Saturday when their cousin Federica comes.
The students in the group prepare a dialogue on this topic and then act it out.

B E-MAIL
The teacher asks each student to write a letter expressing his/her feelings about the members of his/her family.
The students should use expressions such as:
mi piace / non mi piace, preferisco / non preferisco, sono d'accordo / non sono d'accordo.

THE BONVINIS

• R E V I E W •

A Answer each question in a complete sentence in Italian.

1. Con chi preferisci andare al cinema? (*sorella*)

....

2. Dove preferite lavorare? (*ufficio*)

....

3. Signore, che cosa preferisce? (*una camicia*)

....

4. I signori Rossi preferiscono prendere un taxi?

....

5. Luca preferisce uscire con te?

....

6. Dove preferisci cenare? (*a casa*)

....

7. Preferite prendere l'autobus o il treno? (*il treno*)

....

8. Con chi vuoi parlare? (*fratello*)

....

9. Che cosa devono scrivere? (*lettera*)

....

B Read the answer and ask the question.

1. ....
Vado al mare con la zia.
2. ....
Vado al mare in agosto.
3. ....
Vanno a Positano.
4. ....
Ci resto per due settimane.
5. ....
No, non ci vado da sola.
6. ....
Sì, vengono anche i nonni.
7. ....
No, Giorgio non viene con noi.
8. ....
Vado in macchina.
9. ....
Tornano in treno.

C Read the sentences below. Use the nouns you have learned to indicate the relationship in italics.

Questi sono i figli di tua sorella? (i tuoi nipoti)

1. Conosci il *fratello di mio padre*? (........)
2. Queste sono *le figlie di mia madre*. (........)
3. *I genitori di mamma* vivono in Italia. (........)
4. *Il marito di mia sorella* è di Roma. (........)
5. *La mamma di mia moglie* vive con noi. (........)
6. *La moglie di mio figlio* è americana. (........)
7. *Il figlio di mio figlio* ha tre anni. (........)
8. *Il padre di mia moglie* è medico. (........)
9. *Il marito di mia figlia* ha un'officina. (........)
10. *La sorella di mio padre* abita a Bologna. (........)

D Change the sentences below into the plural.

1. Ti presento mio fratello.

....

2. Puoi chiamare tua zia?

....

3. Questo è mio nonno.

....

4. Dov'è tuo nipote?

....

5. Ho conosciuto suo cognato.

....

6. Le presento mia nuora.

....

E ⊙ Listen to the dialogue and complete the sentences below.

1. Andrea è stato ....
2. I nonni vivono a ....
3. Con i nonni vivono anche ....
4. Andrea ha fatto .... in città.
5. È stato spesso con ....
6. Andrea dice che Viterbo ....
7. L'amico di Andrea vuole sapere ....
8. Andrea gli dice che ....

F Write the correct articles and prepositions in the sentences below.

1. Gianni va .... nonna con .... zio.

2. Ho incontrato .... tuoi fratelli .... cinema.

3. Devi vedere .... sorella .... Marco?

4. Di solito ceniamo .... nonni.

5. Mio fratello è andato .... Parigi.

6. Volete venire .... noi .... centro?

7. .... suoi nipoti vengono spesso .... lei.

8. Parlare .... vostro padre è piacevole.

9. Che mezzo prendi .... andare .... nonni?

G Change PRESENTE into PASSATO in the sentences below.

1. Dice che Gianni lava i piatti.

....

2. Sa che la moglie va al mare.

....

3. Vuole parlare con mia sorella.

....

5. Conosce solo uno zio.

....

6. Lui gioca con i bambini.

….........

H Change the IMPERATIVE POSITIVE into the NEGATIVE FORM.

1. Pulisci il negozio dello zio!

....

2. Lava i piatti subito!

....

3. Scendete dal treno!

....

4. Venite a casa !

....

5. Leggi quel libro!

....

6. Chiama tuo fratello!

....

6. Spegni la televisione!

....

I Change the words in italics into the singular.

1. Marta va in centro con *le sue cugine.*

....

2. Lui lavora in negozio con *i suoi.*

....

3. Ho conosciuto *i tuoi zii.*

....

4. Non va d'accordo con *le sue cognate.*

....

5. Gianna cura *i suoi nipoti.*

....

6. *I vostri amici sono gentili.*

....

L Write the correct form of the demonstrative adjective in brackets in the sentences below.

1. Per favore, chiama .... (*quello*) signore.
2. La zia ha portato .... (*questo*) camicia.
3. Ho lavato tutti .... (*quello*) piatti!
4. Non parlare con .... (*quello*) persone.
5. .... (*questo*) cugini abitano vicino a noi.
6. Mia suocera vive in .... (*quello*) quartiere.
7. Va al mare sempre con .... (*quello*) zii.
8. Sei venuto con .... (*questo*) macchina.
9. Per andare lì, devi prendere .... (*quello*) autobus.
10. Non conosco .... (*quello*) ragazzi.
12. Gianna, porta a letto .... (*quello*) bambino.

M Answer the questions as in the example below.

Mi porti l'orologio? → Sì, te lo porto subito.

1. Puoi dire a Mario di venire?

....

2. Carla vi ha detto che arriva domani?

....

3. Tua sorella ti ha dato il libro?

....

4. Hai portato la cena ai nonni?

....

5. Vi hanno dato quelle informazioni?

....

6. Avete chiesto il permesso ai vostri genitori?

....

N Answer the questions as in the example below.

Vuoi parlare con tua sorella? >
No, non voglio parlare con lei

1. Potete andare dallo zio?

....

2. Dobbiamo venire con la mamma?

....

3. Ci vediamo dai nonni?

....

4. Tuo figlio prende il treno con Mario?

....

5. Hai cenato con tuo marito?

....

6. I signori Rossi vanno in montagna con i figli?

....

O Write a complete sentence in Italian according to the instructions below.

1. Chiedi a Mario se ha visto tuo fratello.

....

2. Informa tua sorella che non vai al cinema con lei.

....

3. Proibisci a tuo figlio di uscire nel pomeriggio.

....

4. Chiedete ai nonni se potete andare da loro.

....

5. Dico che preferisco stare a casa.

....

6. Informa tua mamma che nel pomeriggio vai in palestra.

....

P Fill in the correct forms of the verbs in brackets. Use the PASSATO PROSSIMO.

1. La mia famiglia .... (*venire*) a Milano nel 1980.
2. Ieri Paola .... (*andare*) al cinema con suo nipote.
3. In centro .... (*vedere, noi*) Marco con la zia.
4. .... (*stare, voi*) in vacanza con i nonni?
5. Maria .... (*alzarsi*) prima della sorella.
6. Mio marito .... (*leggere*) un libro interessante.
7. .... (*chiedere, noi*) a nostro padre quando torna.
8. I suoi nipoti .... (*nascere*) in Italia.
9. Maria e Gianni .... (*sposarsi*) ieri.
10. Quando .... (*uscire, loro*) con i tuoi fratelli?

Q Write complete sentences in Italian as in the example below.

cugino, Marco, 15 anni, studente →
Mio cugino si chiama Marco, ha 15 anni, è uno studente.

1. madre, Gianna, 40 anni, segretaria

....

2. marito, Sergio, 30 anni, meccanico

....

3. genitori, Maria e Paolo, 50 anni, insegnanti

....

4. figlia, Luisa, 27 anni, giornalista.

....

5. suocero, Marco, 60 anni, medico

....

R Read the answer and ask the question.

1. ....
Mia cognata si chiama Chiara.
2. ....
I miei suoceri abitano in Sicilia.
3. ....
Ho due fratelli e una sorella.
4. ....
Mio fratello ha due figli.
5. ....
I nostri parenti vengono domani.

S Answer the questions. Fill in the correct personal pronouns.

Quando porti i bambini a tua madre? (*nel pomeriggio*) →
Glieli porto nel pomeriggio.

1. Chi ha visto gli zii in centro? (*Maria e Gianni*)

....

2. Dove prendi l'autobus? (*in piazza Roma*)

....

3. Hai detto a tuo fratello che parti? (*no*)

....

4. Avete salutato la nonna? (*sì*)

....

5. Quando mi fate sapere se venite da me? (*questa sera*)

....

VIENI A CASA MIA?

Unità 7

Obiettivi / Goals:

- Learn about different types of houses
- Learn about the parts of a house
- Learn about home furnishings
- Learn how to read and write real estate ads

■ **Venezia**, Case sul Canal grande e gondola

Com'è casa tua?

Mike and Indira have been in Italy for a few months and have already visited several cities there. Rome was amazing because of the contrast between the ancient and modern city. They liked Florence and the small Tuscan towns where the old downtown districts were very well preserved and the suburbs were filled with nice, new houses. Indira and Mike come from large cities near the ocean and it is difficult to compare. Their conversation often deals with the similarities and differences between their countries. Read what they said while on a visit to Siena.

Indira: – È bellissima Siena! Ma questi antichi palazzi sono abitati?

Jacopo: – Certo, sono case normali… guarda quella finestra… vedi i fiori sul davanzale.

Mike: – Da noi i palazzi antichi sono pochi e…

Jacopo: – E, invece, ci sono molti grattacieli, ho visto alcune foto. Ma tu abiti in un grattacielo?

Mike: – No, io abito lontano dal centro di Boston… in una cas normale, con quattro o cinque piani… E tu, Indira, dove abiti?

Indira: – Io abito in una casa a due piani, circondata da un giardino. È la casa dei nonni, loro abitano sotto e noi al piano d sopra. In Italia la chiamate villa. Tutte le case lì intorno sono fatt così.

Jacopo: – Casa mia… la conoscete, è in un quartiere nuovo, fatto di grandi palazzi, dove ci sono decine di appartamenti. Io, però, preferisco la casa dei nonni, in campagna
Un giorno vi porto a vederla.

Vocabolario

i palazzi (m.p.) = palaces
la finestra (f.s.) = window
il davanzale (m.s.) = sill
i fiori (m.p.) = flowers
i grattacieli (m.p.) = skyscrapers
l'appartamento (m.s.) = flat/apartment
i piani (m.p.) = floors
il giardino (m.s.) = garden
la villa (f.s.) = villa
le decine (f.p.) = tens
la campagna (f.s.) = countryside
bellissimi = beautiful
antichi = ancient/old
normale = normal
alcune = several
nuovo = new
però = but
guarda = look!
circondata = surrounded

Cultura

TANTI MODI PER DIRE CASA

There are many words to describe the places where people live because there are many different kinds of housing.
Casa is a word coming from Latin that means the peasant's hut.
Casa indicates both home and house. The diminutive **casina** or **casetta** indicates small and pretty house, while **casupola** means a small, ugly house.
Palazzo comes from the Latin *palatium*.
A palazzo was a large building that housed the court of the king.
Today it refers to a large building housing many people and families.
Villa originally meant farmhouse, the farm, but today it is a luxurious home outside the city or an elegant house surrounded by gardens.
Villetta is a small house with a little garden around it.
Appartamento is an apartment in a large building or group of buildings.

A Complete the sentences below with the correct nouns.

1. Indira abita in una .... a due piani.
2. In un palazzo ci sono molti ....
3. Un .... è una casa molto alta.
4. A Siena ci sono .... palazzi.
5. A Boston ci sono i ....
6. Jacopo abita in un .... nuovo.
7. I nonni di Jacopo abitano in ....
8. La casa di Indira è circondata dal ....

B Match the numbers with the letters.

1. villa   a. è molto alto
2. casetta   b. è grande
3. palazzo   c. è circondata da un giardino
4. grattacielo   d. non è bella
5. appartamento   e. è graziosa
6. casupola   f. ci vive una sola famiglia

C Change the sentences below into the plural.

1. In città c'è un grattacielo
....
2. Quella villa è molto grande.
....
3. Ho visto un giardino antico.
....
4. Nel mio quartiere c'è un palazzo nuovo.
....
5. Questa è la casa della zia.
....
6. Il nostro appartamento è piccolo.
....

Focus grammatica

Verbi in CARE/GARE

For the first conjugation (group) of verbs ending in CARE / GARE, like **cercare**, **pagare**, **spiegare**, it is necessary to add an H immediately after the consonants C/G when they are followed by the vowels I/E in order to keep the hard sound.

Note!

Memorize the conjugation of the verb CERCARE.

io   cerc-**o**
tu   cerc**h**-**i**
lui/lei/**Lei** cerc-**a**
noi   cerc**h**-**iamo**
noi   cerc-**ate**
loro   cerc-**ano**

D Fill in the correct articles and prepositions in the sentences below.

1. Domani vado .... vivere .... casa nuova.
2. .... tutti piacciono .... ville antiche.
3. Preferisco abitare .... casa piccola.
4. Avete visto .... villa .... Clooney......... Italia?
5. .... mio appartamento ha .... grande finestra.
6. .... nostra casa ha .... piccolo giardino.
7. .... quartieri periferici ci sono .... palazzi nuovi.
8. .... appartamento di mia sorella è vicino .... stazione.

E Write complete sentences in Italian using the words below.

1. Gianni, sorella, antico, abita, palazzo
....
2. grattacieli, pochi, ci, città, sono, italiane
....
3. miei, casa, centro, bella, vivono, genitori
....
4. campagna, ho, molte, giardini grandi, ville, visto
....

F ◎ Listen to the dialogue and fill in the missing words.

– Ciao Gigi, sei libero nel ....?
– Sì, ... pensi di fare?
– Andiamo da Anna.
– Sai .... abita ?
– Sì. Sono già stato .... sua casa nuova.
– ....? Piccola? Grande?
– È un .... abbastanza grande.
– È in .... o fuori?
– È fuori, in un .... nuovo.
– Come ci ....?
– In ...., non ci sono altri ....

Attività

● Research the types of homes in your neighborhood. Look for pictures, maps and diagrams. Write a short Italian text to explain the images. You may also include historical information.

Com'è fatta una casa?

When we speak about "home", we think of the elements that are found in all buildings. Try to make an Italian child draw a house. You'll see what these elements are.

Indira: – Ehi, ragazzi, guardate, Maxi mi ha mandato un regalo. È il disegno della casa che costruirà per me quando sarà grande…

Mike: – Fammi vedere come disegna il mio cuginetto… Ehi, ma questa casa è fatta in modo strano!

Jacopo: – (*Laughing*) Guarda qui, attraverso le pareti si vedono le scale e anche i mobili! E non c'è il pavimento…

Mike: – … e l'ascensore … guarda dove l'ha messo!

Indira: – Come siete cattivi! Maxi è piccolo e disegna già bene… vedete… ha fatto le pareti, il tetto, le finestre, la porta, insomma tutto quello che è indispensabile per una casa.

Mike: – Indira, non prendertela, è uno scherzo!

A Read to the dialogue and check the correct word.

1. Il regalo di Maxi è:
○ un libro   ○ una fotografia   ○ un disegno

2. Per Mike, Maxi è:
○ il nipote   ○ il fratello   ○ il cugino

3. La casa del disegno è:
○ piccola   ○ bella   ○ strana

4. I ragazzi ridono del disegno e Indira:
○ non parla   ○ se la prende   ○ ride con loro

B Read the dialogue and answer the questions.

1. Che cosa manda Maxi a Indira?
……..

2. Che cosa c'è nel disegno?
……..

3. Che cosa c'è di strano nel disegno?
……..

4. Perché Indira se la prende?
……..

5. Che cosa manca nel disegno?
……..

Vocabolario

il cuginetto (m.s.) = little cousin
il regalo (m.s.) = gift
il disegno (m.s.) = drawing
l'ascensore (m.s.) = lift/elevator
il modo (m.s.) = way
le scale (f.p.) = stairs
le pareti (m.p.) = walls
i mobili (m.p.) = furnishing/furniture
le cose (f.p.) = things
il tetto (m.s.) = roof
le finestre (f.p.) = windows
la porta (f.s.) = door
lo scherzo (m.s.) = joke

il pavimento (m.s.) = floor
strano = strange
cattivi = bad
indispensabile = indispensable
ehi! = hey!
attraverso = through
insomma = in short
guardate/guarda = look!
ha mandato = he has sent
costruirà = he will build
disegna = he draws
non prendertela =
take it easy/never mind

Focus grammatica

FAMMI
Five verbs: **dire, fare, andare, stare, dare** in the imperative drop the final syllable.
When they are accompanied by a personal pronoun, the pronoun is joined to the verb like a consonant.
Look at the table below and memorize it.

FARE → fai → fa' →	fammi	fatti	falle	fagli	facci
DIRE → dici → di' →	dimmi		dille	digli	dicci
ANDARE → vai → va' →	vammi	vatti	valle	vagli	vacci
STARE → stai → sta' →	stammi		stalle	stagli	stacci
DARE → dai → da' →	dammi	datti	dalle	dagli	dacci.

C Find the solution to the riddles.

. Quando viene mi xxxxx sempre un egalo e me lo dà davanti alla xxxxx.

2. Quando arriva la metro si scende e si xxxx, ma prima si devono scendere le xyxxx.

3. Quel xxxxx le è costato uno stipendio, ma ben più le costa l'yyyyxxxxx.

D Answer the question as in the example.

A chi farà un regalo? Lo farà a suo fratello.

. Dove porterà sua zia? (*al cinema*).

....

. Quando Maxi costruirà una casa? (*da grande*)

....

. Per chi comprerà un libro? (*per Anna*)

....

. A chi manderà i fiori ? (*a Luisa*)

....

. Dove andrà in vacanza Indira? (*al mare*)

....

E Answer the questions with the IMPERATIVO as in the example.

Mi dai quel libro? → Dammi quel libro.

1. Ci stai a sentire?

....

2. Gli fai un disegno?

....

3. Vai a prendermi un regalo?

....

4. Ci dici il tuo nome?

....

5. Le riporti il libro?

....

Grammatica

IL FUTURO SEMPLICE

This is the conjugation of the futuro semplice (simple future).

PARL–ARE		PREND–ERE		SENT–IRE	
io	parl – **erò**	io	prend – **erò**	io	sent – **irò**
tu	parl – **erai**	tu	prend – **erai**	tu	sent – **irai**
lui/lei/**Lei**	parl – **erà**	lui/lei/**Lei**	prend – **erà**	lui/lei/**Lei**	sent – **irà**
noi	parl – **eremo**	noi	prend – **eremo**	noi	sent – **iremo**
voi	parl – **erete**	voi	prend – **erete**	voi	sent – **irete**
loro	parl – **eranno**	loro	prend – **eranno**	loro	sent – **iranno**

Note!

The final vowel in the first and third person singular of the simple future are stressed. Do not forget to put the stress on the final syllable when you speak and when you write.

F Test your knowledge. See what you know. Complete the chart with the missing forms of the FUTURO SEMPLICE.

	FARE	LEGGERE	COSTARE	DIRE	DISEGNARE	FINIRE
io	....	leggerò	....	....	....	....
tu	farai	....	....	....	....	....
lui/lei/**Lei**	....	....	....	....	disegnerà	....
noi	sappiamo	....	....	diremo	....	....
voi	....	....	....	....	....	finirete
loro	....	....	costeranno	....	....	....

G Change the singular form of the verb into the plural.

1. Domani tu parlerai a tua sorella.

....

2. Se vuoi, parlerò con tua madre.

....

3. A scuola lui leggerà un libro.

....

4. Lo zio costruirà una villa in campagna.

....

5. Prenderò il treno delle otto.

....

6. Lui pulirà il pavimento.

....

H Conjugate the verbs in brackets in the FUTURO SEMPLICE.

1. Quando .... (*finire, loro*) di costruire la nuova casa?
2. Loro .... (*fare*) il progetto del nuovo palazzo.
3. Domani ci .... (*portare, voi*) i mobili?
4. A Roma .... (*abitare, io*) in un appartamento.
5. Quanto .... (*costare*) una casa in quel quartiere?
6. Mi dici come .... (*fare, tu*) a venire a casa mia?

Grammatica

IL FUTURO DEI VERBI AUSILIARI
The auxiliary verbs ESSERE and AVERE are irregular.

ESSERE		AVERE	
io	sarò	io	avrò
tu	sarai	tu	avrai
lui/lei /**Lei**	sarà	lui/lei /**Lei**	avrà
noi	saremo	noi	avremo
voi	sarete	voi	avrete
loro	saranno	loro	avranno

Note!
Memorize these forms!

I PASSATO or FUTURO? Write complete sentence in Italian with the words below.

1. ieri, andare, tu, tua, sorella

....

2. casa, nuova, ancora, non vedere, io

....

3. prendere, domani, Francesca, mobili, casa

....

4. tra, bambino, mio, settimana, cugino, nascere, una

....

L Answer the questions with the IMPERATIVO.

1. Mi fai vedere il tuo libro?

....

2. Gli porti una camicia?

....

3. Mi aprite la porta di quell'appartamento?

....

4. Mi date il disegno della casa?

....

M Listen to the dialogue and check Vero [V] or Falso [F] (True/False).

1. Laura chiama Anna. [V] [F]
2. Anna risponde subito. [V] [F]
3. Risponde la madre di Anna. [V] [F]
4. Laura ha saputo una cosa nuova. [V] [F]
5. Laura vuole informazioni su una casa. [V] [F]
6. Anna va a vivere in un'altra città. [V] [F]
7. I suoi hanno preso una villa Lecco. [V] [F]
8. Ci andranno subito. [V] [F]
9. La casa non è ancora finita. [V] [F]

N Change the sentences below as in the example.

Ho fatto un progetto → Farò un progetto.

. Ha fatto un disegno.

......

. Hanno mandato un regalo.

......

. Hai disegnato un grattacielo.

......

. Sei stato molto gentile.

......

. Ho comperato una villa con giardino.

......

. Avete abitato in un appartamento.

......

. Hanno venduto la loro casa.

......

O Complete the sentences in Italian using the words below.

pareti · appartamento · finestre · villa · scale · casetta · porta · palazzo

. Mio padre vuole comperare un .... in città.

. I nonni hanno venduto la .... in campagna.

. Quanti piani ha quel ....?

. Intorno alla sua .... c'è un giardino molto bello.

. La mia casa ha una grande .... di legno.

. A casa tua le .... sono di legno.

. Le case di montagna hanno .... di legno.

. Le .... dei grattacieli non si possono aprire.

P Fill in the correct form of the verb ESSERE using the most appropriate tense.

. La casa di Anna .... finita tra un mese.

. Ieri .... a casa di Marco.

. Dove .... adesso? Davanti a casa tua.

. Dove .... (voi) la settimana scorsa.

. Dove .... (loro) tra un mese?

. Quali .... i progetti di questo palazzo?

. Chi .... quel ragazzo?

. Io .... nella villa in campagna tra due giorni.

. Chi c'......... qui l'altro giorno?

0. Dove .... le scale in questo palazzo?

Q Read the answer and ask the question.

1. ....
Ci sono due finestre grandi.

2. ....
Abito al quarto piano.

3. ....
Le scale sono dietro la casa.

4. ....
Sul davanzale ci sono i fiori.

5. ....
No, non c'è l'ascensore.

6. ....
L'ascensore è vicino alle scale.

7. ....
Sì, nella nuova casa c'è un giardino.

R Change the words in italics into the plural.

1. Nel mio quartiere c'è un *palazzo nuovo*.
2. *Nella villa antica* non abita nessuna famiglia.
3. A Milano *c'è un grattacielo*?
4. *Dalla finestra* di casa mia si vedono le Alpi.
5. *Nel vecchio palazzo* non c'è l'ascensore.
6. *Ho comperato la casa* dei nonni.
7. *C'è un appartamento libero* da voi?
8. *Sul davanzale della mia finestra* ci sono molti fiori.
9. Vicino all'università *c'è una bella villa*.
10. *Quella casa ha un grande giardino*.

S Fill in the FUTURO of the verbs ESSERE or AVERE.

1. Chi .... costruito quel palazzo?
2. A casa di Giacomo ci .... anche noi.
3. A Roma .... un appartamento tutto per noi.
4. Dove .... l'ascensore nella nuova casa?
5. Penso che .... vicino alle scale.
6. Tu non .... una villa grande come la sua!
7. Quando i lavori .... finiti, voi .... una casa molto bella.
8. Sai quanti appartamenti ci .... in quel palazzo?
9. Quando (noi) .... i mobili? Tra due settimane.
10. Quante stanze ci .... nel tuo appartamento?

La casa dei nonni

Jacopo's grandparents live in a country house in the hills near Florence. Jacopo often speaks about it, because he loves their rather old house where he spent the summer when he was a child, far away from the heat of the city. Today he is going to show it to his friends.

Jacopo: – Siamo quasi arrivati, guardate, si vede il tetto.

Mike: – Ma è una casa grandissima! Quante persone ci vivono?

Jacopo: – Ora solo i nonni e la loro figlia più grande, che ha deciso di lasciare la città e trasferirsi qui.

Indira: – Eccola. La vedo bene! È tutta di pietra, con le scale all'esterno.

Mike: – Comincio a capire perché ti piace tanto … per un bambino deve essere bellissimo vivere in un posto come questo.

Indira: – Hai sempre passato qui l'estate? Da solo?

Jacopo: – Sì… ma non solo, con i miei cugini. Sette ragazzini scatenati…

Mike: – Poveri nonni!

Indira: – È un po' come casa mia! Un appartamento sopra e uno sotto…

Jacopo: – No, qui, al piano di sopra ci sono le camere da letto. Sotto, invece, ci sono le stanze dove si sta di giorno: la cucina, il salotto, la sala da pranzo. Poi ci sono il bagno e la lavanderia.

Vocabolario

quasi = almost
guardate! = look!
ha deciso = she has decided
lasciare = to leave
eccola = here it is
la pietra (f.s.) = stone
all'esterno = outside
comincio = I begin
capire = to understand
il posto (m.s.) = place
hai passato = you have spent

i ragazzini (m.p.) = kids
scatenati = wild, rambunctious
poveri = poor
po' = a bit /a little
le camere (f.p.) **da letto** = bedrooms
le stanze (f.p.) = rooms
la cucina (f.s.) = kitchen,
il salotto (m.s.) = living room
la sala (f.s.) **da pranzo** = dining room
la lavanderia (f.s.) = laundry
il bagno (m.s.) = bathroom

Focus lingua

PAROLE DIVERSE PER DIRE CASA
monolocale → one room apartment
bilocale → two room apartment
trilocale → three room apartment
attico → top floor apartment surrounded by a large terrace
mansarda → the attic

The **bagno, lavanderia, cucina** are not counted as rooms because they are considered **services**.

A Read the dialogue and check Vero V or Falso F (True/False).

1. Jacopo porta gli amici a casa dei nonni.   V F
2. I nonni abitano in una piccola casa.   V F
3. La casa è tutta di legno.   V F
4. Ci sono due appartamenti.   V F
5. È una casa a due piani.   V F
6. Ci abitano solo i nonni di Jacopo.   V F
7. Jacopo ha sempre passato l'estate dai nonni.   V F
8. Le camere da letto sono al piano di sopra.   V F
9. Di giorno le persone stanno al piano di sotto.   V F

B Read the dialogue and fill in the correct words.

1. La casa dei nonni è in .... (*campagna / montagna*).
2. È .... (*molto grande / molto piccola*).
3. La zia ha lasciato .... (*la città / la campagna*).
4. Le scale sono .... (*dentro / fuori*) la casa.
5. Jacopo ci ha passato .... (*le vacanze / l'estate*).
6. La casa ha due .... (*appartamenti / piani*).
7. Al primo piano ci sono .... (*i servizi / le stanze*).
8. La cucina è .... (*al primo / al secondo*) piano.
9. I nonni vivono .... (*soli / con una figlia*).

Vocabolario illustrato

pianta (f.s.) = house plant
salotto (m.s.) = living-room
tappeto (m.s.) = carpet
televisore (m.s.) = television (set)
divano (m.s.) = sofa
frigorifero (m.s.) = refrigerator
tavolo (m.s.) = table
cucina (f.s.) **a gas** = gas stove
cucina (f.s.) = kitchen
lettino (m.s.) = single bed
cameretta (f.s.) = a little bedroom
scrivania (f.s.) = writing desk
anticamera (f.s.) = anteroom/hallway
ingresso (m.s.) = entrance/foyer
armadio (m.s.) = wardrobe
camera (f.s.) = bedroom
letto (m.s.) **a due piazze** = double bed
lavandino (m.s.) = wash basin
bagno (m.s.) = bathroom
water (m.s.) = toilet
bidè (m.s.) = bidet
doccia (f.s.) = shower
vasca (f.s.) = bath-tub
scale (f.p.) = stairs

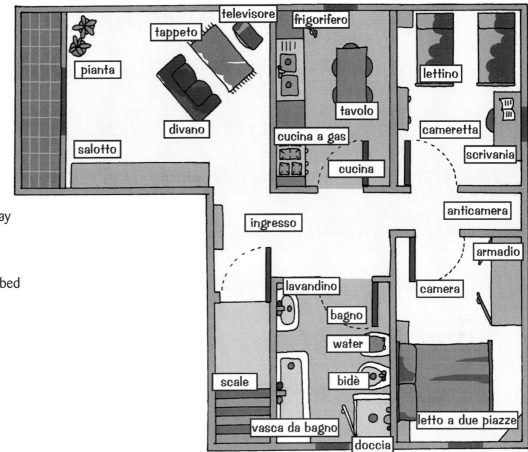

C In which room would you find each object?

1. televisore ....
2. armadio ....
3. cucina a gas ....
4. scrivania ....
5. lavandino ....
6. letto grande ....
7. doccia ....
8. tavolo con sedie ....

D In each group of words there is one that does not belong? Find it and cross it out.

1. casa, villa, palazzo, giardino
2. porte, finestre, appartamenti, tetti
3. frigorifero, lavandino, vasca, doccia
4. camera, salotto, cucina, pareti
5. lampada, scrivania, lettino, armadio
6. televisore, frigorifero, lampada, cucina a gas

E Look at the drawings and complete the sentences with the words below:

davanti • di fianco • di fronte • sotto • vicino • tra • sopra • davanti

1. In salotto il tappeto è .... al divano.
2. In cucina il frigorifero è .... alla finestra.
3. In bagno il lavandino è .... alla porta.
4. In bagno la doccia è .... alla vasca.
5. In bagno il bidè è .... la doccia e il water.
6. In cucina le sedie sono .... al tavolo.
7. In salotto il tappeto è .... il divano e la televisione.
8. Nella cameretta la scrivania è .... alla finestra.
9. .... la scrivania c'è una lampada.
10. L'anticamera è .... la camera e la cameretta.
11. I lettini sono uno .... all'altro.

Attività

● Ask each student to draw a diagram of his/her house and write the correct words for rooms and objects. The next task might be to design the house he/she would like to live in.

F Write a complete sentence in Italian using the words below.

1. mamma, televisore, nuovo, comperare, ieri

....

2. casa, zii, cucina, grande, esserci

....

3. tavolo, grande, cucina, esserci, fiori

....

4. letto, mio, vicino, essere, fratello, finestra

....

5. bagno, casa, solo, campagna, doccia, esserci

....

6. quando, nonni, noi, dormire, andare, mansarda

....

G Answer the question as in the example.

Ti piace la casa dei nonni? →

Sì, mi piace perché è in campagna.

1. Vi piace l'appartamento di Carlo? (*ha due camere*)

....

2. Le piace la nuova cucina? (*c'è il frigorifero grande*)

....

3. Ti piace la tua camera? (*no, è piccola*)

....

4. Vi piacciono le sedie della cucina? (*sono eleganti*)

....

5. Ti piace la villa di Michele? (*no, ha poco giardino*)

....

6. Vi piacciono i vicini di casa? (*sono socievoli*)

....

H Complete the short text using the words below.

finestra · casa · genitori · periferia ·
bagni · camere · palazzo

Mia cugina abita in una .... abbastanza grande, alla .... di Milano.
Vive con i suoi .... e un fratello che si chiama Luca.
Nella sua casa ci sono: la cucina, il salotto, due .... da letto
e due ....
L'appartamento è al settimo piano di un .... e, quando
il tempo è bello, dalla .... della cucina si possono vedere
le montagne.

I Change the verbs in brackets into the FUTURO.

1. I genitori di Anna .... (*comperare*) una casa a Milan
2. Quando .... (*lui, prendere*) il treno?
3. Marco .... (*arrivare*) tardi a casa.
4. Chiamatemi quando .... (*voi, essere*) a Londra.
5. .... (*tu, dire*) ai tuoi che vieni da me.
6. Vicino a casa .... (*loro costruire*) una villa.
7. Arrivati alla stazione .... (*noi, scendere*) dal treno.
8. Domani .... (*voi, avere*) i mobili per il salotto.
9. Suo marito .... (*ritornare*) in Italia tra un mese.
10. Chi .... (*dormire*) nel letto vicino al mio?
11. In mansarda .... (*noi, fare*) la camera dei ragazzi.
12. In Italia .... (*noi, abitare*) a Firenze.

L Change these sentences from plural to singular.

1. Quanto impiegano a venire da te?

....

2. Giocate a palla solo nel giardino del palazzo?

....

3. Cerchiamo un appartamento all'ultimo piano.

....

4. I signori Rossi litigano sempre con i vicini.

....

5. I miei amici impiegano un'ora per andare a scuola.

....

6. Loro cercano una casa in campagna.

....

Focus grammatica

PERCHÉ? PERCHÉ...
The word PERCHÉ in Italian may:
• introduce a question
• introduce the answer to a question
• introduce a sentence that explains the cause
of a fact.
• it may be also replaced by "per il fatto che"
"poiché".

Ex.: **Perchè** sei tornato tardi? (*domanda*)
Perchè il treno si è fermato tra Milano e Monza.
(*risposta diretta*)
Cerchiamo casa **perchè** la nostra è piccola.
(*introduzione di una causa*)
Vogliamo tornare a casa **poichè** (**perchè**)
qui non stiamo bene. (*introduzione
di una causa*)

M Fill in the correct preposition in the sentences below.

1. .... anticamera non ci sono mobili.
2. La porta .... appartamento è vicina .... scale.
3. Le sedie .... cucina sono nuove.
4. .... salotto c'è un tappeto antico.
5. .... mia scrivania ci sono molti libri.
6. .... tavolo .... cucina ci sono dei fiori.
7. A fianco .... doccia c'è il bidè.
8. Il lavandino è vicino .... vasca .... bagno.
9. Il bagno è davanti .... cucina.
10. .... davanzali .... finestre ci sono i fiori

N Write complete sentences in Italian following the instructions below.

1. Chiedi gentilmente a un passante dov'è via Sabotino.
   ....
2. Ordina a tuo fratello di darti la calcolatrice.
   ....
3. Informa la segretaria che esci per un'ora.
   ....
4. Chiedi a tua sorella di dirti dove va.
   ....
5. Ordina a tua sorella di dirti dove va .
   ....
6. Ordina ai bambini di starti vicino.
   ....

O Read the answer and write the question.

1. ....
Prenderò il frigorifero nel negozio vicino a casa.
2. ....
È andata a trovare una vicina.
3. ....
Questa sera guarderò la televisione.
4. ....
Domani porteremo i ragazzi al cinema.
5. ....
Mio fratello mi ha aiutato a portare dentro le sedie.
6. ....
Devi chiudere la porta, quando esci.

P Conjugate the verbs in brackets in the FUTURO.

1. Quanto tempo .... (*impiegare, lui*) a fare quel lavoro?
2. Domani .... (*cercare, io*) le sedie per la cucina.
3. Maria e Giorgio non .... (*litigare*) più.
4. I bambini .... (*giocare*) nella cameretta.
5. Penso che .... (*prendere, noi*) i mobili per la nuova casa.
6. Dove .... (*cercare, voi*) un letto antico?
7. Loro .... (*impiegare*) molto tempo a pulire la casa.
8. Gianni .... (*giocare*) con il computer.
9. Tra un'ora .... (*chiudere, tu*) le finestre.
10. Quando .... (*cercare, lui*) di parlare con te?

Q Use the syllables to form six words relating to the house.

DIO   AR   MA

....

LA   NO   VAN   DI

....

TO   PE   TAP

....

LO   TA   VO

....

NIA   VA   SCRI

....

RO   GO   FE   FRI   RI

....

Cose di casa

How many things are there in your home? Make a list. If you need help, look at the drawings below.

Vocabolario illustrato

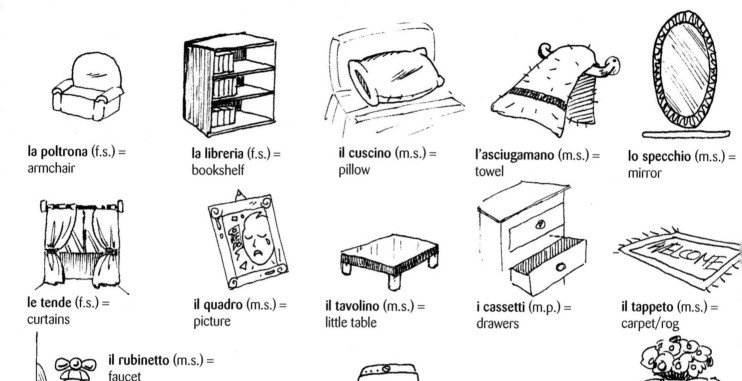

la poltrona (f.s.) = armchair

la libreria (f.s.) = bookshelf

il cuscino (m.s.) = pillow

l'asciugamano (m.s.) = towel

lo specchio (m.s.) = mirror

le tende (f.s.) = curtains

il quadro (m.s.) = picture

il tavolino (m.s.) = little table

i cassetti (m.p.) = drawers

il tappeto (m.s.) = carpet/rog

il rubinetto (m.s.) = faucet

la lavatrice (f.s.) = washing machine

il vaso (m.s.) **di fiori** = flowerpot

A Look at the drawings and translate the words into English.

l'asciugamano (m.s.) ....

i cassetti (m.p.) ....

il cuscino (m.s.) ....

la lavatrice (f.s.) ....

la libreria (f.s.) ....

la poltrona (f.s.) ....

il quadro (m.s.) ....

il rubinetto (m.s.) ....

lo specchio (m.s.) ....

il tappeto (m.s.) ....

il tavolino (m.s.) ....

le tende (f.p.) ....

il vaso (m.s.) di fiori ....

B In which room of the house can you see these objects? Pay attention. Some of them can be found in more than one place. Write all of them.

asciugamano ....

cassetti ....

cuscino ....

lavatrice ....

libreria ....

poltrona ....

quadro ....

rubinetto ....

specchio ....

tappeto ....

tavolino ....

tende ....

vaso di fiori ....

C Fill in the correct prepositions and articles in the sentences below.

. Mettiamo .... lampada .... tavolino.

. ... ingresso c'è una bella pianta.

. ... libri sono .... libreria.

. ... vaso ci sono .... fiori .... nonna.

. ... armadi grandi sono .... camera .... letto.

. ... scrivania c'è .... mio computer.

. ... sedie sono vicino .... tavolo.

. Davanti .... televisione c'è .... tavolino.

. ... parete .... bagno c'è .... specchio.

0. .... sala .... pranzo ho visto .... bei quadri.

1. .... fotografie .... nonni sono .... camera .... miei.

D Change the IMPERATIVO into a question.

. Disegnami un albero vicino alla casa!

....

. Dammi il vaso che c'è sul tavolo!

......

. Dimmi dov'è il telefono!

......

. Vacci a prendere un cuscino!

......

. Per cortesia, andate fuori!

......

. Comperatevi un tappeto nuovo!

......

E Listen to the dialogue and fill in the missing words.

. Ieri io e Matteo siamo andati a casa di Gianni.

. Per .... con la play station.

. ... la sua camera?

. Bella, grande ... una camera.

. ... dire: che cosa .... dentro?

. Le solite cose: un letto, ..., una scrivania.

. E il computer. Tu .... visto solo quello.

. Su, non prendertela, la prossima .... vieni anche tu!

. Pensi che Gianni mi .... entrare in camera sua?

. Perché no?

. Perché sono una .... e lì entrano solo i ragazzi.

F Look at the picture and answer the questions. Write complete sentences in Italian.

1. In quale stanza è Paolo?
....
2. Che cosa fa?
....
3. Che cosa c'è dietro di lui?
....
4. Che cosa ha di fronte Paolo?
....
5. Che cosa ha fatto da poco Paolo?
○ ha cenato
○ si è alzato
○ ha fatto la doccia

G Look up, with the help of your teacher, the italian name of each animal below and then write it near the drawing.

Gli .... vivono nel **nido.**

I .... vivono nel **pollaio**

Gli .... vivono nella **tana.**

Le .... stanno nella **stalla.**

Le .... stanno nell'**ovile.**

I .... stanno nella **scuderia.**

Il mio .... sta nella **cuccia.**

... e il tuo .... sta sul **divano.**

Il trasloco

We just moved into our new home, but our things are still piled in a room. Look what a mess! Can you help us to find what we need to tidy up?

A Look for the items and then say where they are. Fill in:

**sopra · sotto · su · dietro ·
di fianco · tra · a destra · fuori da**

1. I libri sono ....

2. .... il quadro ci sono i vasi.

3. La lampada è ....

4. Le sedie sono ....

5. Un tappeto è ....

6. Il computer è ....

7. I vasi dei fiori sono ....

8. Tra piatti sono ....

9. .... il cuscino c'è una spazzola.

10. Un asciugamano è ....

B Next to each item write the name of the room in which it can be found. Several options are possible.

1. poltrona ....

2. lampada ....

3. tappeti ....

4. libreria ....

5. computer ....

6. cuscino ....

7. piatti ....

8. asciugamani ....

9. sedia ....

10. spazzola per capelli ....

11. quadro ....

Grammatica

L'AGGETTIVO QUALIFICATIVO

The qualifying adjective agrees in number and gender with the noun. It may precede or follow the name.

Ex.: il **nuovo** libro   la casa **nuova**
  la ragazza **simpatica**   il signore **intelligente**
  un **bel** giardino   un giardino **grande**

Two groups of adjectives are the most common.

Group I: adjectives with four endings		Group II: adjectives with two endings
O – masculine singular **I** – masculine plural **A** – feminine singular **E** – feminine plural		**E** – masculine singular and feminine singular **I** – masculine singular and feminine plural
Ex.: buon**o**, buon**a**, buon**i**, buon**e**		Ex.: grand**e** – grand**i**

C Change the sentences below into the plural.

1. La casa nuova è grande.

....

2. La scala di pietra è antica.

....

3. L'armadio nella mia camera è elegante.

....

4. Sul tavolo c'è un vaso cinese.

....

5. Portami il libro di inglese.

....

6. Il tappeto del salotto è antico.

....

D Change the sentences below into the singular.

1. Le poltrone nuove sono eleganti.

....

2. I televisori sono vecchi.

....

3. Abbiamo due letti comodi.

....

4. Guardate quei mobili cinesi!

....

5. Apriamo le grandi finestre.

....

6. Le sedie della cucina non sono comode

....

E Write complete sentences in Italian using the words below.

1. grande, casa, molte, nonni, esserci, stanze

....

2. eleganti, finestra, camera, fare (*futuro*), tende

....

3. zio, tappeto, salotto, regalare (*passato*) a me

....

4. poltrone, divano, portare, domani, negozio.

....

5. ingresso, muro, eleganti, due, lampade, esserci.

....

6. bagno, nuovo, grande, comodo, appartamento, avere

....

F 🔘 Listen to the dialogue and check
Vero [V] or Falso [F] (True/False).

1. Anna e sua madre vanno dalla zia   [V] [F]
2. Ci vanno domani pomeriggio   [V] [F]
3. Anna chiede perché così presto   [V] [F]
4. Anna chiede perché devono andare dalla zia [V] [F]
5. La mamma deve aiutare la zia   [V] [F]
6. Devono lavare le tende del soggiorno   [V] [F]
7. Ci sono dei lavori da fare   [V] [F]
8. I lavori sono molto impegnativi   [V] [F]
9. La casa della zia non è in ordine   [V] [F]
10. Anna deve mettere a posto i piatti   [V] [F]

G Under each drawing write the name of the animal and where it leaves.

....

....

....

....

....

....

....

....

VENEZIA

Venezia è una città del Nord Italia conosciuta per le sue bellezze e per la produzione di vetro artistico. È capoluogo della regione Veneto. Venezia è conosciuta come la "Serenissima" e il Times la descrive come la più romantica delle città europee.

Venezia è famosa nel mondo per i suoi canali. Sorge su un arcipelago di 117 isole separate da 177 canali in una bassa laguna. 455 ponti collegano le isole che costituiscono la città.

Nel centro antico, i canali svolgevano la funzione di strade, e quasi ogni forma di trasporto si svolgeva sull'acqua o a piedi.

Nel diciannovesimo secolo per unire la città alla terraferma costruirono una stazione ferroviaria e, nel ventesimo secolo, aggiunsero una strada per le automobili e un grande parcheggio.

Oltre a queste vie d'accesso alla terraferma, ogni trasporto in Venezia si svolge, come nei secoli passati, interamente su acqua o a piedi.

VENICE

Venice is a city in northern Italy known both for its beautiful cityscape and for its artistic glass work. It is the capital of the Veneto region. Venice is known as the "Serenissima" and has been described as Europe's most romantic cities.

Venice is world-famous for its canals. It is on an archipelago of 117 islands separated by 177 canals in a shallow lagoon. 455 bridges connect the islands that form the city.

In the historic center the canals served as roads and almost everything was transported on water or on foot.

In the 19th century a causeway to the mainland brought a railway station to Venice and an automobile causeway and parking lot was added in the 20th century.

Except for these land connections transportation within the city remains, as it was in centuries past, entirely on water or on foot.

■ San Marco, Canal Grande e Ponte di Rialto

There are numerous attractions in Venice, such as St Mark's Basilica, the Grand Canal and ponte di Rialto. The classic Venetian boat is the **gondola**. It is now mostly used for tourists or for weddings, funerals, or other ceremonies. Many gondolas are lushly appointed with crushed velvet seats and Persian rugs.

Venezia è una delle più importanti mete turistiche nel mondo. La città ospita mediamente circa 50.000 turisti al giorno.

Il turismo, infatti è stato il maggior settore di sviluppo fin dal diciottesimo secolo, quando fu il maggiore centro di grandi viaggi in Europa.

Nel ventesimo secolo riprese vita il Carnevale di Venezia e la città divenne anche il maggior centro di conferenze e festival internazionali come la prestigiosa Biennale e il festival del Cinema per le loro produzioni teatrali, culturali, cinematografiche, artistiche, musicali.

Venice is one of the most important tourist destinations in the world. The city has an average of 50,000 visitors a day .

Tourism has been a major part of the Venetian economy since the 18th century when it was an important stop on any "grand tour" of Europe.

In the 20th century the Carnival of Venice was revived and the city has become a major center for international conferences and festivals, such as the prestigious Venice Biennale and the Venice Film Festival. Visitor can see theatrical, cultural, cinematic, artistic and musical productions.

■ **Murano e la sua arte del vetro**
Murano is famous for its ornate glass-work known as Venetian glass. It is world renowned for being colorful, elaborate, and skillfully made.

Read the question and answer in Italian.

1. Dove si trova Venezia?

....

2. Di quale regione è capoluogo?

....

3. Dove sorge Venezia?

....

4. Per che cosa è conosciuta?

....

5. Con quale nome è conosciuta?

....

6. Quanti ponti collegano le isole che costituiscono la città?

....

7. Che cosa costruirono nel diciannovesimo secolo per unire la città alla terraferma?

....

8. Come si svolge ogni trasporto in Venezia?

....

■ **Some masks at the Carnival of Venice**
The Carnival of Venice is held annually starting about two weeks before Ash Wednesday and ending on Shrove Tuesday. During carnival revelers often wear typical Venetian masks. Approximately 30,000 visitors per day come to Venice to celebrate Carnival.

GIOCO

CRUCIVERBA

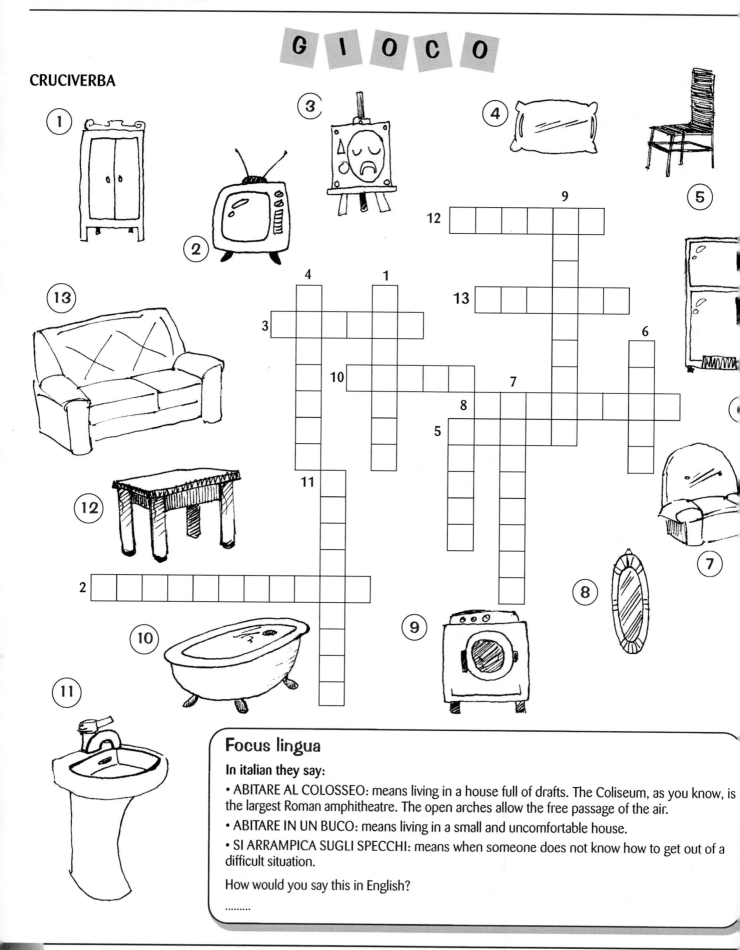

Focus lingua

In italian they say:

• ABITARE AL COLOSSEO: means living in a house full of drafts. The Coliseum, as you know, is the largest Roman amphitheatre. The open arches allow the free passage of the air.

• ABITARE IN UN BUCO: means living in a small and uncomfortable house.

• SI ARRAMPICA SUGLI SPECCHI: means when someone does not know how to get out of a difficult situation.

How would you say this in English?

....

WRITING ● SPEAKING

A CHE COS'È? DOVE SI TROVA?

. Look at the drawing and write the names of all the objects you know.

. The teacher divides the class into two groups.
, student from the first group indicates the position of an object and a
tudent from the other group must guess its name.
he winner is the player who guesses the most items.

.. The teacher asks the class to research the Italian words they have
earned. Which words are related to this drawing?
he teacher then asks the students to write them on the blackboard. The
eacher then gives everyone time to write some sentences, using the
ocabulary they have learned in this unit.

. At this point the class is ready to write a paragraph in Italian
lescribing the drawing.

Vocabolario

il disco (m.s.) = disc, CD
la scatola (f.s.) = box
la tazzina (f.s.) = coffee cup
la maniglia (f.s.) = handle
il ripiano (m.s.) = shelf
comodo = comfortable
scomodo = uncomfortable
alto = high
basso = low
ordinato = tidy, neat
disordinato = untidy, messy

B LA FAMIGLIA DI UGO

This is Ugo's family. Each picture tells part of a story.

Look at the pictures. Say what you see and write in Italian what is shown, then arrange them to create a little story.
Number each picture.

....

....

....

....

Grammatica

IL COMPARATIVO

Adjectives are often modified by adverbs that indicate more, less or the same.

	MAGGIORANZA	MINORANZA	UGUAGLIANZA
bello	**più** bello	**meno** bello	bello **come**

The Italian word DI is used when making a comparison. It is like the English word "than".

Ex.: Mario è **più alto di** Giovanni.
   Una poltrona è **meno grande** di un divano.
   Il mio divano è **comodo come** il tuo.

Note!

The comparison between two names, two pronouns or two adjectives uses **CHE**.

Ex.: Rosa è più gentile con Anna **che** con Luisa.
   Rosa è più gentile con me **che** con te.
   La casa è più grande **che** comoda.

● R E V I E W ●

A Complete the chart with the verbs in the FUTURO.

	ESSERE	AVERE	FINIRE	PRENDERE	SALIRE	AIUTARE
io	sarò	………	………	………	………	………
tu	………	avrai	………	………	………	………
lui/lei/**Lei**	………	………	finirà	………	………	………
noi	………	………	………	prenderemo	………	………
voi	………	………	………	………	………	aiuterete
loro	………	………	………	………	saliranno	………

B Change the sentences below as in the example.

Questa casa è grande. (più, tua) →

Questa casa è più grande della tua.

1. La sorella di Fabio è gentile. (*più, te*)

………

2. La poltrona è comoda. (*meno, divano*)

………

3. Il mio armadio è grande. (*come, suo*)

………

4. Quel palazzo è alto. (*meno, questo*)

………

5. I fiori di Maria sono belli. (*più, tuoi*)

………

C Complete the sentences below as in the example.

Questa casa è grande. (bella) →

Questa casa è più grande che bella.

1. Gianni è simpatico. (*bello*)

………

2. La zia è buona con me. (*con te*)

………

3. Marco è bravo con il computer. (*con i libri*)

………

4. La mia poltrona è comoda. (*elegante*)

………

5. Arrivo in fretta con il treno. (*macchina*)

………

D Fill in the correct prepositions and articles.

1. ……… camicia ……… Luisa è ……… armadio.
2. ……… cuscini ……… divano sono vecchi.
3. ……… lampada ……… salotto è antica.
4. ……… tende ……… mia camera sono nuove.
5. ……… case antiche mi piacciono più ……… quelle nuove.
6. ……… pareti ……… ingresso ho messo ……… quadri.
7. ……… villa ……… zio è molto bella.
8. ……… sedia c'è ……… libro ……… francese.
9. Chi ha preso ……… asciugamano pulito?
10. ……… davanzale ……… sua finestra c'è ……… vaso ……… fiori.
11. Abito ……… quarto piano ……… quel palazzo.

E Which one of the words in italics belongs in each sentence?

1. La poltrona del salotto è (*vecchia / vecchio*).
2. Prendi un asciugamano (*pulito / pulita*).
3. Portami a vedere (*la tua / le tue*) casa.
4. Mario è un ragazzo molto (*simpatici /simpatico*).
5. La stanze di quella casa sono molto (*grandi /grande*).
6. Le tue tende sono davvero (*eleganti / elegante*).
7. I grattacieli di New York sono molto (*alti / alte*).
8. Mi piacciono molto le ville (*antiche / antichi*).
9. Questi cuscini sono davvero (*eleganti / elegante*).
10. Ho visto (*un antico / un'antica*) tappeto arabo.
11. Le sedie della cucina sono (*scomode/ scomodi*).

F Look at the drawing on the right and complete the sentences.

1. Questa è la .... di Gianna.
2. Il suo .... è molto ordinato.
3. A .... del letto c'è un tappeto.
4. A destra del letto c'è un ....
5. Sopra il .... c'è una ....
6. Sulla .... dietro il ....c'è un ....
7. Di fianco al letto c'è un .... con due ....
8. Sopra il .... ci sono una .... e un ....

G Read and answer the questions.

1. Dove abitano i nonni di Jacopo?

....

2. Che cosa regala Maxi a Indira?

....

3. Com'è la casa dove abiti?

....

4. La tua casa è in centro o in periferia?

....

5. In quale stanza preferisci stare?

....

H Read the answer and ask the question.

1. ....
Ci sono due camere, il soggiorno e la cucina
2. ....
Al settimo piano di un grande palazzo.
3. ....
Le pareti sono di pietra e legno.
4. ....
C'è il frigorifero, la cucina a gas e il lavandino
5. ....
Le scale sono sul lato destro del palazzo.

I Conjugate the verbs in brackets.

1. I bambini .... (giocare) in giardino.
2. Che cosa .... (cercare, tu) nel cassetto?
3. Per arrivare da te .... (impiegare, noi) un'ora.
4. I miei vicini .... (litigare) spesso.
5. Nel pomeriggio .... (giocare, noi) a basket.
6. Quanto tempo .... (impiegare, tu) a lavare i piatti?

L Change the PRESENTE into the FUTURO in the sentences below.

1. La mamma compera le tende per la cucina.

....

2. Gli zii prendono un appartamento in città.

....

3. Chiediamo informazioni per trovare la tua casa.

....

4. Apri le finestre quando io chiudo la porta.

....

5. La camera nuova ti piace.

....

6. Dopo la scuola metti in ordine la tua stanza.

....

M Listen to the dialogue and fill in the missing words.

– Ciao Andrea, ... un minuto.
– Ciao Mara, ... vuoi?
– .... di un'informazione?
– ...., ti ascolto.
– .... la ragazza .... abita sopra di te.
– Sì, che cosa .... sapere?
– Le .... i bambini?
– .... lo vuoi sapere?
– Perché .... una babysitter per .... sera.
– Penso che sia .... disponibile.
– Allora .... telefonarle?
– Ti do il suo numero. .... che te .... dato io.
– Grazie .... , arrivederci.

LE CASE IN ITALIA

Nelle città e nei paesi italiani ci sono molti tipi di case che ci fanno capire come è cambiato il modo di vivere e di costruire nell'ultimo secolo

Possiamo riconoscere tre tipi di costruzioni: le **case antiche**, che si trovano di solito nel centro storico; le costruzioni della prima metà del Novecento, che possono essere eleganti **palazzi** alti tre quattro piani o **case singole** a due piani con giardino; i quartieri recenti, in zone di periferia, formati per lo più di **condomini** alti sette, otto piani o da piccoli complessi di **ville** e **villette** circondate da un piccolo giardino privato.

ITALIAN HOUSES

In Italian towns and villages there are many kinds of houses which show how the way of life and of building changed in the last century.

We can recognize three kinds of buildings: ancient houses which usually are in the old town center; the buildings of the first half of the 20th century, they can be elegant palaces three or four floors high or even two story villas with gardens; modern areas in the suburbs, with seven or eight story houses or little groups of row houses with small private gardens.

Palazzi nobiliari
Nelle città più grandi si possono vedere i palazzi delle famiglie più importanti.

■ **Case antiche**
Nel centro delle città più antiche esistono ancora case in pietra costruite anche centinaia di anni fa.

Ville e villette
Nei paesi che circondano le grandi città si trovano quartieri di ville signorili o di villette a schiera.

■ **Condomini eleganti e popolari**
Gli edifici dove vivono molte famiglie possono essere eleganti o economici e hanno appartamenti di diverse dimensioni.

LE CASE DEI PESCATORI

Lontano dalle grandi città, in riva al mare, si possono trovare ancora piccoli paesi molto belli: i borghi marinari.

Le case si adattano alla forma del territorio.

Si addossano le une alle altre e sono separate da stradine e scalinate strette strette, fatte apposta per riparare dal sole e dal vento.

Nel Sud assomigliano a scatole, alte non più di due o tre piani. Sui muri dipinti di bianco ci sono poche finestre, per difendersi dalla luce accecante del sole e dal caldo.

Nel Nord, dove lo spazio disponibile è minimo, le case sono alte e strette, con tetti spioventi e scale ripide. Anche i colori cambiano: le facciate sono gialle, rosa, rosse e le finestre numerose hanno persiane verdi.

THE FISHERMEN'S HOUSES

Far away from large cities you can still discover some little and very beautiful villages on the seashore.

The houses suit the shape of the area.

They are very close to one another and are separated by very narrow alleys and staircases designed just to shelter from the sun and the wind.

In the South they look like boxes that are only two or three floors high. The walls are painted white and there are few windows in order to provide protection from the sun and the extreme heat.

In the North, where usable land is scarce, the houses are very tall and close together with sloping roofs and steep staircases. Also the colors change: the façades are yellow, pink, red and the many windows have green shutters.

■ Camogli, Liguria

■ Vernazza, Cinque Terre, Liguria

■ Lipari, Sicilia

ANDIAMO A SCUOLA

Unità 8

Obiettivi / Goals:

- Talking about oneself
- Telling stories in the past
- Expressing wishes and expectations
- Expressing preferences

■ **Una scuola italiana**, interno della biblioteca

Quando comincia la scuola?

It is the end of August and the start of school is approaching, This year, Indira , Mike and Jacopo will be in the same class. Indira and Mike will also be taking an Italian language course for foreign students. They already speak a little Italian, but are worried, because taking classes in a foreign language is very difficult.

Beatrice: – Bene, ragazzi, le vacanze sono quasi finite. Tra poco si ricomincia.

Mike: – Le lezioni iniziano tra una settimana, vero?

Beatrice: – No, non così presto… cominciano il dieci settembre… tra due settimane!

Indira: – Io ho voglia di cominciare, ci saranno tante novità da scoprire…

Jacopo: – Per noi un po' meno… stesse facce, stessi professori… stessi problemi.

Beatrice: – Eh, sì, soprattutto con il prof di matematica, vero Jacopo?

Mike: – Voi scherzate, ma io e Indira siamo un po' preoccupati.

Indira: – È vero, seguire le lezioni in italiano per me sarà molto difficile…

Jacopo: – Non dovete avere paura. I professori sono abituati ad avere studenti stranieri in classe.

Beatrice: – … e poi ci siamo noi… vi daremo una mano, quando avrete problemi. Se no, a che cosa servono i compagni di classe?

Mike: – Ci tradurrete in inglese quello che non capiremo?

Beatrice: – Sì, stai tranquillo, tutti noi lo studiamo fin dalle prime classi.

Jacopo: – Non siamo bravissimi… questo lo sai… ma ci proveremo.

Vocabolario

le vacanze (f.p.) = vacation	**il prof (il professore)** (m.s.) = prof.
le lezioni (f.p.) = lessons	
iniziano = they begin	**soprattutto** = above all
settembre = September	**scherzate** = you're kidding
avere voglia = to want	**davvero** = really
le novità (f.p.) = news	**preoccupati** = worried
scoprire = to discover	**difficile** = difficult
stesse = same	**la paura** (f.s.) = fear
le facce (f.p.) = faces	**la classe** (f.s.) = class
i problemi (m.p.) = problems	**dare una mano** = to help
i professori (m.p.) = professors	**tradurrete** = you will translate

Cultura

IL CALENDARIO SCOLASTICO

In Italy classes begin in September and end in June. There are two hundred school days and two long vacations at Christmas and Easter. There are also other national holidays. Each region is free to decide on the beginning and the end of classes and vacations. The national board of education determines the date for the end of the school year for all Italian regions.

A Read the dialogue and complete the sentences below

1. Le ……… cominciano tra una settimana.
2. Indira dice che ha ……… di cominciare.
3. Lei pensa che ci saranno molte ………
4. Jacopo ha problemi con la ………
5. Mike dice che è davvero ………
6. Pensa che seguire le lezioni sarà ………
7. I ……… sono abituati ad avere studenti stranieri
8. Beatrice dice che loro gli daranno ……… ………

B Answer the questions below.

1. Quando comincia la scuola ?

………

2. Perché Indira ha voglia di cominciare?

………

3. Che cosa preoccupa Mike e Indira?

………

4. Perché i due ragazzi non devono avere paura?

………

C Read the text in the section "cultura" on the previous page and answer the questions below.

1. In quale mese cominciano le lezioni in Italia?

....

2. In quale mese finiscono le lezioni?

....

3. Quanti giorni di lezione ha un anno di scuola?

....

4. Durante l'anno ci sono vacanze?

....

5. Le lezioni iniziano per tutti nello stesso giorno?

....

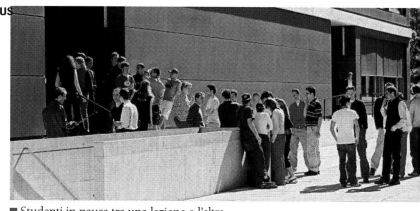

■ Studenti in pausa tra una lezione e l'altra.

D Change the verbs into the FUTURE in the sentences below.

1. Lunedì cominciano le vacanze.

....

2. La scuola comincia il 10 settembre.

....

3. Con noi Mike è tranquillo.

....

4. I ragazzi sono in classe con Jacopo.

....

5. La classe ha gli stessi professori.

....

6. Non capisco molte parole italiane.

....

E Write complete sentences in Italian with the words below.

1. giorno, sorella, scuola, essere, primo, mia, oggi

....

2. ragazzo, italiana, non, straniero, lingua, bene, conoscere

....

3. avere, anno, questo, stesso, matematica, professore

....

4. amici, Indira, aiutare, capire, lezioni

....

5. Mike, preoccupato, conoscere, bene, non, italiano, perché

....

6. scuola, due, iniziare, tra, settimane, lezioni

....

F 🔘 Listen to the dialogue and fill in the missing words.

– Ciao ragazzi, che .... vedervi di nuovo!

– .... Lisa, come stai?

– Bene, non si vede? Mi piace tornare a .... !

– Io, invece .... essere ancora in vacanza.

– Perché, non ti .... stare con noi?

– .... che mi piace, ma ci sono .... i prof.

– Eh, sì. A scuola ci sono anche loro…

– Per fortuna sono .... tutti bravi e simpatici.

– Bravi sì, ma ....

– Pensi alla prof. di ....?

– Sì, sono .... non è mai contenta.

– E tu non studi mai .... Vero?

Grammatica

MASCHILE E FEMMINILE

There is no rule for forming the feminine of masculine nouns ending in –E.

The spelling of these words must be memorized.

Below is a list of a few of the most common words:

MASCHILE	FEMMINILE
insegnante	insegnante
professore	professoressa
dottore	dottoressa
cameriere	cameriera
studente	studentessa
scrittore	scrittrice
signore	signora

Com'è la nostra scuola

Indira, Mike and their friend Jacopo went to look at the school they will attend, but it was not possible, because the school was closed for the summer due to maintenance. They ask Jacopo to describe it.

Jacopo: – Ecco, questa sarà la vostra scuola tra pochi giorni.

Mike: – È ancora chiusa per i lavori… non possiamo entrare a vedere

Indira: – Jacopo, puoi dirci tu com'è dentro?

Jacopo: – È una scuola normale, corridoi, aule, laboratori, la palestra.

Mike: – Quali laboratori?

Jacopo: – Uno scientifico, due linguistici e due informatici. Ah, c'è an
la biblioteca, che è molto aggiornata.

Indira: – … e le aule, come sono attrezzate?

Jacopo: – Sedie, banchi, una lavagna. Il tavolo del professore.

Mike: – Libri e materiali vari dove li tenete?

Jacopo: – A casa. Ogni giorno si porta il necessario.

Mike: – Niente armadietti personali?

Jacopo: – No, ce ne sono solo nella stanza dei professori, per i regist

A Answer the questions below.

1. Dove si trovano i ragazzi?

………

2. Perché la scuola è chiusa?

………

3. Che cosa vogliono sapere Indira e Mike?

………

4. Dove tengono i libri gli studenti?

………

5. Dove tengono i registri i professori?

………

B Fill in the missing word in the sentences below.

1. Nella scuola c'è un ……… di informatica.
2. Il professore ha scritto il suo nome sulla ……… .
3. I computer sono nel laboratorio di ……… .
4. Per ogni ragazzo ci sono un ……… e una ……… .
5. Le porte delle ……… sono chiuse durante la lezione.
6. Quando c'è lezione i ragazzi non possono stare nei ……… .
7. In ……… ci sono molti libri.
8. I professori hanno un ……… personale.
9. Sul ……… si scrivono le informazioni sugli studenti.

Vocabolario

i corridoi (m.p.) = corridors
le aule (f.p.) = classrooms
i laboratori (m.p.) = laboratories
la palestra (f.s.) = gymnasium
il laboratorio scientifico (m.s.) =
science lab
i laboratori linguistici (m.p.) =
language labs
i laboratori informatici (m.p.) =
computer science labs
la biblioteca (m.p.) = library

aggiornata = updated
attrezzate = equipped
i banchi (m.p.) = desks
la lavagna (f.s.) = blackboard
i materiali (m.p.) = materials
vari = various
necessario = necessary
gli armadietti (m.p.) = cabinets/
lockers
personali = personal
i registri (m.s.) = registers

Focus grammatica

CE NE SONO
You have already learned to use the expressions C'È / CI SONO, where "CI" means in that place.
Sometimes NE, is joined with C'È / CI SONO.
NE means "of these, those things".
The expressions become CE N'È / CE NE SONO.

In the sentence → Sul tuo tavolo ci sono **molti libri**, sul mio ci sono **pochi libri**" if you don't want to repeat the word BOOKS, you can use NE.
So the expression becomes → Sul mio tavolo ci sono **molti** libri, sul tuo CE NE SONO pochi".

C Fill in the correct prepositions and articles in the sentences below.

1. .... nuova scuola ci sono .... laboratori scientifici.

2. .... professoressa .... matematica è arrivata.

3. .... ogni classe ci sono banchi e sedie.

4. .... professore ha .... registro personale.

5. .... mia classe ci sono venticinque studenti.

6. Due volte .... settimana andiamo .... palestra.

7. Quando vai .... corso .... italiano?

8. .... scuola è chiusa .... alcuni giorni.

9. .... studenti preferiscono stare .... palestra.

10. .... professori piace .... nuova biblioteca.

D Write a complete sentence in Italian with the words below. Use the PASSATO PROSSIMO of the verb.

1. professore, libri, mettere, cassetto, suoi, scrivania

......

2. entrare, Mario, classe, dieci, altri, dopo, minuti

......

3. andare, libro, biblioteca, prendere, ieri, voi

......

4. ritardo, studente, entrare, classe, non, potere

......

5. lavagna, orario, scrivere, lezioni, professore

......

E Write complete sentences in Italian. Use the COMPARATIVO di MAGGIORANZA as in the example below.

1. laboratorio – aula – grande →

Il laboratorio è più grande di un'aula.

2. biblioteca scuola – biblioteca comunale – piccola

....

3. studenti – studentesse – numerosi

....

4. lezione matematica – lezione inglese – difficile

....

5. tuo libro – mio – nuovo

....

F Listen to the dialogue and complete the sentences below.

1. Beatrice parla con ....

2. Chiede se ....

3. Dice loro che sono ....

4. Li ha conosciuti ....

5. Erano con Jacopo ....

6. Le ragazze chiedono se ....

7. I ragazzi stranieri saranno in ....

8. Beatrice dice alle amiche che ....

9. Chiede anche a loro di ....

Grammatica

IL FUTURO SEMPLICE IRREGOLARE

Note!
The FUTURO of the verbs **potere, sapere, dovere, vedere, andare** is irregular. These verbs are conjugated as in the chart below. Memorize it.

	POTERE	SAPERE	DOVERE	VEDERE	ANDARE
io	potrò	saprò	dovrò	vedrò	andrò
tu	potrai	saprai	dovrai	vedrai	andrai
lui/lei/**Lei**	potrà	saprà	dovrà	vedrà	andrà
noi	potremo	sapremo	dovremo	vedremo	andremo
voi	potrete	saprete	dovrete	vedrete	andrete
loro	potranno	sapranno	dovranno	vedranno	andranno

G Complete the chart of the verbs in the FUTURO.

	POTERE	DOVERE	SAPERE	VEDERE	ANDARE
io	potrò	....	....	....	....
tu	....	....	....	....	....
lui/lei/**Lei**	....	....	saprà	....	....
noi	....	....	....	vedremo	andremo
voi	....	dovete	....	....	....
loro	....	....	....	....	....

H Change the adjectives in the brackets to the correct form.

1. Queste classi sono .... (*grande*).
2. I ragazzi della mia classe sono .... (*alto*).
3. Il tavolo del professore è .... (*nuovo*).
4. La lavagna di quell'aula non è .... (*pulito*).
5. Le tue compagne di classe sono .... (*simpatico*).
6. I laboratori linguistici sono .... (*vecchio*).
7. La segretaria della scuola è .... (*gentile*).
8. Quest'anno abbiamo un'insegnante .... (*francese*).
9. A scuola c'è una ragazza .... (*tedesco*).
10. Avete degli armadietti .... (*personale*)?
11. I computer sono .... (*nuovo*).

I Conjugate the verbs in brackets in the FUTURO.

1. Quando .... (*potere, noi*) vedere i nuovi compagni?
2. Signora, quando .... (*vedere*) sua figlia?
3. Domani .... (*sapere, voi*) quando comincia la scuola.
4. Mario .... (*cercare*) di uscire presto.
5. So che .... (*vedere, tu*) Mariella a scuola.
6. Tra dieci minuti .... (*potere, voi*) uscire.
7. Domani .... (*cercare, noi*) i libri di quest'anno.
8. Dalla finestra del corridoio .... (*potere, io*) vederti.
9. Non sappiamo quando .... (*dovere, noi*) partire.
10. .... (*dovere, io*) correre per non arrivare in ritardo.
11. Tra una settimana (*sapere, voi*) i risultati del test.
12. Devi dirmi quando .... (*arrivare, tu*).

L Ask a question following the instructions below.

1. Chiedete a Luisa se vi vedrete domani.

....

2. Chiedi al professore se puoi uscire dall'aula.

....

3. Il professore chiede a Carlo se domani saprà la lezione.

....

4. Marco chiede a Luisa se domani potrà uscire con lui.

....

5. Mike chiede se dovrà seguire le lezioni con gli altri.

....

6. Chiedi al professore se domani sarà a scuola.

....

M Listen to the dialogue and fill in the missing words.

– A che ora ...., Marco?
– .... verso le sette.
– E tua sorella?
– Lei .... un po' più tardi.
– Gli altri .... con te?
– No, verranno dopo, con mia sorella.
– .... la macchina?
– No, ... l'autobus, in centro non .... parcheggio.
– Noi, invece, ... con la metro.
– ...., ci vedremo davanti al Bar Nuovo.
– Speriamo di .... tutti.
– Ma certo, è l'......... giorno di scuola!

N Answer the questions below.

. Quando comincerai la scuola?

......

. Con chi sarete in classe?

......

. Troverete novità il primo giorno di scuola?

......

. Avrete un armadietto personale?

......

. Sapremo seguire le lezioni in italiano?

......

O Change the sentences as in the example below.
Read the focus at bottom.

. Roberto dice: "La mia scuola è più moderna della tua".

Roberto dice che la sua scuola è più moderna della tua.

. Mike dice: "Noi siamo preoccupati".

......

. Indira dice: "Non capisco bene l'italiano.

......

. I ragazzi dicono: "Noi vi aiuteremo."

......

. Lo studente dice: "I professori sono bravi."

......

Q Indira writes a letter to her sister. Fill in the missing words.

manderò • preoccupata • parlare • professori • compagni • lezioni • seguire • piace

> Dear Jasmine,
> domani sarà il primo giorno di scuola in Italia.
> Sono un po' ...., perché ho paura
> di non capire i ....
> Qui le .... sono tutte in italiano e io lo parlo poco.
> Ho conosciuto molti ragazzi e ragazze
> che saranno miei .... e li ho trovati
> simpatici e gentili. Loro mi aiuteranno
> a studiare e a .... le lezioni.
> Anna è la ragazza che mi .... di più e
> con lei posso .... anche in inglese senza problemi.
> Domani sera ti .... una mail per farti
> sapere come è andata.
>
> A presto, Indira

P Read the sentences in the balloons and write the name of the person who says each.

| Le vacanze sono quasi finite. | Dicci tu com'è dentro. | Ho voglia di cominciare. | ... non possiamo entrare. | Tradurrete in inglese quello che non capiremo? | Stessi professori... stessi problemi... |

....

Focus grammatica

When you report the words of another person without using the direct speech, remember to change pronouns, adjectives and possessive.

In particular:
• use personal pronouns in the third person he/she/they;
• use the possessive adjectives his/her/their;
• the verb is conjugated in the third person singular or plural;
• use the conjunction CHE.

Ex.: Jacopo dice a Mike: – La **nostra** scuola è chiusa.
→ Jacopo dice **che** la **loro** scuola è chiusa.

Attività

● The teacher asks students to prepare individual sentences with words learned so far to describe the structure and equipment of their school. Then they can make posters with the words in Italian such as:
• classroom furniture
• the plan of the school.

L'orario scolastico

The first day of school the headmaster (principal) brings all the students together in the auditorium and gives them all the information they need for the first day. Then each class, accompanied by one teacher, goes to the classroom that will be their room for the whole school year. Finally, they begin to work. Teachers often meet to share information, comment, talk about projects and programs. At the end of the last class each student is given the schedule for the year.

ORARIO SCOLASTICO SETTIMANALE

	8 8.55	8.55 9.50	10.05 11	11 11.55	11.55 12.50
lunedì	italiano	storia	matem.	disegno	inglese
martedì	storia	matem.	matem.	latino	italiano
mercoledì	fisica	filosofia	latino	ed. fisica	ed. fisica
giovedì	italiano	italiano	scienze	disegno	inglese
venerdì	inglese	filosofia	storia	matem.	fisica
sabato	scienze	latino	matem.	filosofia	italiano

Mike: – Sono stanchissimo e ho capito poco…

Jacopo: – Ci credo, il primo giorno è per tutti così…

Mike: – Domani andrà meglio, dici?

Laura: – Certo, da domani si farà lezione …

Indira: – Io devo ancora capire. L'orario settimanale resta lo stesso tutto l'anno?

Jacopo: – Certo, noi non facciamo corsi semestrali…

Laura: – … e tutti studiamo le stesse materie. Tutti meno voi due …

Mike: – Perché noi seguiamo il corso di italiano per stranieri?

Jacopo: – Sì, hai sentito… quando noi avremo lezione di latino e di inglese tu e Indira lavorerete con un insegnante specializzato.

Indira: – Fammi capire… lezione tutti i giorni, sabato compreso… tre giorni dalle 8.00 alle 12.00 e tre giorni dalle 8.00 alle 13.00… nel pomeriggio non si va a scuola?

Laura: – Nel pomeriggio ci sono i compiti da fare e le lezioni da studiare… tanti… troppi per me!

Jacopo: – Nel pomeriggio ci sono attività sportive o culturali, ma non lezioni…

Mike: – Per esempio?

Jacopo: – Pallavolo, teatro, musica, incontri e dibattiti…

Grammatica

IL FUTURO SEMPLICE IRREGOLARE

Note!
The FUTURO of the verbs **stare** – **dare** – **fare** is irregular and they are conjugated as in the chart below. Memorize it

	STARE	DARE	FARE
io	starò	darò	farò
tu	starai	darai	farai
lui/lei/**Lei**	starà	darà	farà
noi	staremo	daremo	faremo
voi	starete	darete	farete
loro	staranno	daranno	faranno

Vocabolario

stanchissimo = very tired
meglio = better
resta = it remains
semestrali = semiannual
il latino (m.s.) = Latin
specializzato = specialized
compreso = included
i compiti (m.p.) = homework
sportive = sport
culturali = cultural
la pallavolo (f.s.) = volleyball
la musica (f.s.) = music
gli incontri (m.p.) = meeting
i dibattiti (m.p.) = debates

A Read the dialogue and answer the questions below.

. Come si sente Mike dopo la prima mattina a scuola?

....

. Che cosa chiede Indira?

......

. Che cosa faranno Indira e Mike?

......

. Con chi lavoreranno?

......

. Che cosa pensa Anna dei compiti a casa?

......

. Quali attività ci sono nel pomeriggio?

....

D Complete the dialogue with the FUTURO or the PASSATO PROSSIMO of the verbs given below; then listen to the CD.

stare • fare • andare • studiare • avere

– Che cosa .... nel pomeriggio, Franco?

– Penso che .... a casa, devo studiare.

– Non .... nemmeno a basket?

– No, ci .... ieri, non ricordi?

– Perché non .... prima?

– Perché prima .... i compiti.

– Ho capito, non esci proprio.

– Eh, sì, domani .... un test importante.

B Read the dialogue and check Vero V or Falso F (True/False).

. Mike ha capito tutte le informazioni.	V	F
'. Mike dice che è davvero stanco.	V	F
. Indira non ha capito bene l'orario.	V	F
. Laura dice che non ci sono corsi semestrali.	V	F
. Tutti studieranno le stesse materie.	V	F
. Indira e Mike seguiranno un corso di italiano.	V	F
'. C'è lezione anche il sabato.	V	F
. Tutti i giorni le lezioni finiscono all'una.	V	F
. I compiti a casa sono molti.	V	F
0. Non ci sono attività pomeridiane.	V	F

C Arrange the words to form correct sentences.

. bambini, Italia, i, in, scuola, anno, a, sei, vanno

. a, ci, Natale, quindici, sono, vacanza, giorni, di

. a, l', vedere, orario, di, lezioni, andiamo, delle, domani

. questa, palestra, due, settimana, andremo, volte, in

. questi, personali, gli, sono, dei, armadietti, professori

. tu, stessa, e, sarete, Mike, nella, classe

. scrittore, alle, domani, un, ci, con, incontro, sarà, 15.00, amoso, l'

. molto, giorno, di, non, scuola, primo, ho, il, capito

• • • • • • • • • • • • Grammatica •

IL SUPERLATIVO

The **superlative** has two forms.

1. The SUPERLATIVO ASSOLUTO **(absolute superlative)**, which can be formed in two ways:
• Putting MOLTO before the adjective;
• Adding –ISSIMO at the end of the adjective
Ex.: Il tuo vestito è **bellissimo**.
→ Il tuo vestito è **molto bello**.

2. The SUPERLATIVO RELATIVO **(relative superlative)**, is formed by THE MOST / THE LEAST before the adjective .
Ex.: Quel vestito è **il più bello** che io abbia visto.

COMPARATIVI E SUPERLATIVI DI FORMA PARTICOLARE

Some adjectives have also **comparative** and **superlative forms** derived directly from Latin.

grande	maggiore	massimo
piccolo	minore	minimo
buono	migliore	ottimo
cattivo	peggiore	pessimo

They are used as in the examples below:
• la temperatura **minima** e **massima**
• la **maggiore** età
• l'altare **maggiore**
• il male **minore**

Che cosa metti nello zaino?

Vocabolario illustrato

il quaderno (m.s.) = note book

la calcolatrice (f.s.) = calculator machine

l'agenda (f.s.) = planner
il diario (m.s.) = diary

l'astuccio (m.s.) = case

il libro (m.s.) = book

le matite (f.p.) = pencils

la penna (f.p.) = pen

il pennarello (m.s.) = felt-tip pen

il temperino (m.s.) = sharpener

la gomma (f.s.) = eraser

il righello (m.s.) –
la riga (f.s.) = ruler

la squadra (f.s.) = set square

i pastelli (m.p.) = pastels/
colored pencils

l'evidenziatore (m.s.) = highlighter

lo zaino (m.s.) = backpack

A Read the dialogue and answer the questions below.

Indira: – Anna, hai già preso tutto quello che ti serve?
Anna: – No, ho solo alcuni di libri…
Indira: – Cosa pensi di fare?
Anna: – Nel pomeriggio vado al mercatino del libro.
Indira: – Cosa ci trovi?
Anna: – I libri usati dagli studenti dello scorso anno… li vendono a metà prezzo!
Quelli che non trovo lì, li ordino al libraio
Indira: – Vengo anch'io, poi passiamo in cartoleria, devo comperare dei quaderni…
Anna: – … e un'agenda… e un po' di altre cose… andiamo!

1. Anna ha già tutto quello che le serve?

……..

2. Dove pensa di andare?

……..

3. Che cosa cerca?

……..

4. Perché vuole comperare libri al mercatino?

……..

5. Dove vuole andare Indira?

……..

Vocabolario

il mercatino (m.s.) = flea market (m.s.)
usati = used
metà prezzo = half price
la cartoleria (f.s.) = stationery store
ordino = I order
il libraio (m.s.) = bookseller

Focus lingua

AGENDA O DIARIO?
Both terms are of Latin origin.
• AGENDA → means "things to do".
It is the book where you write the things to do, so as not to forget them.
• DIARIO → means "daily".
It is the book in which you write the facts and the events of the day.

At school Italians use the diario, but some students prefer the agenda, similar to that of the adults.

B Write complete sentences as in the example below.

. Il mio libro è nuovo.

mio libro è nuovissimo.

. Anna ha uno zaino vecchio.

......

. Ho comperato un vestito elegante.

......

. Hai dei compagni simpatici.

......

. Ho visto un palazzo alto.

......

. Questo libro è usato.

......

C Write complete sentences as in the example below.

. Il tuo zaino è bello. (*di tutti*)

tuo zaino è il più bello di tutti.

. Anna è simpatica. (*della classe*)

......

. Il libro di italiano è nuovo. (*tra i miei*)

......

. Quella camicia è costosa. (*del negozio*)

......

. I tuoi amici sono bravi. (*della scuola*)

......

. Quei libri sono antichi. (*della biblioteca*)

......

D Change the verb in the sentences below into the **UTURO**.

. Oggi ho comperato lo zaino.

......

. Maria prende i libri al mercatino.

......

. Gianni mi dà il suo quaderno.

......

. Ieri ho portato i pennarelli nuovi.

......

. Quest'anno Luisa fa la prima.

......

. Mia sorella vende i libri dell'anno scorso.

......

E In the brackets write the words in the common form of **COMPARATIVO** or **SUPERLATIVO** as in the example below.

Il ragazzo migliore. (*più buono*)

1. Il tuo progetto è ottimo. (.........)
2. Marco è il fratello minore di Gianni. (.........)
3. Anna è maggiore di Sara. (.........)
4. Abbiamo un ottimo professore di latino. (.........)
5. Qual è il prezzo massimo per uno zaino? (.........)
6. Il tuo lavoro è il migliore (.........) tra tutti.
7. Nella mia classe non c'è nessuno maggiore (.........) di me.

F Listen to the dialogue and fill in the missing words in the sentences below.

– Ciao ragazze, ... qui?

– Siamo venute a comperare un po' di cose.

– Tu .... già preso tutto?

– Sì, io .... lo zaino e l'agenda, le altre cose le ho già.

– .... anche tutti i libri?

– No, devo ancora prenderli.

– Come, ... ancora ordinati?

– Certo che sì, devo solo .... dal libraio a prenderli.

– Io .... ancora il libro di matematica.

– Forse .... mio cugino, se non l'......... già venduto.

– .... chiedi, per favore.

– Gli telefono subito, poi ti .... sapere.

Focus grammatica

IL SUFFISSO –AIO
The suffix –AIO is necessary to make words that indicate the person who sells something.
Il **libraio** → sells books.
Il **cartolaio** → sells items related to writing or paper.
Il **lattaio** → sells milk.

IL SUFFISSO –ERIA
The suffix –ERIA is used to form words that indicate the shop where they sell something.
La **libreria** → is a bookshop.
La **cartoleria** → is a shop where you can find notebooks and pens.
La **latteria** → is a shop where milk is sold.

CHI È QUESTO SIGNORE?

The principal or director of a school has a special name in Italian. To find out what that name is, solve the puzzles and write down the letters in the numbered boxes.

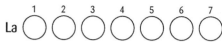

La ①②③④⑤⑥⑦

BOOKSELLER

LIBRARY

PEN

TEACHER

STATIONERY

CLASS

STUDENTS

C	A	R	T	O	L	E	²	I	A
S	T	U	⁶	E	N	T	I		
C	L	A	S	S	³				
B	⁵	B	L	I	O	T	E	C	A
L	I	B	R	A	I	O			
¹	E	N	N	A					
I	N	⁴	E	G	N	A	N	T	⁷

CON CHE COSA SI SCRIVE SULLA LAVAGNA?

Find the word that corresponds to the definition and erase the letters in the circles. The remaining letters will give you the word you are looking for.

1. Ci si trovano i libri usati. ....
2. Li fa a casa lo studente. ....
3. Ci stanno i ragazzi durante la lezione. ....
4. Lo usa il professore per annotare i voti. ....
5. Ce n'è una nera in ogni aula. ....
6. Serve per scrivere sul quaderno. ....

Sulla lavagna si scrive con il ◯◯ .

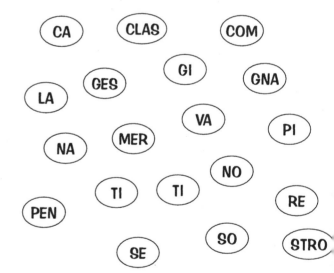

Focus lingua

In Italian they say:

• FARE SCUOLA: besides meaning to teach, it also means to set an example, to trace the path that others should follow.
It is also used to say "launch a fashion".

• ESSERE DELLA VECCHIA SCUOLA: means to belong to a group of people that have conservative ideas and do not accept changes.
How would you say this in English? ....

S P E A K I N G ● W R I T I N G

IN CLASSE

. Each student looks at the drawing and writes in his/her notebook the
ames of all the objects with their location.

. The teacher asks the students to compare the items in the drawing
vith the actual situation in which they are and to make a list of
lifferences using forms of comparison.

. The teacher asks the students to find the verbs above and to write
hem on the blackboard. Then the teacher asks the students to write
.ome sentences using the verbs and the vocabulary they know.

. The class is now ready to write a short text in Italian, describing the
lrawing. The teacher can provide vocabulary.

Vocabolario integrativo

AGGETTIVI UTILI ALLA DESCRIZIONE
Useful adjectives for description

pulito = clean
grigio = gray
sporco = dirty
colorato = colored
bianco = white
pieno = full
nero = black
vuoto = empty

Dopo poche settimane di scuola Indira e Mike si rendono conto che la scuola italiana è piuttosto diversa da quella dei loro paesi.

Ho conosciuto una ragazza del terzo anno e ho parlato a lungo con lei. Io volevo sapere come sono organizzati i programmi di studio in Italia e lei era curiosa di conoscere quelli indiani.

Ho scoperto che al liceo tutti studiano latino o greco per cinque anni e traducono testi di autori antichi.

Tu non lo stai studiando perché nelle ore in cui noi facciamo latino tu esci per fare il corso di italiano.

Be', per me le materie sono simili, ma i programmi sono un po' diversi.

Vuoi dire che tutti i ragazzi che fanno il liceo devono studiare latino o greco?

No, ci sono anche altri tipi di liceo, dove si studiano lingue moderne, informatica, disegno e arti varie... insomma uno può scegliere l'indirizzo che preferisce.

CULTURA ITALIANA

■ Copertina de
"Il Decamerone"
di **Boccaccio**

DANTE ALIGHIERI, SOMMO POETA

Dante Alighieri (1265 – 1321), comunemente conosciuto come Dante, fu un poeta italiano del Medioevo. Nacque in Firenze, morì e fu sepolto in Ravenna.

Gli italiani definiscono Dante il "Sommo Poeta" o il Poeta.

Lo chiamano anche il "Padre della Lingua Italiana".

Dante originariamente intitolò la sua opera Commedia, più tardi Boccaccio (un altro grande scrittore del Medio Evo), la soprannominò Divina. Essa è spesso considerata la più grande opera letteraria composta in lingua italiana e un capolavoro della letteratura mondiale.

La Divina Commedia è un poema epico: una visione immaginaria e allegorica della vita cristiana d'oltre tomba.

Essa contribuì a confermare il dialetto toscano, nel quale è scritta, come italiano standard.

La Divina Commedia è composta di oltre 14.000 versi divisi in tre cantiche: Inferno, Purgatorio, Paradiso, ciascuna costituita da 33 canti. Un canto iniziale serve da introduzione al poema.

DANTE THE SUPREME POET

Dante Alighieri (1265 – 1321), commonly known as Dante, was an Italian poet of the Middle Ages. He was born in Florence, but died and is buried in Ravenna.

Italians define him as "the Supreme Poet" o just il Poeta.

They also call him the "Father of the Italian language".

Dante originally called his work Commedia but Boccaccio (another great writer of the Middle Ages) later nicknamed it Divina, the Divine Comedy. It is often considered the greatest literary work composed in the Italian language and a masterpiece of world literature.

The Divine Comedy is an epic poem: it is a imaginative and allegorical vision of the Christian afterlife.

It helped establish the Tuscan dialect, in which it is written, as the standard Italian language.

The Divine Comedy is composed of over 14,000 lines that are divided into three canticas: Hell, Purgatory and Paradise, each consisting of 33 cantos. An initial canto serves as an introduction to the poem.

■ **Rappresentazione di un Canto dell'Inferno**

■ **Dante Alighieri**

Poema è scritto in prima persona e
cconta il viaggio di Dante
traverso i tre regni dei morti, a
rtire dalla notte prima del venerdì
nto al mercoledì dopo Pasqua
lla primavera del 1300.

poeta romano Virgilio lo guida
traverso l'Inferno e il Purgatorio;
atrice, la donna ideale di Dante lo
uida attraverso il Paradiso.

Commedia di Dante è stata
adotta, rimaneggiata e trasposta in
glese molto spesso più di ogni
tra opera di poesia.

problemi di traduzione della
ommedia sono enormi, per la sua
ruttura complessa il cui stile si
nnova in ogni canto.

The poem is written in the first person and tells of Dante's journey through the three realms of the dead, lasting from the night before Good Friday to the Wednesday after Easter in the spring of 1300.

The Roman poet Virgil guides him through Hell and Purgatory; Beatrice, Dante's ideal woman, guides him through Heaven.

Dante's Commedia has been translated, recast and transposed into English more often than any other work of poetry.

The problems of translating the Commedia are enormous because it has a complex structure and its style is born anew in almost every canto.

■ Schema della Terra secondo **Dante**

I primi versi della Divina Commedia

Nel mezzo del cammin di nostra vita
mi ritrovai per una selva oscura,
ché la diritta via era smarrita.

Ahi quanto a dir qual era è cosa dura
esta selva selvaggia e aspra e forte
che nel pensier rinova la paura!

Io non so ben ridir com' i' v'intrai,
tant'era pien di sonno a quel punto
che la verace via abbandonai.

Halfway through the journey we are living
I found myself deep in a darkened forest,
For I had lost all trace of the straight path.

Ah how hard it is to tell what it was like,
How wild the forest was, how dense and rugged!
To think of it still fills my mind with panic.

I cannot say clearly how I entered there,
So drowsy with sleep had I grown at that hour
When first I wandered off from the true way.

ead the question and answer in Italian.

. Chi fu Dante Alighieri e come è comunemente conosciuto?

......

. Dove nacque, dove morì e fu sepolto?

......

. Come definiscono Dante gli Italiani?

......

. Come intitolò originariamente Dante la sua opera?

......

. Come la soprannominò Boccaccio?

......

6. Che cosa contribuì a confermare?

....

7. Da quanti versi è composta? In quanti cantichi è divisa? Quali?

....

8. Che cosa racconta il poema?

....

9. Quando si svolge il viaggio di Dante?

....

10. Chi guida Dante attraverso l'Inferno, il Purgatorio e il Paradiso?

....

Grammatica

IL FUTURO SEMPLICE

The FUTURO of the verbs **volere**, **venire**, **rimanere**, **tenere**, **bere** is irregular and they are conjugated as in the chart below. Complete the chart below.

	VOLERE	VENIRE	RIMANERE	TENERE	BERE
io	vorrò	verrò	rimarrò	terrò	berrò
tu	vorrai	verrai	....	....	....
lui/lei/**Lei**	vorrà	....	rimarrà	....	....
noi	vorremmo	....	....	terremo	....
voi	vorrete	....	....	....	berrete
loro	vorranno	....	....	....	....

SPEAKING ● WRITING

A INDOVINA CHE COS'È?

The class is divided into two groups. The teacher gives to each group some cards with the name or the picture of something which is in the school or in the classroom. The students write brief descriptions of each object. Then a speaker from each group reads the description of an object and asks classmates to guess what it is. The winner is the group that guessed the most items.

B LA TELEFONATA

Nino and Morgan have finished Middle School and now attend two different high schools. A few days after the beginning of school they talk on the phone and share their views on the new school.
Students, in pairs, prepare a dialogue on this topic and present it to their classmates.

C UNA LETTERA

Marta's family moved to another city and Marta, who was attending the last year of middle school, has changed schools.
She writes a letter to her friend Sonia in which:
• she describes how the new house is and in particular how her room is;
• she describes the school she is attending (structure, location, building and furnishing of classrooms);
• she talks about new classmates and teachers and tells her preferences.

Dear Sonia,

● R E V I E W ●

A Change the sentences below to the FUTURO.

1. La classe di Lisa fa una gita a Venezia.

....

2. Se continui così, fai un pessimo lavoro.

....

3. Oggi vado a prendere l'agenda nuova.

....

4. Loro possono riparare la porta dell'aula.

....

5. Ci mettiamo nei banchi vicino alla finestra.

....

6. Dovete leggere due libri in italiano.

....

B Read the answer and ask the question.

1. ....

Ho messo lo zaino in camera.

2. ....

Finirò di fare i compiti tra un'ora.

3. ....

In classe siamo in venticinque.

4. ....

Il più bravo è Roberto.

5. ....

Ho trovato questi quaderni sul tavolo.

C Write a complete sentence in Italian using the words below.

1. compagni, anno, fare, prossimo, viaggio, scuola

....

2. scuola, molto, questa, essere, impegnativa

....

3. mia, finestra, giardino, aula, aprirsi, scuola

....

4. palestra, essere, mese, settembre, lavori, chiusa

....

5. tutti, andare, mercatino, tutti, usati, libri, cercare

....

D Check the correct form in the sentences below.

1. Domani (*anderemo / andremo*) al mare.

2. La matematica mi piace (*più / come*) dell'italiano .

3. Ho trovato dei libri (*antichi / antici*) a casa dei nonni.

4. La mia scuola è più (*grande / granda*) della tua.

5. Domani (*vederete / vedrete*) i nuovi compagni.

6. La professoressa di francese è (*simpatico / simpatica*).

7. Gli studenti (*sono dovuti / sono dovuto*) uscire dall'aula.

8. I (*banchi / banci*) vecchi sono tutti rotti.

9. La loro aula ha le pareti (*bianche / bianchi*).

10. Che cosa (*c'è / cè*) in fondo al corridoio?

E Conjugate the verb in brackets into PASSATO PROSSIMO.

1. Noi non .... (*potere*) restare a casa.

2. Io e Anna .... (*andare*) dal libraio.

3. Marco non .... (*sapere*) rispondere alle domande.

4. I miei .... (*dovere*) ritornare a casa subito.

5. Il professore .... (*volere*) interrogarmi.

6. Perché non .... (*volere*) prendere l'autobus?

7. Tua sorella mi .... (*fare*) arrivare tardi a scuola.

Focus grammatica

L'AUSILIARE CON I VERBI SERVILI:
dovere, potere, volere

In the verb conjugation of the passato prossimo you can use both ESSERE or AVERE.

The same happens in the passato prossimo when **potere, dovere, volere** are used with verbs transitive or intransitive.

Ex.: Paolo **è partito** prima di me. →
Paolo **è dovuto partire** prima di me.

Paolo **ha guidato** la mia auto. →
Paolo **ha dovuto guidare** la mia auto.

You should use the verb AVERE when **dovere, potere, volere** are used together with the verb ESSERE.

Ex.: Non **è stato** gentile. →
Non **ha potuto essere** gentile.

F Change the sentences into the PASSATO PROSSIMO.

1. Quando ritornerà il professore di latino?

....

2. Un giorno andremo da Mario a studiare.

....

3. Come potremo seguire le lezioni in italiano?

....

4. I vostri compagni vi aiuteranno.

....

5. A cosa serviranno riga e squadra?

....

6. Qualche volta andrò a seguire le lezioni di storia.

....

G Reread the letter to Jasmine on page 147 and answer the questions below.

1. A chi scrive Indira?

....

2. Di quale giorno si parla nella lettera?

....

3. Perché Indira è preoccupata?

....

4. Che cosa dice dei compagni italiani?

....

5. Qual è la ragazza che le piace di più?

....

6. Perché va d'accordo con Anna?

....

H Fill in the correct prepositions or articles in the sentences below.

1. Maria ha detto che verrà .... te .... cinque.
2. Chi può venire .... me .... preside?
3. Mi servono due scatole .... gessi .... la lavagna.
4. .... 8.30 .... 9.30 c'è lezione .... storia.
5. .... tavolo .... professoressa c'è il registro.
6. Chiedi .... tua cugina il libro .... latino.
7. .... finestre .... corridoio si vede la palestra.
8. Andremo .... laboratorio domani .... seconda ora.
9. .... aula .... fronte .... nostra ci sono pochi studenti.
10. .... zaino ho messo il necessario .... le lezioni .... oggi.

I Change the sentences into the plural.

1. Quale ragazzo ha lasciato a scuola lo zaino?

....

2. Il mio compagno porterà i quaderni dell'anno scorso.

....

3. Lui è andato a parlare con il professore:

....

4. Non potrai finire il lavoro prima di un'ora.

....

5. Quando saprò se ho fatto bene il test?

....

L In the sentences below change the masculine nouns to feminine nouns and feminine nouns to masculine nouns. Be sure to make articles and adjectives agree with the nouns.

1. Gli studenti sono andati in aula.

....

2. Il professor Rossi arriverà tra una settimana.

....

3. Domani incontreremo il dottor Mosca.

....

4. Ho conosciuto la signora Campi, madre di Jacopo.

....

5. Sapete come si chiama la nuova insegnante?

....

6. Questa pittrice è molto famosa in Italia.

....

M Listen to the dialogue and complete each sentence below.

1. Aldo è molto bravo in ....
2. Marco, invece, è bravo ....
3. Marco è bravo a scuola perché ....
4. Aldo scherza e dice che ....
5. Marco ha molte amiche ....
6. Aldo non sa che l'amico ....
7. Marco va in palestra ....
8. Ci va per giocare ....
9. Aldo decide che andrà ....

N Check to see what you know about the verbs. Write the FUTURO SEMPLICE of the verbs in the chart below.

	PARLARE	GIOCARE	BERE	PRENDERE	DOVERE	DARE	FINIRE
io	parlerò	………	………	………	………	………	finirò
tu	………	………	………	prenderai	………	………	………
lui/lei/**Lei**	………	………	………	………	dovrà	………	………
noi	………	giocheremo	………	………	………	………	………
voi	………	………	………	………	………	darete	………
loro	………	………	berranno	………	………	………	………

O Answer the questions by referring to your personal experience.

1. Quando comincerai le lezioni?

………

2. Per te è difficile seguire le lezioni?

………

3. In classe, tra compagni, vi aiutate?

………

4. Quali laboratori ci sono nella tua scuola?

………

5. Quale corso preferisci frequentare?

………

P Read the answer and ask the question.

1. ………
Domani metterò nello zaino due libri e l'agenda.
2. ………
Uso spesso il computer per lavorare.
3. ………
Nel pomeriggio farò i compiti e studierò un po'.
4. ………
L'italiano mi piace più del francese.
5. ………
Ieri ho fatto il test di inglese.
6. ………
Domani dovrò presentare la mia ricerca.

Q Conjugate the verb in each sentence as stated in the brackets. See the example below.

Mi ……… (*piacere, presente*) le tue amiche. →

Mi piacciono le tue amiche.

1. Sul tavolo di cucina ……… (*mettere, io, passato*) un quaderno
2. Domani vi ……… (*portare, noi, futuro*) i libri.
3. Forse tu ……… (*volere, futuro*) uscire con lei.
4. I miei ……… (*pagare, passato*) i libri di Marco.
5. Per andare in aula ……… (*salire, loro, presente*) al primo piano.
6. L'anno prossimo noi due ……… (*cambiare, futuro*) scuola.
7. ……… (*usare, voi, passato*) i miei pennarelli?
8. Quante penne ……… (*tu, dovere, presente*) comperare?
9. Dopo aver finito ……… (*mettere, voi, futuro*) i libri nell'armadio.

R Check the correct form in the sentences below.

1. Prendi il libro (*sul / sullo*) tavolino.
2. Metterai i registri (*nell' / nel*) armadietto.
3. Comperiamo i quaderni (*dal / dallo*) cartolaio.
4. I computer sono (*nell' / nella*) aula in fondo.
5. (*Lo/ il*) zaino di Martina è rotto.
6. Domani andremo (*nella / nel*) nuova palestra.
7. Scrivi il nome (*sul / sui*) quaderni.
8. Andremo (*a / in*) libreria domani pomeriggio.
9. Scriverò una lettera (*a / da*) Maria.
10. La scuola finisce (*in / all'*)estate.

S Check to see what you know about the verbs.
Write the FUTURO SEMPLICE of the verbs in the chart below.

	PAGARE	VEDERE	DIRE	SCRIVERE	VOLERE	FARE	USCIRE
io	pagherò	....	....	....	....	....	....
tu	....	vedrai	....	....	....	....	....
lui/lei/**Lei**	....	....	....	....	....	farà	....
noi	....	....	....	scriveremo	....	....	....
voi	....	....	....	....	vorrete	....	....
loro	....	....	diranno	....	....	....	usciranno

T Answer the questions by referring to your personal experience.

1. Quante ore alla settimana resti al scuola?

....

2. Quali corsi frequenti?

....

3. Quanti mesi durano?

....

4. Ci sono ragazzi stranieri nella tua classe?

....

5. Quali sono le tue attività sportive preferite.

....

6. Quali sono le tue materie preferite?

....

U Read the answer and ask the question.

1. ....
Ho preso due quaderni e una penna.
2. ....
Riga e squadra servono per disegnare.
3. ....
Il mio banco è vicino alla finestra.
4. ....
Lo zaino di Marco è nero.
5. ....
La palestra è di fronte alla scuola.
6. ....
La mia insegnante di inglese è molto simpatica.

V Fill in CI SONO / CE NE SONO in the sentences below.

1. Quanti libri .... sul banco
2. .... tre miei e due tuoi.
3. Quanti studenti .... nella tua classe?
4. .... quindici.
5. Quali professori .... oggi a scuola?
6. .... quello di italiano e quello di inglese.
7. Quanti studenti stranieri .... a Firenze?
8. .... molti.
9. Al mercatino .... libri nuovi?
10. No, ... solo quelli usati.

Z Write complete sentences in Italian using the COMPARATIVO di MAGGIORANZA.

1. miei compagni – scatenati – tuoi

....

2. Maria – Chiara – simpatica

....

3. torta – focaccia – buona

....

4. tavolo – banco – grande

....

5. quaderno – libro – piccolo

....

6. gelato – buono – tuo – mio

....

7. io – alto – te

....

I PRIMI ANNI DI SCUOLA

C'è tutta la vita per imparare, ma i primi anni sono i più importanti.

Verso i **tre anni** bambini e bambine iniziano la **Scuola dell'Infanzia** (pre-scuola) dove, con due insegnanti per ogni gruppo, imparano a stare insieme e a fare i primi lavori sotto forma di gioco.

A **sei anni** comincia la **Scuola Primaria** (elementare), che dura cinque anni.
Nei primi due si impara a leggere, a scrivere e a fare le operazioni di calcolo più semplice.
Si inizia, anche a imparare una seconda lingua e a usare i programmi di videoscrittura e calcolo. Alla fine della Scuola Primaria ci sono numerosi test.

A **11 anni** gli scolari passano alla **Scuola Media o Secondaria di 1° grado** che dura tre anni.
Questa è la formazione di base in Italia.

THE FIRST YEARS AT SCHOOL

Learning takes place at all stages of life, but the early years are the most important.

At the age of three children start pre-school. They are placed in groups with two teachers to learn how to work and play with others.

At age six children start elementary school which lasts five years.
In the first two years they learn reading, writing and arithmetic. They also begin the study of a second language and basic computation skills.
At the end of elementary school there are several tests.

At age eleven children start three years of middle school.
This is the basic education in Italy

■ Scuola Primaria

■ Scuola dell'Infanzia

■ Scuola Media

LA SCUOLA SUPERIORE

Gli studenti che hanno superato l'esame di stato al termine della Scuola Media possono scegliere fra tre tipi diversi di **Scuola Superiore o Secondaria di 2° grado**:

• il **Liceo**, che prepara per l'università;
• l'**Istituto Tecnico** che prevede l'inserimento nel mondo del lavoro o l'iscrizione all'università;
• la **Formazione Professionale** che prepara al lavoro.

La durata della scuola superiore è di 5 anni. Al termine dei 5 anni gli studenti sostengono un esame di stato molto impegnativo che si chiama "maturità".

Se uno studente non ha una preparazione sufficiente in una materia, può seguire dei corsi estivi e sostenere un esame a settembre, prima dell'inizio del nuovo anno scolastico.

Se la preparazione è insufficiente in più materie lo studente ripete lo stesso anno.

THE HIGH SCHOOL

Students who pass the state examination at the end of the middle school can chose among three different kinds of high school:

• the Liceo prepares students for the university.
• the Technical High School trains students to enter the work world or for attendance at the university.
• the Professional Training School prepares for a job.

High school lasts 5 years. At the end of the five year the students have to pass a very difficult state exam, called "maturità".

If a student has not passed a subject he/she can take summer courses in order to pass an exam in September, before the beginning of the new school year.

If a student fails multiple subjects he/she must repeat the year.

■ **Studenti di Istituto Tecnico**

■ Studentessa di Liceo

■ **Studenti di Formazione Professionale**

U_{nità} 9

Obiettivi / Goals:

- Understanding a short text
- Giving and asking for information
- Expressing preferences
- Using indefinite pronouns and adjectives

CHE COSA TI METTI?

■ Vetrine

Come ti vesti?

A few days before school begins the friends are talking about what they will do after the beginning of the classes. Indira asks a question that surprises the two boys. She asks how people dress to go to school in Italy. She explains that in her school she always had to wear a uniform. She wants to know if it is the same in Italy.

Indira: – Come ci si veste per andare a scuola?

Jacopo: – Che strana domanda, come tutti i giorni.

Mike: – Perché lo chiedi?

Indira: – Perché da noi ogni scuola ha una sua divisa.

Jacopo: – Vuoi dire che vi vestite tutti allo stesso modo?

Indira: – Certo, gonna per le ragazze e pantaloni per i ragazzi.

Mike: – … e la camicia, la felpa e la giacca uguali per tutti… come nelle scuole private

Jacopo: – Da noi ognuno veste come vuole, di solito jeans e maglietta. Ai tempi di mia madre… mi sembra, le ragazze portavano il grembiule nero sopra i vestiti, anche al liceo.

> Noi mettiamo la divisa.
> Noi ci vestiamo come vogliamo.

A Read the dialogue and the "cultura", then check the correct statement in the sentences below.

1. Indira chiede:
○ che cosa si porta a scuola
○ quali vestiti servono per la scuola
○ come si vestono le ragazze

2. Jacopo dice che:
○ ci vuole un vestito elegante
○ si usano gli abiti di tutti i giorni
○ si portano abiti sportivi

3. Indira dice che:
○ lei ha sempre portato la divisa
○ ogni scuola ha la sua divisa
○ non si entra a scuola senza divisa

4. Fino agli anni Sessanta:
○ tutti gli studenti avevano una divisa
○ le ragazze portavano un grembiule nero
○ le ragazze avevano una divisa

Vocabolario

la divisa (f.s.) = uniform
la domanda (f.s.) = question
la felpa (f.s.) = fleece
la gonna (f.s.) = skirt
la maglietta (f.s.) = T-shirt
ognuno = everybody
i pantaloni (m.p.) = trousers
private = private
strana = strange
uguali = same
il grembiule (m.s.) = smock
il liceo (m.s.) = high school
portavano = they wore
la giacca (f.s.) = jacket

B Read the dialogue and the focus and check Vero V or Falso F (True/False).

	V	F
1. Gli studenti italiani si vestono come vogliono.	V	F
2. Mike dice che anche nella sua scuola si usa una divisa.	V	F
3. Jacopo trova strana la domanda di Indira.	V	F
4. Nella scuola di Indira tutte le ragazze portano la gonna.	V	F
5. In nessuna scuola i ragazzi indossano una divisa.	V	F
6. Gli studenti italiani portano il grembiule quando sono piccoli.	V	F
7. Le ragazze italiane hanno sempre portato una divisa.	V	F
8. Un tempo le ragazze italiane andavano a scuola con il grembiule nero.	V	F

Cultura

IL GREMBIULE

In Italian schools uniforms are no longer required. Only in kindergarten and the early years of primary school pupils wear white or colored smocks. Until the Sixties, however, the black apron was required also for girls in secondary schools.

C Write complete sentences in Italian with the words below.

1. scuole, ragazzi, non, italiane, portare, divisa

....

2. studenti, superiori, vestirsi, volere, come

....

3. Jacopo, giovane, da, grembiule, mamma, portare

....

4. Indira, scuola, divisa, sua, sempre, portare

....

5. pantaloni, gonna, ragazzi, ragazze, portare, scuola

....

D Change the sentences into the plural.

1. Ho comperato una camicia bianca.

....

2. Mia sorella si veste in modo sportivo.

....

3. Quello studente porta la divisa.

....

4. Il professore ha una giacca elegante.

....

5. Dove posso comperare dei pantaloni?

....

E Change the sentences into the FUTURO.

. Quando vai a prendere le camicie?

....

. Ci vado nel pomeriggio, con Sara.

....

. Prendi l'autobus o la metro?

....

. Non prendo mezzi, vado a piedi.

....

. A che ora torni a casa?

....

. Te lo dico più tardi.

....

. Oggi esco a fare compere.

....

■ **Studentesse**, foto di gruppo degli anni '960.

F Listen to the dialogue and complete each sentence.

1. Mara lavora in un ....

2. Alice chiede a Mara ....

3. Deve fare un regalo ....

4. La cugina di Alice ha .... anni.

5. Alice non sa che cosa ....

6. La cugina di Alice non porta ....

7. Le due ragazze hanno ....

8. Alla cugina di Alice piacciono ....

9. Mara le fa vedere ....

10. Le magliette sono bianche e ....

Focus lingua

SINGOLARE E PLURALE

Some words are used only in the plural form because the objects consist of two inseparable parts.

Ex.: i **pantaloni** / i **calzoni** (trousers) → have two legs.
le **forbici** (scissors) → have two blades.
gli **occhiali** (eyeglasses) → have two lenses.

Italians also use the singular, but it has a different meaning.

Ex.: I **calzoni** are trousers.
Il **calzone** is a pizza folded and stuffed.

Commonly, when you ask for one of these objects you can also say: a pair of ...

Formale o casual?

In a school where there are so many people it is easy to find many different styles of dress.
The students sometimes have fun noticing what the adults wear.

Il professor Grassi è il preside
del liceo. Veste sempre in
modo formale.
Nessuno l'ha mai visto senza
giacca e cravatta.

La prof. Piazza, insegnante
di inglese, porta sempre
eleganti tailleur, di lana in
inverno, di lino in estate.
Tutti si chiedono che cosa ci
sia nella sua borsa gigante.

Il prof. Belli insegna latino;
ama i maglioni e le camicie
a righe, che porta con
pantaloni di velluto in perfetto stile casual.

È la più giovane dei professor
Insegna educazione fisica e
viene a scuola sempre con la
tuta. Ha i capelli lunghi e li
porta raccolti con una fascia
elastica.

A Fill in the correct adjectives in the sentences below.

1. Il tailleur è un vestito ....
2. Il preside veste sempre in modo ....
3. La tuta è un modo di vestire ....
4. I pantaloni di velluto sono ....
5. La prof di inglese è sempre ....
6. Come veste il prof di latino? ....
7. Le mie compagne di classe vestono in modo ....
8. A me piace lo stile ....

B Answer the questions using your personal experience.

1. Che cosa metti quando vai a scuola?
....
2. I tuoi compagni come si vestono?
....
3. Chi cura di più il modo di vestire?
....
4. Metti la tuta? Quando?
....
5. Preferisci la camicia o la maglietta?
....

Vocabolario

formale = formal
casual = casual
la cravatta = tie
insegna (f.s.) =
he/she teaches
i maglioni (m.p.) =
sweaters
le righe (f.p.) = lines
il velluto (m.s.) = velvet
la borsa (f.s.) = bag
il gigante (m.s.) = giant
la tuta (f.s.) = tracksuit

i capelli (m.p.) = hair
raccolti = tied
la fascia elastica (f.s.) =
hair band
lo stile (m.s.) = style
perfetto = perfect
la lana (f.s.) = wool
il lino (m.s.) = linen
il tailleur (m.s.) = suit

Focus lingua

IL VERBO PORTARE
The main meaning of this verb is linked to the idea of moving
something from one place to another.
The same verb is often used with very different meanings.
Here are some examples.

Portare i capelli lunghi = To have long hair
Portare la gonna / i pantaloni = To wear a skirt / trousers
Portare pazienza = To be patient
Portare fortuna / sfortuna = To bring luck/ misfortune
La lettera porta la data del… = The letter is dated
La strada porta a… = The street leads to…

C Write complete sentences in Italian with the words below.

. ragazzi, jeans, spesso, scuola, portare

......

. professori, stile, solito, vestire, casual

......

. amica, preferire, mettere, mia, camicia, lino

......

. gonne, pantaloni, lana, portare, inverno, loro

......

. camicie, lino, comode, essere, estate

......

D Fill in the correct prepositions and articles in the sentences below.

. ... amica .... Anna disegna .... sue magliette.

. ... zaino .... mio fratello c'è di tutto.

. Dove hai comperato .... jeans?

. ... negozio .... Mara ci sono bei vestiti.

. Mi ha portato .... felpa .... Francia.

. ... giacca .... lana è comoda .... inverno.

. ... maglione non si porta .... cravatta.

. Vado .... palestra .... la tuta.

. ... tailleur .... prof è molto bello.

0. .... armadio .... palestra ci sono .... vostre magliette

E Fill in the correct words in the dialogue below.

mettere · come · pantaloni · provare · lana · velluto comodi · camicia · vanno

Buona sera signore, che cosa cerca?

Vorrei un paio di ....

.... li vuole ?

Di ...., sportivi.

Le faccio .... questi grigi.

Mi serve anche una ....

Da .... con questi i pantaloni?

Sì, una camicia di ...., da mettere in montagna.

Gliene porto due o tre, eccole.

Mi piace questa. Ora provo tutto.

Come le .... ?

Bene, sono .... Li prendo.

F Change the sentences below into PASSATO PROSSIMO.

1. Non mi dici dove comperi i tuoi vestiti

....

2. Nel negozio di Mara trovo magliette simpatiche.

....

3. Mio fratello per uscire con te si veste in modo elegante.

....

4. Chi non porta la tuta non entra in palestra.

....

5. Quando ti metti la cravatta nuova ?

....

6. Per andare a cena mi metto una gonna e una camicia.

....

G In each sentence fill in the correct adjective and then change into the plural.

1. .... (*questo*) camicia mi piace.

....

2. .... (*quello*) vestito è elegante.

....

3. Mi porti .... (*quello*) maglietta bianca.

....

4. È bello .... (*quello*) zaino!

....

5. Voglio .... (*questo*) maglione sportivo.

....

6. Avete comperato solo .... (*questo*) cravatta?

....

7. Non mettere sempre .... (*quello*) tailleur.

....

Focus grammatica

L'AGGETTIVO QUELLO

The adjective QUELLO has different forms for masculine singular and plural, depending on the first letter of the word that follows it.

It is the same as for the masculine definite article LO.

The feminine form is the same as in the definite article LA.

Ex.:

quel	→ (il) signore	**quella** → (la) casa
quello	→ (lo) zaino	**quell'** → (l ') infermiera
quell'	→ (l ') infermiere	**quelle** → (le) case
quei	→ (i) libri	
quegli	→ (gli) insegnanti	

H Look at the drawings and memorize the names of the clothes.

l'abito (da donna) (f.s.)
= dress

il giubbotto (m.s.)
= Jacket

il giubbino (m.s.)
= waist jacket/
short jacket

la camicetta (f.s.)
= blouse

il cappotto (m.s.)
= overcoat

le calze (f.p.)
= stockings

il pigiama (m.s.)
= pyjamas

il cappello (m.s.)
= hat

il golf (m.s.)
= cardigan, sweater

I Change the sentences below to the PASSATO PROSSIMO.

1. Daria compera un vestito di lino.

....

2. Tu hai una maglietta bianca.

....

3. A me piace quella camicetta.

....

4. Mi serve un abito da sera.

....

5. Prendi il cardigan?

....

6. Mi regali una sciarpa di seta?

....

7. Ti metti il cappello?

....

L Change the verbs in the dialogue below into the FUTU

– Per andare al cinema che cosa vi mettete?

....

– Io mi metto la gonna lunga e una maglietta.

....

– Io, invece metto i pantaloni.

....

– Non prendete una giacca?

....

– No, prendiamo una felpa, non fa freddo.

....

– A che ora tornate?

....

– Torniamo verso le dieci.

....

Focus grammatica

IL NOME DEI COLORI

rosso	→ red	**blu**	→ dark blue	**beige**	→ beige
verde	→ green	**rosa**	→ pink	**nero**	→ black
giallo	→ yellow	**arancio**	→ orange	**grigio**	→ gray
azzurro	→ light blue	**bianco**	→ white	**viola**	→ purple
marrone	→ brown				

The names of the colors can be nouns or adjectives. If they are used as nouns they are masculine (red, black).
If they are used as adjectives they change their endings according to the rules you have studied.
Note!
Rosa, beige, viola, arancione and **blu** do not change. They have a single form for the masculine, feminine, singular, plural.

Fill in the correct words in the dialogue below.

negozio · giubbino · taglia · piace · proprio
vetrina · grande · prodotto

Buongiorno signorina vorrei un .... di jeans.

Quale? Quello in ....?

Sì, posso provarlo?

Certo, ne ho altri qui in ...., che .... porti?

Una 42, di solito.

Adesso te lo prendo... ecco una 44, comincia con questo.

Mi .... molto, ma non è un po ' ....?

Prova la 42, ti andrà meglio.

Questo sì, mi va .... bene. Quanto costa?

È un ...... italiano, costa un po': vediamo, 60 €.

Va bene, lo prendo.

Read the dialogue in exercise M again and answer the questions below.

Che cosa chiede la cliente?

......

Dove ha visto quello che le piace?

......

Che cosa chiede alla commessa?

......

Quale taglia prova per prima?

......

Quale taglia le va bene?

......

Perché il giubbino è un po' caro?

......

O **Write a complete sentence in Italian using the words given. Follow the example below.**

(a me) maglione → Mi piace questo maglione e lo compero.

1. (*a te*) camicia

....

2. (*a lui*) pantaloni

....

3. (*a noi*) cappotto

....

4. (*a loro*) giubbotto

....

5. (*a me*) magliette

....

6. (*a voi*) sciarpa

....

7. (*a lei*) camicia

....

8. (*a lei*) pantaloni

....

9. (*a te*) cappotto

....

10. (*a lui*) giubbotto

....

P **Read the answer and ask the question in the correct form.**

1. .... questo foulard? È di seta. Costa molto.

2. .... le calze di lana? Costano poco.

3. .... quella cravatta? L'ho comperata da Mara.

4. .... quella giacca? È di Marcello.

5. .... il golf blu? Me l'ha regalato la mamma.

6. Pensi che a Giorgio .... la maglietta? Sono certo che gli piacerà.

7. Dove .... quei pantaloni? Li abbiamo trovati al mercatino.

Attività

● Compare Italian sizes with the ones you generally wear and highlight similarities and differences.

Focus lingua

LE TAGLIE

When you buy a dress or a shirt in the United States you know what size is right for you.
But if you go abroad, you should be careful because the sizes are different.
Look at the chart below and see which size you would wear in Italy.

ABITI	Small (S)	Medium (M)	Large (L)	Extralarge (XL)	Extralarge plus (XXL)
Uomo	44 · 46	48 · 50	52 · 54	56	58
Donna	40 · 42	44 · 46	48 · 50	52 · 54	56

Mi servono delle scarpe...

Summer turns to autumn. Indira realizes she does not have the right shoes.
She calls Federica and asks her to go with her to look for a new pair of shoes.

Indira: – Ciao Federica, ho bisogno di te.

Federica: – Che cosa ti serve, hai problemi con i compiti?

Indira: – No, mi servono delle scarpe... non posso più uscire con i sandali.

Federica: – Hai ragione, comincia a far freddo.

Indira: – Allora vieni con me a fare un giro per negozi?

Federica: – Farò di più. Ti porto da mia zia. Ha un negozio favoloso... vedrai

Indira: – Ha solo scarpe?

Federica: – No, da lei puoi trovare un sacco di cose in pelle... e anche vesti

Indira: – Mi piace l'idea. Così potrò trovare i mocassini per papà, gli stivali per mia sorella, delle scarpe col tacco per la mamma.

Federica: – Calma... è vero che ci sono i saldi, ma le scarpe costano parecchio... e poi come fai con le misure?

Indira: – Be', io e mia sorella abbiamo lo stesso numero, ma per la mamma il papà non so come fare.

Focus lingua

CHE NUMERO HAI DI SCARPE?

Just as clothing sizes are not the same in the United States as in Italy, shoe sizes are also different.

Donna (Woman)		Uomo (Man)	
Europa	USA	Europa	USA
35	4,5	38,5	6
35,5	5	39	6,5
36	5,5	40	7
36,5	6	40,5	7,5
37,5	6,5	41	8
38	7	42	8,5
38,5	7,5	42,5	9
39	8	43	9,5
40	8,5	44	10
40,5	9	44,5	10,5
41	9,5	45	11
41,50	10	45,5	11,5
42	10,5	46	12
		47	12,5
		47,5	13
		48	13,5
		48,5	14
		49	14,5

A Read the dialogue and answer the questions below.

1. Che cosa serve a Indira?

....

2. Perché non può usare i sandali?

....

3. Dove andranno insieme?

....

4. Di chi è il negozio di scarpe?

....

5. Quali regali pensa di comperare?

....

6. Quale problema ha Indira?

....

Vocabolario

ho bisogno = I need
le scarpe (f.p.) = shoes
i sandali (m.p.) = sandals
freddo = cold
favoloso = fabulous
un sacco (m.s.) **di cose** = a lot of things
in pelle = leather

l'idea (f.s.) = idea
i mocassini (m.p.) = moccasins
gli stivali (m.p.) = boots
le scarpe (f.p.) **col tacco** (m.s.) = heeld shoes
i saldi (m.p.) = sale
parecchio = much
le misure (f.p.) = sizes

Fill in the correct words in the sentences below.

cintura · stivali · mocassini · saldi · scarpe
· borsa · sacco · sandali

Mi piacciono le .... nere col tacco.

Dove hai comperato la .... di pelle?

Papà mi regala una .... per il vestito nuovo.

Fa freddo, non posso mettere i ....

Ho visto un .... di cose belle.

Gianni ha comperato degli .... molto caldi.

Spenderò meno perché ci sono i ....

Per papà prenderò dei ....

Which word does not belong in each group?

Jeans, maglietta, felpa, cravatta

gonna, giacca, camicia di seta, pigiama

gonna lunga, sandali, cappotto, maglietta

giacca, pantaloni, cravatta, scarpe col tacco

sandali, cappello, stivali, mocassini

maglietta, giubbotto, cappotto, giubbino

borsa, cintura, scarpe, sciarpa

foulard, camicia, sciarpa, cappello

D Answer the questions below.

1. Dove hai comperato i sandali rossi? (*da Buratti*)

....

2. A chi hai regalato la tua felpa preferita? (*mia sorella*)

....

3. Dove hai messo le mie scarpe? (*in bagno*)

....

4. Di chi sono i jeans azzurri? (*di Carlo*)

....

5. Quante sciarpe avete nel cassetto? (*dieci*)

....

6. Hai visto il maglione nuovo di papà? (*no*)

....

E ☉ Listen to the dialogue and complete each sentence below.

1. Rosy chiede a Marco se il rosa ....

2. Marco dice che ....

3. Rosy gli dice che non vuol sapere ....

4. Marco dice che per lui ....

5. Rosy vuol sapere se ....

6. Marco dice che non si ....

7. Rosy dice che si sente ....

8. In lavatrice è finita una ....

9. La camicia di Marco ....

Grammatica

I TEMPI DEL VERBO: L'IMPERFETTO

The IMPERFETTO is used to tell a story or talk about something that happened in the past; it is also used to indicate an action which continued for some time in the past.

Note the sentences below!

• Questa mattina **ho letto il giornale**. → I stress the fact that I have read the newspaper.

• Mentre **leggevo** il giornale, è arrivata Marta. → I indicate an action that lasted for some time in the past.

• In vacanza **leggevo il giornale tutti i giorni.** → I tell about something that usually happens in the past.

Read and memorize the conjugation of the IMPERFETTO in the chart below.

PARLARE		CORRERE		SENTIRE	
io	parl – **avo**	io	corr – **evo**	io	fin – **ivo**
tu	parl – **avi**	tu	corr – **evi**	tu	fin – **ivi**
lui/ lei/**Lei**	parl – **ava**	lui / lei /**Lei**	corr – **eva**	lui / lei/**Lei**	fin – **iva**
noi	parl – **avamo**	noi	corr – **evamo**	noi	fin – **ivamo**
voi	par l – **avate**	voi	corr – **evate**	voi	fin – **ivate**
loro	parl – **avano**	loro	corr – **evano**	loro	fin – **ivano**

Tra scarpe e borse

A Look at the drawings and memorize the names of the objects. Numbers the drawings correctly.

SCARPE = SHOES

1. **scarpe da donna** = woman 's shoes
2. **scarpe da uomo** = man 's shoes
3. **scarpe da ginnastica** = sneakers
4. **scarponcini** = boots
5. **zoccoli** = clogs
6. **ciabatte** = slippers
7. **infradito** = slippers

BORSE = BAGS

8. **borsa da lavoro** = briefca
9. **portafogli** = purse
10. **portamonete** = purse
11. **valigia** = luggage
12. **baule** = trunk
13. **zaino** = backpack

B Read the dialogue and use the words given below to complete the sentences.

borsetta · vetrine · negozio · scarpe
· baule · cintura · valigia · borsa da lavoro

Indira: – Com 'è grande questo .... !

Anna: – Visto? Che cosa ti avevo detto. Qui c 'è di tutto. Entriamo.

Indira: – Un momento, fammi guardare le ....; mi piace tanto!

Anna: – D 'accordo, così vedi anche quanto costano le scarpe che vuoi comperare.

Indira: – Non ci sono solo le ...., guarda che bella quella ....

Anna: – A me piace molto la .... in basso a destra.

Indira: Ci sono tre cinture, quale ti piace?

Anna: – Quella rossa, vicino ai sandali.

Indira: – Oh, ecco quello che ci vuole per papà, una .... da ....

Anna: – Su entriamo, prima di sera devi avere un paio di scarpe nuove!

Indira: – Va bene, entriamo, so già che compererò tante cose!

Anna: – ...e ti servirà un .... per portare tutto a Calcutta!

Indira: – Un baule no, una grande .... potrebbe andare bene!

C Read the dialogue and answer the questions below.

1. Dove sono Anna e Indira?

....

2. Che cosa piace fare a Indira?

....

3. Che cosa vede di interessante?

....

4. Dov 'è la cintura che piace ad Anna?

....

5. Che cosa dice scherzando Anna?

....

6. Che cosa le risponde Indira?

....

7. Che cosa dovevano fare le due ragazze?

....

Attività

● The teacher asks students to bring old magazines or mail order catalogues. They choose the most interesting photographs and prepare a series of cards that will be used to do exercises.

The cards can be used:
• to do individual work involving description/identification of objects;
• to guess a character;
• to write a conversation expressing satisfaction and preferences.

Conjugate the verbs in brackets in the IMPERFETTO.

. Da piccolo non mi .... (*piacere*) le scarpe.

. Ricordi quando .... (*portare, noi*) i pantaloni corti?

. I ragazzi, ai miei tempi, ... (*andare*) a scuola con mocassini.

. Che cosa .... (*cercare, voi*) nel baule in cantina?

. ... (*avere, lui*) già preparato la valigia, ma non è partito.

. Non abbiamo capito che cosa .... (*volere, tu*) fare.

. Ha preso gli stivali che .... (*costare*) meno.

. In giardino .... (*portare, lui*) sempre gli zoccoli.

. Non .... (*dovere, tu*) comperare delle scarpe?

0. Ha detto che .... (*servire, noi*) una borsa più grande.

Write a complete sentence in Italian using the IMPERFETTO and the words below.

. piacere, borsa, mi, pelle, sportiva

......

. mamma, ciabatte, non, girare, camera, piacere

......

. non, mai, quali, scegliere, sapere, mettere, scarpe

......

. finire, sandali, mai, non, provare.

......

. fratello, ricordare, mio, comperato, non, avere, dove, cintura

......

Focus grammatica

NESSUNO, ALCUNO

NESSUNO is only used in the singular. It is a negative form and does not require "non" when it precedes the verb.
On the contrary, when NESSUNO follows the verb it requires "non".

Ex.: **Nessun** passeggero è sceso dal treno.
Dal treno **non** è sceso **nessun** passeggero.

ALCUNO is used in the singular and in the plural, but it has different meanings.

ALCUNO singular in negative sentences is the same as NESSUNO.

Ex.: Non c'è **alcun motivo** per partire subito.
Non c'è **nessun** motivo per non partire subito.

ALCUNO in the **plural**, in positive sentences, has the meaning of QUALCHE and it indicates some indefinite number.

Ex.: Ci sono **alcune cose** interessanti in vetrina.
C'è **qualche** cosa interessante in vetrina.

F **Check the correct form in the sentences below.**

1. A Marisa (*piacevano / piaceva*) le calze di lana.

2. Da bambini (*volevate / volevi*) sempre i sandali.

3. Indira non (*sapeva / sapete*) che cosa regalare al padre.

4. Ho provato un vestito che mi (*stava / stavano*) benissimo.

5. Ha chiesto a Mara se (*aveva / avevano*) dei sandali di pelle.

6. La nonna (*metteva / mettevano*) i vestiti vecchi nel baule.

7. Che cosa (*facevano / facevate*) voi due in quel negozio?

8. Marco non (*ricordava / ricordavi*) dove aveva messo la cintura.

9. Avete detto che vi (*serviva / servivo*) una valigia?

10. Spesso il nonno (*portava/ portavi*) gli zoccoli.

G **Read the answer and ask the question.**

1. ....
Li ho comperati in montagna (scarponcini).

2. ....
Sì, le scarpe col tacco ti stanno bene.

3. ....
Per la piscina ci servono le ciabatte infradito.

4. ....
Non ricordo se le ho messe in valigia (magliette).

5. ....
Vado a comperarli nel pomeriggio (stivali)

H ◉ **Listen to the dialogue and fill in the missing words.**

– Buongiorno signorina.

– Buongiorno, in .... cosa .... aiutarla?

– .... un paio di scarpe ....

– Ha già visto .... in vetrina?

– Sì, dei .... in pelle marrone.

– Che numero porta?

– Il ....

– Ora .... prendo un paio, per provarli.

– Mi .... proprio bene, sono comodi ed eleganti.

– Prenda lo .... modello in nero, lo porta con tutto…

– È vero, ma .... costano?

– .... €.

– Sono un po' cari, ma mi .... molto. Li prendo.

Andiamo in montagna

Uncle Marc invited Jacopo and Indira to spend a few days over the Christmas vacation in the house that he leased at Campo Imperatore in the Abruzzo mountains in the middle of the National Park. If they want they will be able to ski, if not they will be able to sun bathe and enjoy the beautiful view from the terrace of the house.

Signora Campi: – Allora, ragazzi, avete fatto l'elenco di quello che dovete mettere in valigia?

Jacopo: – Mamma, siamo capaci di fare i bagagli!

Mike: – Io ho fatto l'elenco di quello che non ho.

Jacopo: – Per esempio?

Mike: – Scarponi, sci e racchette sono a Boston.

Signora Campi: – Li puoi prendere a noleggio su in montagna.

Jacopo: – Anch'io lo farò. Non ce l'ho ancora l'attrezzatura completa.

Indira: – Io non mi preoccupo, non so sciare!

Mike: – E ti divertirai a vederci rotolare nella neve...

Indira: – Non ho intenzione di passare il tempo a guardare voi due!

Jacopo: – Che cosa pensi di fare?

Indira: – Prendere il sole, riposare e imparare a pattinare... questo sì che mi attira molto.

A Read the dialogue and answer the questions below.

1. Che cosa preparano i ragazzi?

....

2. Dove devono andare?

....

3. Quale problema ha Mike?

....

4. Che cosa gli dice la signora Campi?

....

5. Che cosa pensa di fare Indira?

....

6. Che cosa la attira molto?

....

B Write a complete sentence in Italian with the words below.

1. sciare, ragazzi, Indira, capaci, non, essere, dire

....

2. Mike, scarponi, lasciare, sci, Boston

....

3. vacanze, andare, zio, montagna, sciare, io

....

4. piacere, ti, pattinare, che, sciare, più

....

5. capace, bagagli, fare, essere, Mike

....

6. Indira, intenzione, riposare, avere

....

Grammatica

IL VERBO ESSERE / TEMPO IMPERFETTO
Look at the conjugation and memorize it.

ESSERE	
io	ero
tu	eri
lui/lei /**Lei**	era
noi	eravamo
voi	eravate
loro	erano

Vocabolario

l'elenco (m.s.) = list
capaci = able
i bagagli (m.p.) = luggage
gli scarponi (m.p.) = skiboots
gli sci (m.s.) = skis
le racchette (f.p.) = poles
il noleggio (m.s.) = rental
l'attrezzatura (f.s.) = equipment
completa = complete
non mi preoccupo = I don't worry

sciare = to ski
ti divertirai = you will enjoy
rotolare = to roll
la neve (f.s.) = snow
avere intenzione = to be going to, to intend
riposare = to rest
imparare = to learn
pattinare = to skate
mi attira = I like

Look at the objects. Write the words on your list of things to pack for your ski vacation. Add what is missing.

gli occhiali (m.p.) **da sole**
= sunglasses

il pile (m.s.)
= fleece

la tuta (f.s.) **da sci**
= skisuit

il berretto (m.s.)
= cap

la giacca (f.s.) **a vento**
= wind cheater/windbreaker

i guanti (m.p.)
= gloves

D Fill in QUESTO/QUELLO in the sentences below.

. Vorrei .... scarponi là in vetrina.

. Portami .... calze di lana, che sono sul letto.

. Compero .... tuta da sci.

. Mi piace .... cintura qui, la prendo.

. Vorrei vedere .... paio di stivali.

. Dove metto .... mocassini?

. Prendimi .... guanti là in alto.

F Fill in the correct words in the sentences below.

tacco · lino · ginnastica · seta · lana · uomo · pelle

1. Mi piace quel foulard di ....
2. La giacca di .... è molto elegante.
3. La cintura di .... è costosa.
4. Metterò le scarpe col .... alto.
5. Il berretto di .... è di Michele.
6. Ho trovato nel cassetto una sciarpa da ....
7. Mike porta sempre scarpe da ....

E Listen to the dialogue and check Vero ☑ or False ☒ (True/False).

. Lui propone di andare in montagna.   ☑ ☒

. Lei vuole andare al mare.   ☑ ☒

. A lui piace sciare.   ☑ ☒

. A lei piace pattinare.   ☑ ☒

. Lui propone di andare a Bormio.   ☑ ☒

. A Bormio lei può imparare a sciare.   ☑ ☒

. A Bormio c'è una piscina con acqua calda.   ☑ ☒

. A lei non basta andare in piscina.   ☑ ☒

. La città ha tanti bei negozi.   ☑ ☒

Focus lingua

I TESSUTI
There are fabrics made of **natural fibers** such as:

lana→ wool	**cotone** → cotton
seta→ silk	**lino** → linen

Other products are made of **artificial fibers**, such as:

pile → synthethic fleece	**nylon** → nylon
microfibra → microfiber	**poliestere** → polyester

● R E V I E W ●

A Check to see if you know the conjugation of the verbs in the chart below. Complete the chart.

	PRESENTE	FUTURO	PASSATO PROSSIMO	IMPERFETTO
Essere	io .... loro	io .... loro	io .... loro	io .... loro ....
Avere	io .... loro	io .... loro	io .... loro	io .... loro ....
Parlare	io .... loro	io .... loro	io .... loro	io .... loro ....
Chiedere	io .... loro	io .... loro	io .... loro	io .... loro ....

B Write a complete sentence in Italian following the instructions below.

1. Telefoni a Lisa, la saluti e le chiedi se esce con te.

....

2. Lisa chiede dove vuoi andare e che cosa pensi di fare.

....

3. Dici che vuoi comperare dei pantaloni.

....

4. Lei propone di andare in un negozio in centro.

....

5. Dici che va bene e fissi ora e luogo dell'incontro.

....

6. Lisa saluta e conferma l'appuntamento.

....

D Write a complete dialogue in Italian using both informal and formal speech following the instructions below.

1. Gianni entra in un negozio e saluta in modo formale il signor Neri.

....

2. Il signor Neri, che lo conosce, risponde in modo confidenziale, e chiede che cosa gli serve.

(Gianni)

....

3. Dice che ha bisogno di scarpe da ginnastica.

....

4. Il signor Neri chiede quanto vuoi spendere.

....

5. Gianni indica il prezzo massimo e minimo

....

C Arrange the sentences below in the correct sequence.

.... Bene, la compero.

.... Buongiorno, che cosa desidera?

.... 120 €

.... Bianca o azzurra, taglia 42.

.... Ho questa di seta e quella di cotone, le piacciono?

.... Buongiorno e arrivederci

.... Vorrei una camicetta elegante.

.... Il colore? La taglia?

.... Quella di seta mi piace di più. Quanto costa?

Focus grammatica

I VERBI FARE E DIRE
The verbs FARE and DIRE are derived from Latin FAC-ERE and DIC-ERE.
Both have dropped the central syllable.
This is why, even if ending in –ARE, –IRE, they belong to the second conjugation –ERE.

The **imperfetto** has this conjugation.
Memorize this conjugation.

	DIC	FAC
io	dic-**evo**	fac-**evo**
tu	dic-**evi**	fac-**evi**
lui/ lei/**Lei**	dic-**eva**	fac-**eva**
noi	dic-**evamo**	fac-**evamo**
voi	dic-**evate**	fac-**evate**
loro	dic-**evano**	fac-**evano**

E Write a complete dialogue in Italian with the words in the chart below. You can change information as far as color, fabric and size.

VESTITI	TAGLIA	TESSUTO	COLORE	PREZZO/COSTO
Camicia	40	cotone	bianco	50 €
Pantaloni	44	lana	marrone	75 €
Abito donna	46	lino	verde	150
Cravatta	/	seta	blu	27 €
Gonna	42	cotone	rosa	30 €
Jeans	48	jeans	azzurro	80 €

F Change the verbs in the sentences below into the IMPERFETTO.

1. Voglio una camicia di cotone.

....

2. Porta un abito di seta molto elegante.

....

3. Preferite delle scarpe col tacco?

....

4. Indossano abiti sportivi.

....

5. Mette in valigia i vestiti per la montagna.

....

6. Compera sempre magliette di cotone.

....

G Change the sentences into the plural.

1. Mia sorella andava spesso in montagna.

....

2. Non mi hai detto quanto costa il vestito.

....

3. Non dicevo mai quanto spendevo per le scarpe.

....

4. Quel negozio fa i saldi a luglio.

....

5. Quante magliette avevi comperato a Roma?

....

6. Gli serviva un vestito elegante.

....

H Complete the sentences as in the example below.

Franca .... a letto presto, perchè .... stanca.

(andare / essere)

Franca è andata a letto presto, perché era stanca.

1. Marco .... in negozio, perché gli .... delle scarpe.

(*andare / servire*)

....

2. Mia sorella .... la sciarpa di lana, perché .... freddo.

(*prendere / avere*)

....

3. Oggi .... i jeans, perché .... in campagna.

(*mettere / andare, noi*)

....

4. Loro .... le valigie, perché .... partire.

(*portare / dovere*)

....

5. .... il baule della nonna, perché .... dei guanti di seta.

(*aprire / cercare io*)

....

Se quella è la giacca di Armani perché la vuole dare a me?

Attività

● The teacher asks the students to read the fabric content label on the clothes they wear every day at home, at school or in the gym.
With the data recorded and in collaboration with the math teacher , you can do a statistical analysis of the fabrics used in clothing (shorts, trousers, skirts etc).

DOVE TROVO UN BEL VESTITO

Per festeggiare Capodanno i ragazzi della classe di Jacopo andranno a una festa in discoteca. Tutti vogliono essere eleganti e da giorni cercano un abito adatto alla serata.

MILANO, LA CAPITALE MONDIALE DELLA MODA

Milano è il capoluogo della regione Lombardia. La città vera e propria ha una popolazione di circa 1.300.000 abitanti: l'area metropolitana milanese, ha una popolazione di circa 7.400.000 abitanti.

La città è uno dei più importanti centri industriali e d'affari. È al ventiseiesimo posto nel mondo per ricchezza.

In base agli studi del 2010 dell'Economist Intelligence Unit è al dodicesimo posto nel mondo per costo della vita.
Milano è riconosciuta come città della moda nel mondo, come capitale del design, con la più grande influenza globale nel commercio, nell'industria, nella musica, nello sport, nella letteratura, nell'arte, nei media.

MILAN, WORLD FASHION CAPITAL

Milan is the capital of the region of Lombardy. The city proper has a population of about 1,300,000, while the Milan metropolitan area has a population of 7,400,000.

Milan is one of the most important centers for business and finance.
It is the world's 26th richest.

According to a 2010 study by the Economist Intelligence Unit, the city is the world 's 12th most expensive to live in.
Milan is recognized as a world fashion and design capital with a major global influence in commerce, industry, music, sports, literature, art and media.

■ Via Montenapoleone
After World War II, Via Monte Napoleone became one of the leading streets in international fashion, somewhat equivalent to Paris ' Rue du Faubourg-Saint-Honoré, Rome 's Via Condotti, London 's Bond Street or Oxford Street, and Florence 's Via de ' Tornabuoni.

■ Il Duomo
The cathedral of Milano is often described as one of the greatest churches in the world. The height of the nave is about 45 meters, the highest Gothic vault of a complete church.
The roof is open to tourists, which allows many a close-up view of some spectacular sculpture that would otherwise be unappreciated.

■ La Galleria Vittorio Emanuele II
The Galleria Vittorio Emanuele II is a covered double arcade formed of two glass-vaulted arcades at right angles intersecting in an octagon; it is situated on the northern side of the Piazza del Duomo in Milan and connects to the Piazza della Scala.

città ha una fama musicale particolare ll 'opera. Vi nacquero molti importanti mpositori (come Giuseppe Verdi) ed è de di teatri (come il **Teatro alla Scala**).

ilano è anche molto conosciuta poiché ssiede numerosi importanti musei, niversità, accademie, palazzi, chiese e blioteche (come quelle dell 'Accademia Brera e del **Castello Sforzesco**) e due mose squadre di calcio il Milan e l'Inter. città ospitò nel 1906 l 'esposizione ondiale e ospiterà nel 2015 l 'Expo.

a Monte Napoleone è soprannominata Montenapo" dai milanesi; è una delle più nportanti strade del distretto della moda nosciuto come il "Quadrilatero della oda" dove molti famosi stilisti hanno le ro boutiques. nche i più esclusivi produttori di scarpe anno i loro negozi in questa strada.

The city has a famous musical tradition, particularly operatic. It is the home of several important composers (such as Giuseppe Verdi) and theatres (such as the Teatro alla Scala).
Milan is also well-known for several important museums, universities, academies, palaces, churches and libraries (such as the Academy of Brera and the Castello Sforzesco) and two renowned soccer teams: Milan and Inter.
The city hosted the 1906 World Exposition and will host the 2015 Universal Exposition.

Via Monte Napoleone, nicknamed "Montenapo" by the Milanese, is the most important street in the Milan fashion district, the "Quadrilatero della moda", where many well-known fashion designers have their boutiques.
The most exclusive Italian shoe manufacturers maintain boutiques on this street.

La Scala
La Scala is a world renowned opera house in Milan. The theater was inaugurated on August 3, 1778. La Scala is also associated with a school , known as the La Scala Theatre Academy which offers professional training in music, dance, stage craft and stage management.

ad the question and answer in Italian.

Di quale regione è capoluogo Milano?

.....

Quanti abitanti ha la città vera e propria?

.....

Quanti abitanti ha l 'area metropolitana Milanese?

.....

Per che cosa la città è uno dei più importanti centri?

.....

In quale posto nel mondo si pone per il costo della ta?

.....

Come è riconosciuta nel mondo?

.....

Che cosa possiede Milano?

.....

Che cosa ospiterà nel 2015 la città?

.....

Che cos 'è Via Monte Napoleone?

.....

Il Castello Sforzesco
Castello Sforzesco is a castle in Milan that used to be the seat and residence of the Duchy of Milan. It is one of the biggest citadels in Europe and now houses several of the city 's museums and art collections.

GLI INDUMENTI

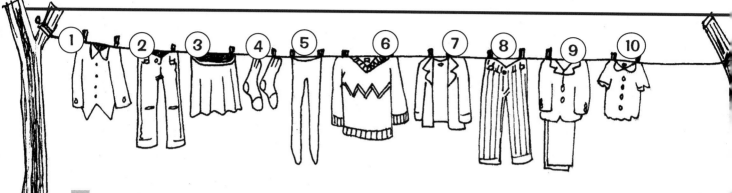

A Match the name of the clothing with the correct number, then write the letters in the boxes and you will discover the name of the object marked with NUMBER 5.

CAMICIA

GONNA

MAGLIONE

CALZE

JEANS

ABITO

GIACCA

PANTALONI

CAMICETTA

1. ◯ _ _ _ _ _ _

2. _ _ _ _ _ _

3. _ ◯ _ _ _ _

4. _ _ ◯ _ _ _

5. ?

6. _ _ _ ◯ _ _ _ _

7. _ _ ◯ _ _ _

8. _ _ ◯ _ _ _

9. _ _ _ ◯ _ _

10. _ _ _ _ _ _ _ _

Indumento numero 5:

Focus lingua

In Italian they say:

• L'ABITO NON FA IL MONACO.

At one time wearing religious clothing commanded respect, but the people wearing them were not always worthy of this religious esteem. "Clothes do not make the man".

Wearing fancy clothing is not enough to be considered a respectable person. How else would you say this in English? ....

• TENERE IL PIEDE IN DUE SCARPE.

Literally this means to have one foot in each camp.
The figurative meaning is: "Playing both ends against the middle".

How else would you say this in English? ....

W R I T I N G ● S P E A K I N G

UOI SAPERE SE LA MODA TI CONDIZIONA?

A Answer the questions.

Comperi o leggi riviste di moda:
) qualche volta
) spesso
) mai

Quando osservi una persona guardi in particolare:
) il colore dei vestiti che indossa
) la marca dei vestiti che indossa
) come le stanno i vestiti che indossa

Comperi nuovi vestiti:
) quando hai usato per un po' i tuoi
) spesso, perché non ti piacciono più
) solo quando è necessario

Preferisci avere in regalo:
) un libro
) un cd
) un capo di abbigliamento

Preferisci comperare:
) una sola maglietta di marca
) alcune magliette colorate
) non fai differenza

Esci per la prima volta con un ragazzo. Come ti vesti:
) in modo elegante
) in modo sportivo
) in modo casuale

Ci sono i saldi, che cosa fai:
) li ignori
) li aspetti per comperare una cosa che ti serve
) ne approfitti per comperare cose non previste.

C Debate the test results.
he students should say if they think that their profiles
re correct and listen to the opinions of the others.

B Score your answers and find your profile.

1	B	A	C
2	B	A	C
3	B	A	C
4	C	B	A
5	A	C	B
6	A	B	C
7	A	C	B

Predominance of A: you are significantly influenced by fashion. For you, people's appearance is almost more important than their character. You really like to spend money on buying clothes.

Predominance of B: you are a pretty balanced person and a moderate person. You give outward appearance the value it deserves. You like to be well-dressed, but fashion doesn't affect you.

Predominance of C: your appearance is not important to you. You only buy what you need and you are not affected by advertising. You sometimes look untidy.

D Write a short composition in Italian explaining what you think of the Italian way of dressing. Say which clothes, colors and materials you prefer.
Try to say if you consider the cost and why you do or do not. If you need additional vocabulary ask for the teacher's help.

E Look at the pictures and describe the clothing the two people are wearing. What kind of clothes are they wearing? In your opinion, where are they? What are they doing?

F How are you dressed today? Describe your clothing. Each student writes a short composition.

G You have to write an article for the school newspaper about young people 's fashions. Ask some questions to your classmates and collect information about the kind of clothing they prefer.

H In turn a student describes the dress of a friend or someone well known and asks the class to guess who it is.

Grammatica

I MODI INDEFINITI

The conjugation of the verb has different endings to show the person who is acting (the subject). There are some verb forms that do not change.

You already know two indefinite modes: INDEFINITO e PARTICIPIO.

The third indefinite mode is GERUNDIO, characterized by the ending – NDO, preceded by a vowel that changes depending on the **verb conjugation**.

parlare → parla–ndo   vedere → vede–ndo   finire → fine–ndo

The GERUNDIO is used in a particular conjugation: STARE + gerund of a verb indicates that the action is in progress.

Note!

Guardo la televisione. → means that television generally interests me and I usually watch it.

Sto guardando la televisione. → means that at this moment I 'm actually watching TV.

R E V I E W

A Change the verbs in the sentences below into the PASSATO PROSSIMO.

1. Mario scrive il suo nome sullo zaino nuovo.

....

2. Mio padre non porta mai i jeans.

....

3. Dove compera le magliette tuo fratello?

....

4. Che cosa ti piace del suo modo di vestire?

....

5. Vedi quella borsa? Costa 300€?

....

B Conjugate the verbs in brackets. Follow the example below.

1. Mentre .... in centro .... tua sorella.
(*andare, io / vedere*)
Mentre andavo in centro ho visto tua sorella.

2. .... a comperare la valigia , mentre io .... in ufficio.
(*andare, voi / essere*)

3. Quando ...., non .... parlare in italiano.
(*arrivare, voi / sapere*)

4. Mentre .... il treno .... un intero libro.
(*aspettare, noi / leggere*)

5. Mentre .... le vetrine, ... la prof di inglese.
(*guardare, loro / vedere*)

6. .... al cinema , mentre io .... i compiti.
(*andare, voi / fare*)

C Fill in the correct adjective or pronoun in the sentences below. Choose among:

nessuno • alcuno • stesso • questo • quello

1. .... camicia è più elegante di .... in vetrina.
2. Mario porta sempre gli .... vestiti.
3. Il cappotto di .... signore è molto elegante.
4. Il mio giubbotto è di pelle, ... che ha Luigi è di pile.
5. .... professore veste in modo sportivo.
6. Ho trovato .... magliette a buon prezzo.
7. Non c 'è .... motivo per comperare altri vestiti.
8. Non ho mai visto .... vestito così male!

D Fill in the correct form of the adjective in brackets.

1. Mi piacciono le scarpe .... (*nero*).
2. Hai comperato delle calze .... (*rosa*).
3. Prendiamo i mocassini .... (*marrone*).
4. Che strane le ciabatte .... (*giallo*)!
5. Ho un paio di pantaloni .... (*rosso*).
6. Hai comperato una camicia .... (*arancio*).
7. Sai di chi è la tuta .... (*grigio*)?
8. Non riesco a vendere quelle giacche .... (*viola*).
9. Dove posso trovare un abito .... (*bianco*)?

E Fill in the correct words in the sentences below.

**giacca • cappotto • scarpe • magliette • jeans• tuta
cravatta • scarponi • camicia • maglione • ciabatte**

1. Avevo bisogno di un paio di .... col tacco.
2. Quando rientro in casa metto le ....
3. In montagna ho comperato gli .... da sci.
4. Questa sera metterò la ...., fa un po' freddo
5. In ufficio devo mettere la .... e la ....
6. Il .... di lana è un regalo della zia.
7. Tutti i ragazzi portano con piacere i .... usati.
8. In palestra usate la .... o no?
9. Ho visto delle di cotone molto belle.
10. Mio padre porta il ...., io preferisco il giubbotto.

F Write the correct meaning of PORTARE in the bracket in the sentences below.

**indossare • avere • portare • dare • accompagnare
andare**

1. Quando porti tuo fratello dalla nonna. (.........)
2. Il biglietto portava la data del mese scorso. (.........)
3. Il prof di latino non porta mai abiti eleganti. (.........)
4. Passare sotto una scala porta sfortuna. (.........)
5. L 'autobus 91 porta in centro. (.........)
6. Quando mi porti il libro di matematica?. (.........)
7. Un proverbio dice: – Tutte le strade portano a Roma. (.........)
8. Porta con te questo libro, quando vai in vacanza. (.........)
9. In alcune scuole gli studenti portano la divisa. (.........)

G Change the verbs in the sentences below into the IMPERFETTO.

1. Nessuno fa i compiti nel fine settimana.
....

2. Dite sempre che non vi piacciono i sandali.
....

3. Scegliamo insieme i vestiti per i bambini.
....

4. La cuoca porta un bel grembiule bianco.
....

5. Mia sorella a scuola porta la divisa.
....

6. Che cosa cercate nella borsa della mamma?
....

H Answer the questions.

1. Chi ti ha regalato quel foulard? (*mio fratello*)
....

2. Che cosa hai trovato nel baule dei nonni?
(*vestiti eleganti*)
....

3. Che cosa ti metti per uscire con Gianni? (*i soliti vestiti*)
....

4. Chi è la signora con quel tailleur grigio? (*mia zia*)
....

5. Quando hai comperato la borsa marrone?
(*la settimana scorsa*)
....

6. Dove posso trovare un abito di seta?
(*nei negozi in centro*)
....

I Change the sentences below into the plural.

1. Quanto costa la gonna di lino nera?
....

2. C'è una ragazza con il vestito verde?
....

3. Quale ragazzo può portare una giacca verde?
....

4. In vetrina ho visto una camicetta rosa molto elegante.
....

5. Questa maglietta gialla non è bella.
....

6. Nel cassetto ho trovato un berretto bianco
....

L Rewrite these sentences. Follow the example below.

1. Non posso vedere quanto costa perché non ho gli occhiali.
Non avendo gli occhiali, non posso vedere quanto costa.

2. Prendimi delle calze mentre vai in centro.
....

3. Guarda le camicie da uomo quando passi davanti alla vetrina.
....

4. Quando metti in ordine i cassetti, scegli le cose che non ti servono.
....

5. Non mettere tutto in disordine quando cerchi le tue cose.
....

6. Quando torno dall'ufficio mi fermerò a comperare una cintura.
....

M Change each sentence following the example below.

Chi legge quel libro? → Chi sta leggendo quel libro?

1. Dove porti quella giacca?
....

2. Marco entra in un negozio di scarpe.
....

3. Prendo delle magliette per l'estate.
....

4. Scelgono la giacca a vento per Maxi.
....

5. Andate a fare un giro per negozi?
....

6. Paola compera una sciarpa di lana bianca.
....

N Arrange the sentences below in the correct sequence.

.... Ecco. C'è questa camicia blu... come le sembra?
.... Una volta. Oggi i ragazzi non guardano queste cose.
.... Di che colore?
.... 120 €.
.... Non saprei.
.... Vorrei una camicia per mio figlio.
.... Ma è rosa! È un colore da donna!
.... Penso che gli piacerà. Quanto costa?
.... Mio figlio preferisce le camicie sportive.
.... È il tessuto che costa, è lino...
.... Se suo figlio segue la moda questa gli piacerà.
.... È un po ' cara...

ANCHE I VESTITI
HANNO UNA STORIA

Il tailleur

L'abito femminile in periodi storici diversi è stato considerato il mezzo per nascondere il corpo delle donne o per metterlo in evidenza. Il modo di vestire infatti era imposto alle donne da una società che non le considerava alla pari con gli uomini.

Nella seconda metà del ventesimo secolo, le donne sono entrate nel mondo del lavoro e anche il loro modo di vestire è cambiato. Le donne hanno adottato il tailleur, pantaloni, camicetta e golfino.

I jeans

Oggi sono i pantaloni più indossati dai giovani e dagli adulti, ma pochi conoscono la loro storia.

Il tessuto di cotone blu veniva prodotto già nel 1500 nel porto di Genova, tanto che era conosciuto come "blu di Genova" e da qui fu portato negli USA nel 1800.
Qui Levi-Strauss realizzò per i cercatori d'oro in California il primo paio di blue-jeans. I tipici pantaloni in tela di Genova con cinque tasche sono diventati per i giovani un simbolo di libertà.

ALSO CLOTHES
HAVE THEIR HISTORY

The suit

At different times in history women's clothing has been a way to hide the female body or to highlight it.
The tradition of covering the body was often imposed by societies that did not consider women as equals.

In the second half of the 20th century, when women entered the workforce, the styles changed. Women began wearing suits and later pantsuits with a blouse or sweater.

The jeans

Today jeans are worn by adults and young people all over the world, but few people know the story behind "blue jeans".
The blue colored cloth was used in 1500 in the harbor of Genoa. It was known as the "blue of Genoa". In the 1800s this fabric was sent to the United States.
Here Levi-Strauss made the first pair of blue jeans for the gold-propectors in California. These 5 pocket trousers made of Genoa cloth have become a symbol of freedom for young people.

LA MODA ITALIANA: STILISTI E SFILATE

La moda è un settore importante dell'economia italiana.

Il successo del made in Italy è il risultato della creatività degli stilisti e della avanzata tecnologia dei manifatturieri italiani.

Tra le attività più importanti e affascinanti di questa industria ci sono le sfilate di moda.

Gli stilisti, presentano al pubblico le creazioni che noi troveremo nei negozi di moda pronta o nelle boutiques.

Questi eventi seguono un calendario stagionale e si svolgono prevalentemente a Milano, Roma e Firenze.

Milano con "Milano moda" è considerata il centro più importante per l'industria della moda.

Da alcuni anni, poi, un evento molto importante si svolge a Roma con il nome di "Donna sotto le stelle", una spettacolare sfilata notturna che usa come passerella la celebre scalinata di Piazza di Spagna.

ITALIAN FASHION: STYLISTS AND FASHION PARADES

The fashion industry is an important part of the Italian economy.

The success of the "Made in Italy" label is a result of the creativity of the stylists and the advanced technology of the Italian manufacturers.

Among the most important and fascinating activities this industry are the fashion shows.

The stylists show their creations to the public; then you will find them in the shops or in the haute coutu boutiques.

These events follow a seasonal calendar and happen i Milan, Rome and Florence.

Milan with "Milano Moda" is considered the most important town for the fashion industry.

For some years another important event has taken place in Rome "Donna sotto le stelle" a night fashion show whose impressive catwalk is the famous Spanis Steps in Piazza di Spagna.

Obiettivi / Goals:

- Asking and answering a question
- Knowing the names of main meals and foods
- Describing the objects on the table

■ **Prodotti della cucina italiana**

MANGIAMO QUALCOSA?

Prendiamo qualcosa?

One afternoon at school Jacopo, Indira, Mike and some friends met a young writer for the presentation of his new book. Jacopo, Indira, Mike and their friends were fond of the young writer, but the presentation was really very difficult. At about five o'clock, when the meeting was over, they went to the cafeteria near the school to talk about the difficulties they had with the presentation. Some of them ordered a drink, while others had a snack.

Anna: – Siete riusciti a seguire la presentazione del libro?

Mike: – In parte, il linguaggio era un po' difficile.

Indira: – Io ho capito solo che si parlava dei giovani.

Lisa: – Be', se vi può consolare, in certi momenti ho fatto fatica anch'io.

Jacopo: – Ma dai!

Anna: – Adesso ordiniamo qualcosa da bere. Ho una sete…

Mike: – Io mangerei volentieri qualcosa.

Indira: – Ho visto dei dolci molto attraenti, entrando.

Jacopo: – Vediamo… tu che cosa prendi Anna?

Anna: – Io vorrei una tazza di tè.

Lisa: – Io preferisco una cioccolata calda.

Indira: – Cioccolata con panna per me.

Mike: – Per me una spremuta d'arancia e una fetta di torta.

Jacopo: – A me basta un succo di frutta… alla pesca.

Anna: – Bene, adesso possiamo ordinare.

A Read the dialogue and check the correct answer.

1. All'inizio i ragazzi parlano:
○ dell'incontro con uno scrittore
○ del fatto che era difficile seguire la presentazione
○ di uno scrittore giovane

2. Anna propone di:
○ continuare a parlare fuori
○ ordinare qualcosa da mangiare
○ ordinare qualcosa da bere

3. Prima di ordinare i ragazzi:
○ chiedono che cosa c'è da bere
○ decidono che cosa prendono
○ chiamano il cameriere

B Match each food or drink to the person who ordered it.

1. succo di frutta	a. Anna
2. cioccolata con panna	b. Jacopo
3. spremuta d'arancia	c. Mike
4. fetta di torta	d. Indira
5. tazza di tè	e. Lisa
6. cioccolata	

Vocabolario

siete riusciti = you were able, you succeeded
la presentazione (f.s.) = presentation
in parte = partly
il linguaggio (m.s.) = language
difficile = difficult
consolare = to console
certi momenti = at times, sometimes
la fatica (f.s.) = fatigue
ma dai! = but come on!
ordiniamo = we order
qualcosa = something
la sete (f.s.) = thirst
mangerei = I would eat

volentieri = willingly
i dolci (m.p.) = sweets
attraenti = attractive
vediamo = let us see
la tazza (f.s.) = cup
il tè = (m.s.) tea
la cioccolata (f.s.) = chocolate
la panna (f.s.) = cream
la brioche (f.s.) = brioche
la spremuta d'arancia (f.s.) = orange juice
la fetta (f.s.) = slice
il succo (m.s.) **di frutta** = fruit juice
la pesca (f.s.) = peach

Answer the questions below.

Buongiorno signore, che cosa vuole? (*un tè*)

.....

Che cosa preferisci? (*un succo di frutta*)

.....

Che cosa non ti piace? (*la cioccolata*)

.....

Qual è il dolce migliore? (*la torta con la panna*)

.....

Dove andiamo a prendere qualcosa? (*al bar vicino*)

.....

Quale gelato preferisci? (*gelato alla fragola*)

.....

Fill in the correct prepositions and articles in the sentences below.

Mike e Indira vanno insieme .... bar.

.... vetrina di quel negozio ci sono .... torte favolose.

.... amici .... Jacopo prendono .... cioccolata.

Vorrei .... tazza .... tè.

Ti piacciono .... torte .... panna?

.... mamma ha preparato .... cioccolata .... tutti.

.... mattino mi piace bere .... spremuta .... arancia.

.... succhi .... frutta piacciono molto .... bambini.

E **Fill in the present tense of the verb PREFERIRE in the sentences below.**

1. Chi .... restare a casa?
2. Noi .... andare al bar.
3. Vuoi un tè o .... altro?
4. Voi .... certo una cioccolata.
5. I signori .... cenare alle sette.
6. Marco e Dario .... prendere una brioche.
7. Scusi, signora, dove .... andare?
8. Io .... prendere una spremuta.

F **Change the sentences below into the plural.**

1. Sono riuscito a seguire la presentazione.

....

2. Io non ho capito tutto.

....

3. Tu dove sei stato nel pomeriggio?

....

4. Preferisco continuare a parlare più tardi.

....

5. Adesso ordino qualcosa da bere.

....

6. Io voglio una fetta di torta.

....

7. A te piace la cioccolata con la panna?

....

Focus grammatica

IO VORREI: CONDIZIONALE PRESENTE
The present conditional of the verb VOLERE is often used to express a desire or ask for something politely . Look at the conjugation of VOLERE and memorize it.

VOLERE	
io	vorrei
tu	vorresti
lui/ lei/**Lei**	vorrebbe
noi	vorremmo
voi	vorreste
loro	vorrebbero

Prepariamo la tavola?

Jacopo and his friends have finished their homework. At eight o'clock Mrs. Campi calls them and asks them to give her a hand setting the table.

Signora Campi: – Ragazzi, mi date una mano.

Jacopo: – Che cosa devo fare, mamma?

Signora Campi: – Preparare la tavola, mentre io finisco di cucinare.

Indira: – Non ci sono problemi, facciamo noi.

Mike: – Io sono abituato, a casa tocca sempre a me.

Signora Campi: – Le cose necessarie sono nei cassetti del tavolo in cucina.

Jacopo: – Va bene, cominciamo.

Indira: – Io metto la tovaglia.

Mike: – Io prendo i piatti e i bicchieri.

Jacopo: – … e io metto le posate… ecco… forchetta, coltello e cucchiaio. Mamma, la tavola è pronta!

Indira: – No, manca ancora l'acqua, dove trovo la bottiglia?

A Read the answer and, referring to the dialogue, ask the question.

1. ....
Dimmi che cosa devo fare.

2. ....
Sì, lo facciamo noi.

3. ....
Certo sono abituato a questi lavori.

4. ....
Sono nei cassetti del tavolo.

5. ....
Vado io a prendere i piatti.

6. ....
Le posate le mette Jacopo.

Vocabolario

dare una mano = to give a hand
preparare = to set
la tavola (f.s.) = table
cucinare = to cook
necessarie = necessary
la tovaglia (f.s.) = table cloth
i bicchieri (m.p.) = glasses
le posate (f.p.) = cutlery
la forchetta (f.s.) = fork

il coltello (m.s.) = knife
il cucchiaio (m.s.) = spoon
pronta = ready
l'acqua (f.s.) = water
la bottiglia (f.s.) = bottle
trovo = I find

B Read the dialogue and answer the questions below.

1. Che cosa chiede ai ragazzi la signora Campi?
....

2. Chi è abituato ad aiutare in casa?
....

3. Dove si trova il necessario per la tavola?
....

4. Chi mette la tovaglia?
....

5. Che cosa prende Mike?
....

Focus grammatica

IL FALSO FEMMINILE
Changing the final vowel of a noun changes the gender of the noun and the meaning of the word.
Here below are some examples:

tavolo → mobile della cucina = kitchen furniture
tavola → tavolo apparecchiato = set table
panno → tessuto, stoffa = fabric, cloth
panna → crema per dolci = cream for cakes
ora → misura del tempo = hour
oro → metallo prezioso = gold
porta → apertura della casa = door
porto → rifugio per le navi = harbour

C Change the sentences as in the example below.

utami. → Ti chiedo di aiutarmi.

Prendimi la tovaglia.

.....

Ci date una mano?

.....

Metti i piatti in tavola.

.....

Portami una bottiglia d'acqua.

.....

Andate a lavarvi le mani.

.....

Venite a tavola, è pronto!

.....

D Change the sentences as in the example below.

ai messo l'acqua in frigorifero? →
chiedo se hai messo l'acqua in frigorifero.

Avete preparato la tavola?

.....

Avete bevuto il succo di frutta?

.....

Volete una tazza di tè?

.....

Dove si trova la tovaglia?

.....

Bevete un po' di succo d'arancia?

.....

Ci incontriamo davanti alla scuola?

.....

E Write a complete a sentence in Italian using the words elow. Use the verb in the PASSATO PROSSIMO.

Jacopo, oggi, andare, incontro, scrittore, giovane

.....

bere, invitare, dopo, bar, amici, qualcosa

.....

tè, Anna, solo, prendere, tazza

.....

cena, ragazzi, casa, ritornare

.....

chiedere, mano, loro, mamma, dare

.....

F Fill in the verb VOLERE in the CONDIZIONALE PRESENTE in the sentences below.

1. Che cosa .... per cena? (*voi*)
2. .... (*io*) una tazza di tè.
3. Marta e Lisa .... andare a casa.
4. Mia sorella .... venire da noi questa sera.
5. Indira .... una cioccolata calda.
6. .... darvi una mano in cucina. (*noi*)
7. .... mettere i piatti sul tavolo?
8. Chi di voi .... una spremuta?
9. Mario, ... venire a cena con noi?
10. Loro .... andare a prendere qualcosa di caldo.

G Listen to the dialogue and fill in the missing words.

– Ciao Maria che cosa fai nel ....?
– Devo finire i compiti, poi non .... altro da fare.
– .... puoi venire con me?
– Dove .... andare?
– Vorrei fare un giro in ...., ci sono i saldi.
– A che ora pensi di ....?
– Verso le ...., ti va bene?
– Sì, ma prima vieni da me, ... la torta.
– Una .... di torta e una .... di cioccolata. Che bello!
– .... dire che buono!
– Eh, sì, le tue torte sono proprio buone!
– Allora ci vediamo alle ....
– D'........., alle cinque. Ciao.

Cultura

I PASTI IN ITALIA

In Italy there are usually three meals: breakfast, lunch and dinner in the evening. Once families gathered everyday at the table to have lunch. This midday meal was a large, hot meal. Today that custom has changed. Often, during the week, parents and children do not come home at noon. Only on Sunday families are all together at lunch. So, nowadays, the most important meal of the day is the dinner in the evening, when families are together. In northern Italy dinner time is usually about eight p.m.; in southern Italy, especially in the summer when the weather is hot, dinner is at about nine p.m..

Che cosa mangi di solito?

Because eating properly is important for health and should be learned early, the schools in Florence offer courses on proper health and nutrition. Jacopo and his friends are also taking these classes. The lesson begins with a discussion of their eating habits. The presence of the two foreign students makes the conversation more interesting. The discussion is led by a teacher.

Prof: – La discussione è aperta, chi comincia?

Marco: – Prof, non è facile, da che cosa cominciamo?

Gianna: – Cominciamo dal mattino. Tu fai colazione?

Marco: – Non sempre, se mi alzo tardi prendo solo una brioche.

Laura: – Io, invece bevo un cappuccino con i biscotti. In estate mangio anche frutta.

Indira: – Io ero abituata al tè e ai succhi di frutta, allo yogurt, con biscotti o altri dolci. Qui ho scoperto il latte e il caffè…

Mike: – Anch'io avevo abitudini diverse: uova, prosciutto, un toast al formaggio, latte e cereali, a seconda della giornata. Ma devo dire che pane e marmellata non sono male…

Prof: – Visto che non è così difficile cominciare. Adesso passiamo al pranzo.

Marco: – Quando esco da scuola passo dal panettiere e mi prendo una pizza o una focaccia, altrimenti mi faccio un panino col prosciutto. poi mangio della frutta.

Mike: – Io mi farei un panino con un hamburger e le patatine fritte.

Laura: – Anche a me piacciono, ma in casa si mangia pollo, pesce, carne arrosto… tanta verdura e spaghetti al pomodoro!

MATTINO: COLAZIONE

biscotti | latte | brioche | succo di frutta
yogurt | cappuccino | pane
marmellata | fette biscottate | zucchero

POMERIGGIO: MERENDA

biscotti | macedonia | panino imbottito | pane tostato
fetta di torta | spremuta d'arancia | cioccolata calda | muffin

Vocabolario

la discussione (f.s.) = discussion
aperta = open
facile = easy
la colazione (f.s.) = breakfast
il cappuccino (m.s.) = cappuccino
i biscotti (m.p.) = cookies
lo yogurt (m.s.) = yogurt
i dolci (m.p.) = cakes
il latte (m.s.) = milk
il caffè (m.s.) = coffee
le abitudini (f.p.) = habits
diverse = different
le uova (f.p.) = eggs
il prosciutto (m.s.) = ham
il toast (m.s.) = toast
il formaggio (m.s.) = cheese
i cereali (m.p.) = cereal

a secondo di = according to
il pane (m.s.) = bread
la marmellata (f.s.) = jam
male = bad
difficile = difficult
il pranzo (m.s.) = lunch
il panettiere (m.s.) = baker
la pizza (f.s.) = pizza
il panino (m.s.) = sandwich
le patatine fritte (f.p.) = chips
il pollo (m.s.) = chicken
il pesce (m.s.) = fish
la carne arrosto (f.s.) = roast beef
la verdura (f.s.) = vegetables
gli spaghetti (m.p.) = spaghetti
il pomodoro (m.s.) = tomato

A Read the dialogue and check the correct answer.

1. In classe c'è una discussione:
○ sul modo di mangiare dei ragazzi stranieri
○ sul modo di mangiare dei ragazzi
○ sulla cucina italiana

2. Per gli studenti:
○ è facile cominciare a parlare
○ è difficile cominciare a parlare
○ non ci sono problemi a parlare

■ Dal panettiere...

B Arrange the words to form correct sentences.

una / esco / panettiere / dal / quando / prendo / focaccia

.....

gli / piacciono / me / hamburger / a / le / fritte / con / ◢tatine

.....

una / faccio / brioche / colazione / con / spremuta / una / / d'arancia

.....

piacciono / pane / a / e / me / marmellata / molto

.....

mai / fratello / fa / mio / colazione / non

.....

una / io / tè, / volentieri / tazza / bevo / di

.....

C Answer the questions using the answers provided.

Dove posso trovare dei biscotti ? (*in cucina*)

.....

Vorresti un po' di focaccia dolce? (*no*)

.....

Quando vai a prendere la frutta? (*nel pomeriggio*)

.....

Signora, prende una tazza di tè? (*sì, volentieri*)

.....

A chi porti le brioches? (*alla nonna*)

.....

Dove prendi la pizza di solito? (*dal panettiere*)

.....

Con chi vai dal panettiere? (*sorella*)

.....

D Write complete sentences in Italian using a word of each group.

1. mangiare, bere, prendere, preparare, piacere.

....

2. carne, pizza, brioche, pollo, frutta, verdura.

....

3. tè, caffè, succo di frutta, cioccolata, latte.

....

4. molto, poco, troppo, volentieri, spesso.

....

E Complete each sentence using one of the words below.

bevo · hamburger · arancia · cena · prosciutto · tè cioccolata · pizze

1. A colazione di solito io .... un cappuccino.

2. A .... questa sera ci saranno pesce e verdura.

3. La .... a me piace con la panna.

4. A Laura piacciono .... e patatine.

5. Mi prepari un toast con .... e formaggio?

6. Il panettiere fa delle .... davvero buone.

7. Nel .... metti un po' di latte o no?

8. Una spremuta d' .... per me va bene.

IL CONDIZIONALE PRESENTE					Grammatica
PARLARE		**PRENDERE**		**FINIRE**	
io	parl – **erei**	io	prend – **erei**	io	fin – **irei**
tu	parl – **eresti**	tu	prend – **eresti**	tu	fin – **iresti**
lui/ lei/**Lei**	parl – **erebbe**	lui/lei/**Lei**	prend – **erebbe**	lui/ lei/**Lei**	fin – **irebbe**
noi	parl – **eremmo**	noi	prend – **eremmo**	noi	fin – **iremmo**
voi	parl – **ereste**	voi	prend – **ereste**	voi	fin – **ireste**
loro	parl – **erebbero**	loro	prend – **erebbero**	loro	fin – **irebbero**

Al ristorante

Jacopo's grandparents are celebrating their wedding anniversary and have invited their children and their families to lunch at a restaurant in the countryside where you can still find traditional cuisine. Jacopo's grandfather is very familiar with regional dishes. He asks the chef for his recommendations and makes suggestions about what the others should order.

Cesare: – Buongiorno signori, benvenuti.
Nonno: – Buongiorno Cesare, che cosa c'è di buono oggi?
Cesare: – Un antipasto con salumi toscani, funghi, carciofi e peperon sott'olio…
Nonno: – Di primo che cosa c'è?
Cesare: – Risotto ai funghi, tagliatelle al ragù e spaghetti al pomodoro
Nonno: – Mi hai promesso un secondo speciale, che cosa hai preparato?
Cesare: – Cinghiale in umido, da leccarsi i baffi..
Nonno: – Per me va benissimo, ma gli altri, forse, preferiscono qualcosa di più leggero.
Cesare: – Abbiamo carne alla brace con verdure crude o grigliate e p il solito arrosto con le patatine…
Nonno: – Bene, cinque minuti per decidere e poi ordiniamo.
Cesare: – Intanto che decidete vi mando acqua e vino e un aperitivo..
Nonno: – Analcolico, per i ragazzi!

A **Reread the dialogue and fill in the missing words.**

1. Il nonno chiede: – .... oggi?
2. Salumi e verdure sott'olio sono.........
3. Per primo ci sono .... e spaghetti.
4. Cesare ha promesso al nonno .... speciale.
5. Gli ha preparato del .... in ....
6. Il nonno chiede cinque minuti per ....
7. Cesare gli fa portare ...., ... e un aperitivo.

B **Read the dialogue and check Vero V or Falso F (True/False).**

1. I nonni hanno invitato tutti al ristorante. V F
2. Tutti aiutano a preparare la tavola. V F
3. Il nonno chiede che cosa c'è per cena. V F
4. Come antipasto ci sono solo salumi toscani. V F
5. Ci sono risotto ai funghi e spaghetti al pomodoro. V F
6. Anche le tagliatelle sono al pomodoro. V F
7. Le verdure sono cotte o crude. V F

Vocabolario

il ristorante (m.s.) = restaurant
l'antipasto (m.s.) = appetizer
i salumi (m.p.) = salami
toscani = tuscan
i funghi (m.p.) = mushrooms
i carciofi (m.p.) = artichokes
i peperoni (m.p.) = peppers
l'olio (m.s.) = oil
il risotto (m.s.) = risotto
le tagliatelle (f.p.) = noodles
il ragù (m.s.) = ragout
promesso = promised
speciale = special
leccarsi i baffi = to smack one's lips
il cinghiale in umido (m.s.) = stewed boar
leggero = light
la carne alla brace (f.s.) = grilled meat
crude = fresh
grigliate = grilled
l'arrosto (m.s.) = roast
le patatine (f.p.) = potato chips
decidere = to decide
ordiniamo = we order
intanto = while
l'acqua (f.s.) = water
il vino (m.s.) = wine
l'aperitivo (m.s.) = aperitif
l'analcolico (m.s.) = non-alcoholic

Change the sentences into the CONDIZIONALE ESENTE.

Prendiamo un piatto di verdura cruda.

....

Io chiedo un po' di pane.

....

Per favore, mi dà una forchetta?

....

Voglio le tagliatelle al ragù.

....

Volete provare questo risotto?

....

Loro mangiano sempre le patatine fritte.

.....

Read the answer and ask the question.

....

piacerebbe mangiare del pollo arrosto.

....

rremmo uscire a cena con gli amici.

.... i signori?

r primo prenderemmo un risotto ai funghi.

.... a tuo fratello?

piacerebbe venire a pranzo da noi.

....

me dolce mi piacerebbe una fetta di torta.

....

colazione vorremmo un cappuccino.

Change the sentences as in the example below.

prendo un tè → Anch'io prenderei un tè.

Vuoi della frutta a colazione?

.....

Cominciamo a portare gli antipasti.

.....

Noi preferiamo la verdura cotta.

.....

Prendete un po' di torta?

.....

Segue volentieri un corso di cucina.

.....

Mi serve un piatto pulito.

.....

F **For each sentence write the appropriate question. Follow the example below.**

1. Domanda a Marco se esce con noi. →

Marco, usciresti con noi?

2. Domanda alla signora Campi se prende un caffè.

....

3. Domanda ai tuoi amici se vogliono qualcosa da bere.

....

4. Domanda a Jacopo quando pensa di venire da te.

....

5. Domanda alla nonna se vuole un po' d'acqua.

....

6. Domanda al cameriere se ti porta un altro bicchiere.

....

G **Listen to the dialogue and fill in the missing words.**

– Vieni a .... qualcosa a mezzogiorno?

– Verso l'......... vorrai dire.

– Sì, ... esci da ...., vieni da me, oggi .... io.

– Sei .... di saperlo fare?

– Certo, sono una brava ....

– Che cosa prepari?

– Un piatto toscano, la .... col pomodoro.

– Mmm... preferirei un hamburger.

– Ho capito, ... e patate ti vanno bene?

– Sì, molto meglio e poi un po' di ....

– .... , ti aspetto.

Cultura

LE PORTATE

In a traditional Italian main meal foods are served in a precise order. Each course, **portata**, has a name that indicates its position. The **antipasti** are meats, fish or vegetables that are served before the meal. The first course, **il primo**, is usually a dish of rice or pasta. The second course, **il secondo**, includes meat, fish or eggs. The **contorno** is any type of dish served with the secondo. Then there are **piatti unici** such as salads, rice and pasta, combining the primo and the secondo in a single dish. At the end of a meal there are also fruits, cakes, pies, pastries and ice cream generally called dolci or dessert.

Frutta e vedura

Do you like fruit and vegetables? Do you often eat vegetables?

A Look at the pictures, read the name of the item in Italian and then write it in English.

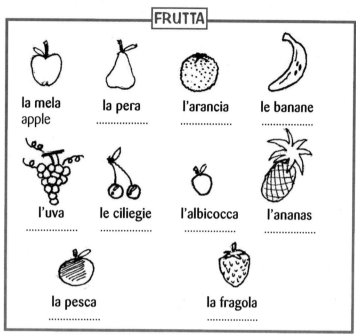

B Check the correct form in the sentences below.

1. Dove avete preso quelle (*ciliege / ciliegie*)?
2. A me piacciono tanto le (*albicocche / albicocce*).
3. Mi dà due (*arance / arancie*), per favore?
4. Ho preso un po' di (*pesche / pesce*) al mercato.
5. A me non (*piacciono / piace*) i fagiolini.
6. Hai comperato (*quei / quegli*) piselli che ti ho detto.
7. (*Gli /i*) spinaci piacciono poco ai bambini.
8. Le carote sono buone e (*dolci / dolce*).

C Fill in the correct verb in the sentences below.

1. Questa mattina a colazione ho .... un bicchiere di latte.
(*mangiato, bevuto*)
2. Mia sorella .... sempre una tazza di tè.
(*prende / ha preso*)
3. Sabato scorso .... a mangiare al pizza.
(*andiamo, siamo andati*)
4. Non ci .... le zucchine crude.
(*piace, piacciono*)
5. Quali frutti ti .... di più?
(*piacciono, piaceranno*)
6. Quando .... piccolo mangiavo solo le patate.
(*ero, sono stato*)

D Write the name of a fruit or a vegetable next to eac color.

rosso ....   bianco ....

verde ....   arancione ....

giallo ....   marrone ....

E Arrange the words to form correct sentences as in example.

non, la, mai, pasta, mangiamo, cena, a →
Non mangiamo mai la pasta a cena.

1. dei / di / nonni / c'è / giardino / albero / nel / ciliegie /
....

2. di / ho / albicocche / marmellata / fatto / ieri / la
....

3. preferisco / un / a / spaghetti / mezzogiorno / piatto / di
....

4. sono / verdure / quali / solito / di / mangi / le / che ?
....

5. mia / a / non / pizza / piace / sorella / la / con / cipolle
....

6. mangiano / gli / frutta / molta / verdura / e / Italiani
....

Answer the questions referring to your personal experience.

Dove e con chi mangi di solito a mezzogiorno?

.....

Che cosa mangi?

.....

Conosci alcuni piatti della cucina italiana?

.....

Dove ti piacerebbe cenare questa sera?

.....

Di solito mangi frutta e verdura?

.....

Quali sono i piatti che preferisci?

.....

Answer the question using the information provided the example.

ove hai comperato questa insalata? (*al mercato*) →

ho comperata al mercato.

Avete bevuto voi gli ultimi succhi di frutta? (*no*)

.....

Ho preso delle arance. Dove posso metterle?

n frigorifero)

.....

Mi piacciono le fragole, dove posso trovarle? (*in giardino*)

.....

Maria ha fatto la torta di mele? (*sì questa mattina*)

.....

H Write complete sentences in Italian using the words given below.

1. albero, mele, giardino, nonno, esserci

....

2. patate, cipolle, piacere, tutti, no

....

3. preferire, risotto, spaghetti, prendere, tu

....

4. ieri, nonni, invitare, tutti, ristorante

....

5. pesce, cucinare, non, facile, essere

....

6. domani, andare, genitori, cena, amici, casa

....

I Complete the sentences following the example below.

Hai preso della frutta in giardino? →

Sì, ne ho presa tanta.

1. Mangerete tutte quelle fragole?
No, ... un po'

2. Ci vuole tanta verdura per fare il risotto?
No, ... poca.

3. Abbiamo del latte in frigorifero?
Sì, ... una bottiglia.

4. Scusi, ha ancora del tè verde?
No, ... più.

5. Hai preso il pane questa mattina?
Sì, ... tanto.

Grammatica

FORME IRREGOLARI DEL CONDIZIONALE

Note!
When a verb has an irregular FUTURO, the CONDIZIONALE PRESENTE has the same irregularity.
Here is a list of the most common irregular verbs in the conditionale presente. Look at the chart below and memorize it.

INFINITO	Essere	Avere	Andare	Dovere	Potere	Sapere	Vedere	Dare	Fare	Stare	Rimanere	Tenere	Venire
FUTURO	Sarò	Avrò	Andrò	Dovrò	Potrò	Saprò	Vedrò	Darò	Farò	Starò	Rimarrò	Terrò	Verrò
CONDIZIONALE PRESENTE	Sarei	Avrei	Andrei	Dovrei	Potrei	Saprei	Vedrei	Darei	Farei	Starei	Rimarrei	Terrei	Verrei

Mangiare sano

Francesca and Corrado are staying after school because they are taking guitar lessons. They do not go home at lunch time because they live far away, so they stop at the cafeteria near their school to eat.

Corrado: – Scusi, c'è un tavolino libero?

Cameriere: – Sì. In fondo a destra, lo vedete?

Corrado: – Sì, grazie.

Cameriere: – Andate pure, io vengo tra cinque minuti. Intanto guardate la lista.

Francesca: – Va bene, andiamo a sederci, sono un po' stanca… e affamata.

Corrado: – Ecco la lista. Vediamo che cosa c'è oggi.

Francesca : – Guardo io. Dunque… toast al formaggio… non mi piace.
Panino con hamburger… troppo grasso… tramezzino con tonno… buono, ma c'è la maionese.

Corrado: – Fidati di me, io mi fermo a mangiare qui abbastanza spesso. I migliori sono il panino con pomodoro e mozzarella e il vegetariano o la caprese.

Francesca : – Scusa, ma il vegetariano è una persona che non mangia carne?

Corrado: – Dai non scherzare! È un panino buonissimo, con tante verdure e un po' di olio.

Francesca: – Va bene, mi fiderò di te… prenderò un vegetariano.

Corrado: – Vedrai, è saporito e leggero. Bisogna stare attenti al cibo che si mangia!

Andate pure. In fondo a destra c'è un tavolo libero!

A **Check the correct answer.**

1. Entrando nel bar Corrado:
○ chiede qualcosa da bere
○ cerca di trovare un tavolo
○ chiede se c'è un tavolo libero

2. Mentre aspettano il cameriere,
Corrado e Francesca:
○ prendono un aperitivo
○ leggono la lista del giorno
○ si siedono e aspettano

B **Read the dialogue and complete the sentences below.**

1. Corrado chiede al cameriere se ....
2. Francesca dice di essere ....
3. Corrado sa quali sono i panini ....
4. Dice che si ferma lì a mangiare ....
5. Francesca scherza sul nome di un ....
6. Corrado sceglie solo panini ....
7. Corrado pensa che sia importante ....

Vocabolario

andate pure = go ahead
la lista (f.s.) = list
affamata = hungry
grasso = fat
il tramezzino (m.s.) = sandwich
il tonno (m.s.) = tuna fish
la maionese (f.s.) = mayonnaise

fidati = trust!
mi fermo = I stop
mozzarella (f.s.) = mozzarella
vegetariano = vegetarian
saporito = tasty
leggero = light
attenti = careful
il cibo (m.s.)= food

Cultura

LA MENSA

It is not a restaurant, but you sit at the table to eat. It is not an automat, but you help yourself. Only some groups of people may eat there, but it is not a club. You probably go to this place almost every day. What is it? It is the **mensa** at school or at a work a place where students and employees can have lunch at affordable prices. In Italy, the mensa is a service offered by large companies to their employees. The **mensa** is available in Italian primary schools when children have classes in the afternoon. High schools do not offer the **mensa**, because the classes are only in the morning.

S P E A K I N G ● W R I T I N G

LA DIETA MEDITERRANEA

The teacher proposes to discuss this topic: how you
[ea]t and how you should eat.
[Di]scuss the following statements.

[Pr]oper nutrition is important because it allows us to keep fit
[an]d healthy. Proper nutrition is based on some simple
[pr]inciples:
[•] do not overeat
[•] be careful about which foods are eaten
[•] do some physical activity daily.

Discuss the meaning of the word DIETA.
[Us]e the students' personal experience and articles from
[new]spapers and magazines. (Use the internet to find
[art]icles in Italian).

Present the food pyramid on which the Dieta
[M]editerraneana is based. This way of eating is considered
[by] many nutritionists to be the healthiest diet.

4. Look at the "food pyramid" and answer in Italian.

• Quali cibi si devono mangiare tutti i giorni?
• Quali devono essere mangiati nella settimana?
• Tra quali cibi si trovano i dolci?
• Quanto si deve mangiare la carne rossa?
• Nella tua alimentazione ci sono i cibi di questo schema?
• Secondo te, nel consumare questi cibi, si deve stare attenti
alla quantità?
• Ci sono cibi della piramide che non hai mai mangiato?
• Ce ne sono che consumi tutti i giorni?

5. Each student plans the menus for one week based on
the Dieta Mediterranea using typical Italian foods.
The menu must include foods for each of the three daily
meals. The different menus are discussed in class.
Students decide which one they like best and then prepare
some or all of the foods in the home economics room.

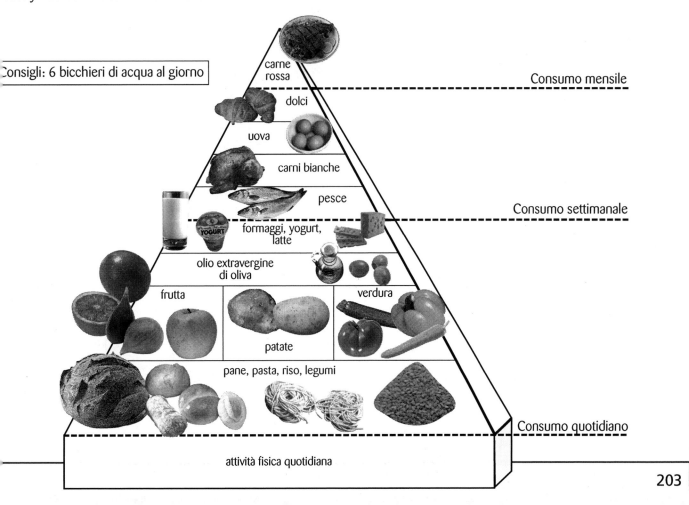

Consigli: 6 bicchieri di acqua al giorno

carne rossa — Consumo mensile

dolci

uova

carni bianche

pesce — Consumo settimanale

formaggi, yogurt, latte

olio extravergine di oliva

frutta — verdura

patate

pane, pasta, riso, legumi — Consumo quotidiano

attività fisica quotidiana

● R E V I E W ●

A Answer the question "What are you doing?" as in the example below.

Che cosa stai facendo? (lavare, piatti) →
Sto lavando i piatti.

1. (*mangiare, mela*) ....
2. (*bere, tazza di tè*) ....
3. (*prendere, posate*) ....
4. (*parlare, amica*) ....
5. (*andare, ristorante*) ....
6. (*comperare, verdura*) ....
7. (*ordinare, pranzo*) ....
8. (*mangiare, mensa*) ....
9. (*finire, cenare*) ....

B Check the correct form in the sentences below.

1. È (*ora / oro*) di andare a pranzo.
2. (*Il tavolo / la tavola*) da disegno è comodo.
3. Ho preparato una torta con (*la panna / il panno*).
4. (*La porta / il porto*) di casa era chiusa.
5. (*La casa / il caso*) di Marco mi piace molto.
6. Ha avuto in regalo un piccolo cucchiaio (*d'oro / d'ora*).
7. (*Sul tavolo / sulla tavola*) c'erano già piatti e bicchieri.
8. Copri la pasta con (*un panno umido / una panna umida*).
9. Vicino (*al porto / alla porta*), a volte, si mangia del buon pesce.
10. Ho scelto nella lista un piatto a (*caso / casa*).

C Change the sentences as in the example below.

Andrò volentieri a cena fuori →
Andrei volentieri a cena fuori.

1. Verremo al ristorante con voi.
....
2. Se è pronta, mangerò volentieri la pizza.
....
3. Starete a scuola fino alle cinque?
....
4. Potranno mangiare un po' di frutta prima di partire.
....
5. Quando potrai fare una torta per noi?
....

D Change the sentences as in the example below.

Voglio solo un primo e della frutta. →
Vorrei solo un primo e della frutta.

1. Dammi un panino al prosciutto.
....
2. Prendiamo il secondo con due contorni.
....
3. Mangio volentieri del pollo arrosto.
....
4. Avete una pizza senza formaggio?
....
5. Porti un po' di ciliegie alla zia, per favore?
....

E ⊙ Listen to the dialogue choose the correct answer.

1. I ragazzi si trovano all'una:
○ per andare a casa
○ per andare a mangiare
○ per andare insieme in mensa.

2. Secondo i ragazzi il cibo della mensa:
○ è poco curato
○ è molto buono
○ è troppo cotto

3. I ragazzi vorrebbero:
○ avere cibi più sani
○ avere cibi più saporiti
○ poter scegliere tra cibi diversi

F Look carefully at the table setting and write the names of familiar objects. What is missing?

Mancano le ○○○○○○ .

Complete the chart with the missing forms of the CONDIZIONALE PRESENTE of the verbs below.

	FARE	TENERE	POTERE	AVERE	STARE	VEDERE
..o	....	....	potrei	....	....	....
..u	....	terresti	....	....	....	....
..i/lei/**Lei**	farebbe	....	....	....	....	....
..oi	....	....	....	avremmo	....	....
..oi	....	....	....	....	stareste	....
..oro	....	....	....	....	....	vedrebbero

Answer the questions as in the example below.

..piacerebbe un bel piatto di spaghetti? →
..o, preferirei delle tagliatelle.

Vorreste della frutta per cena? (*pizza*)

.....

Mangeresti un po' di pomodori? (*patate*)

.....

Le andrebbe bene questo tavolo, signore? (*no, più grande*)

.....

Berresti una tazza di tè? (*caffè*)

.....

Porteresti delle mele alla nonna? (*fragole*)

.....

Read the answer and ask the question.

....

..bottiglia del latte è nel frigorifero.

.... (*le posate*)

..: ho messe nel cassetto del tavolo

.... (*questa sera*)

..ndiamo a mangiare una pizza in centro

.. .. (*uva e banane*)

..eferisco le ciliegie e le fragole.

.. .. (*al tavolo 9*)

..anno ordinato pollo arrosto e insalata.

.... (*pane*)

..do a prenderlo dal panettiere qui vicino.

L **Conjugate the verbs in brackets in the PASSATO PROSSIMO or IMPERFETTO as needed.**

1. Mentre .... in mensa, ... Marco.
(*io, andare, incontrare*)
2. Quando .... da scuola, ... da Marta.
(*lui, uscire, andare*)
3. Mentre .... il cameriere, ... la lista.
(*noi, aspettare, leggere*)
4. Quando .... piccolo .... solo le mele.
(*io, essere, mangiare*)
5. Dove .... i dolci che .... ieri sera?
(*tu, comperare, noi, mangiare*)
6. Mentre tu ...., io .... i panini.
(*parlare, ordinare*)

M **Fill in the correct prepositions and articles in the sentences below.**

1. .... ristorante .... miei amici preparano ottimi risotti.
2. .... voi abbiamo mangiato .... spaghetti migliori.
3. .... lista non ci sono .... tagliatelle .... funghi.
4. .... posate devono stare vicino .... piatto.
5. Dopo .... cinque possiamo andare .... bar ?
6. .... solito mangiamo .... pizza .... due così costa meno.
7. Quando sono .... viaggio mi piace mangiare .... cibi .... posto.
8. .... tavolo 2, devi portare .... piatto .... patate e .... arrosto.
9. Vieni .... pranzo .... me, poi facciamo .... compiti.
10. .... questa lista ci sono .... soliti piatti, vorrei qualcosa .... nuovo.

Anna è stata in Sicilia con i suoi per una breve vacanza a Pasqua. Di ritorno va a trovare gli amici.

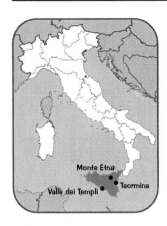

LA SICILIA, LA SUA VITA E LA SUA ARTE

La Sicilia è l'isola più grande del Mar Mediterraneo, che comprende isole minori, come le Isole Eolie, attualmente ha più di cinque milioni di abitanti.

La Sicilia è conosciuta fin dai tempi antichi. È separata a Est dalla regione Calabria dallo Stretto di Messina.

La Sicilia e le piccole isole che la circondano sono molto interessanti per i vulcanologi. Il Monte Etna, situato a Est della Sicilia, con la sua altitudine di 3.320 metri è il più alto e attivo vulcano in Europa e uno dei più attivi nel mondo.

I popoli antichi consideravano la Sicilia un luogo strategico dovuto in larga parte alla sua importanza per le strade commerciali del Mediterraneo.
Il suo territorio faceva parte della Magna Grecia. Archimede, uno dei più grandi scienziati matematici del mondo antico, nacque nella città di Siracusa.

SICILY, ITS LIFE AND ITS ART

Sicily is the largest island in the Mediterranean Sea that is surrounded by minor islands, such as the Aeolian Islands. Currently it has just over five million inhabitants.
Sicily has been known since ancient times. It is separated to the east from the Italian region of Calabria by the Strait of Messina.

Sicily and its small surrounding islands are extremely interesting to volcanologists. Mount Etna, located in the east of mainland Sicily with a height of 3,320 m (10,890 ft) is the tallest active volcano in Europe and one of the most active in the world.

People living in ancient times considered Sicily a strategic location because of its importance for Mediterranean trade routes.

The area was highly regarded as part of Greater Greece. Archimedes, one of the ancient world's greatest scientist/mathematicians, was a native Sicilian, born in the city of Siracusae.

■ **Monte Etna**

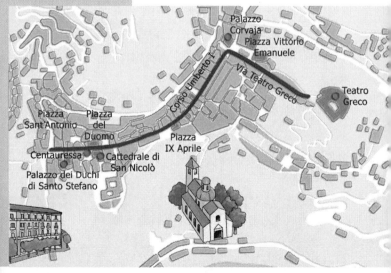

■ **Taormina**
Taormina is a small town on the east coast of the island of Sicily in the Province of Messina. Taormina has been a very popular tourist destination since the 19th century. The most notable monument remaining at Taormina is the ancient theater. It is one of the most celebrated ruins in Sicily because of its remarkable preservation and the incredible beauty of its location.

'economia siciliana è soprattutto basata
ull'agricoltura; i principali prodotti agricoli
ono: agrumi, arance, limoni, olive, olio
l'oliva, mandorle, uva e vino. Sono allevati:
nuli, asini e pecore.

ai nostri giorni, questa caratteristica rurale
ttrae un significativo turismo e la sua
ellezza naturale è particolarmente
pprezzata.

a Sicilia ha una sua cultura ricca e unica,
pecialmente nelle arti, nella musica, nella
etteratura, nella cucina, nell'architettura e
ella lingua. È anche importante per antichi
ti archeologici come Taormina e la Valle dei
empli.

The Sicilian economy is largely based on
agriculture. The main agricultural products
are oranges, lemons, olives, olive oil,
almonds, grapes and wine. Mules, donkeys
and sheep are raised.
Today the rural countryside attracts
significant tourism because of its natural
beauty.

Sicily has its own rich and unique culture.
This is especially true with regard to the arts,
music, literature, cuisine, architecture and
language. Sicily also has important
archeological and ancient sites such as
Taormina and Valle dei Templi.

■ **Mandorlo in fiore**

Agrigento
grigento is a city on the southern
oast of Sicily, one of the leading cities
f Magna Graecia during the golden
ge of Ancient Greece.
he Valle dei Templi is an
rchaeological site in Agrigento.
is one of the most outstanding
xamples of Grecian art and
rchitecture and is one of the main
ttractions in Sicily as well as a
ational monument of Italy.
he area was included in the UNESCO
leritage Site list in 1997.
he Valley includes remains of seven
emples: Temple of Juno, of Concordia,
f Heracles, of Zeus Olympic,
f Castor and Pollux, of Vulcan,
f Asclepius.

Read the question and answer in Italian.

1. Che cos'è la Sicilia?

....

2. Che cosa comprende?

....

3. Quanti abitanti ha attualmente?

....

4. Da che cosa è separata dalla regione Calabria?

....

5. Che cos'è il Monte Etna?

....

6. Come consideravano i popoli antichi la Sicilia? Perchè?

....

7. Di che cosa faceva parte il suo territorio?

....

8. Quali sono i principali prodotti agricoli?

....

LA CORSA A OSTACOLI

Solve the 8 riddles, if your answer is correct, write the letter already indicated in the circle.

Follow the example below: 1. BICCHIERE letter P in circle 1.

At the end you will find a very good food.

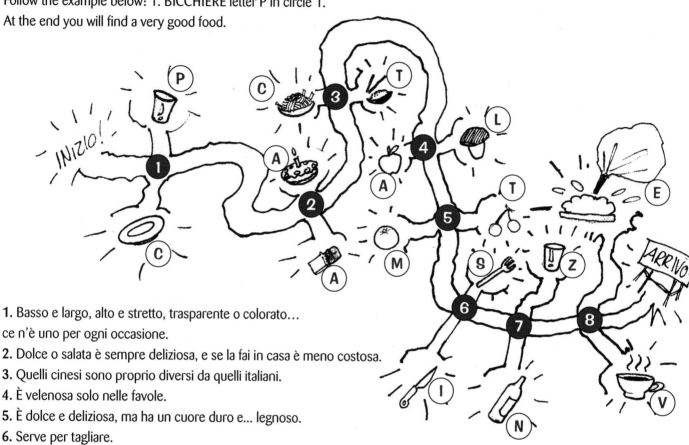

1. Basso e largo, alto e stretto, trasparente o colorato…

ce n'è uno per ogni occasione.

2. Dolce o salata è sempre deliziosa, e se la fai in casa è meno costosa.

3. Quelli cinesi sono proprio diversi da quelli italiani.

4. È velenosa solo nelle favole.

5. È dolce e deliziosa, ma ha un cuore duro e… legnoso.

6. Serve per tagliare.

7. Quella con un messaggio, di solito viaggia sulle onde del mare.

8. È bianca, soffice, si scioglie in un liquido caldo… ma non è la neve.

Le (P) ( ) ( ) ( ) ( ) ( ) ( ) ( ) .

1 2 3 4 5 6 7 8

Focus lingua

LA MACEDONIA

Perché un'insalata di frutti diversi con zucchero e limone si chiama macedonia?

According to experts the Italian word "Macedonia" comes from the French Macédoine and refers to the mixture of peoples that made up the empire of Alexander the Great. According to others it refers to modern Macedonia, a Balkan state where ethnic populations live, with their languages.
In either case it is always meant "coexistence" of different situations.

How would you say "la Macedonia di frutta"?
in English ……..

Focus lingua

There are many idioms related to food. Here are some that are very commonly used.
In italian they say:

• È UN PRANZO COI FIOCCHI: it is a delicious lunch.

• UNA MELA AL GIORNO TOGLIE IL MEDICO DI TORNO: eating fruit regularly is good for health.

• ACQUA IN BOCCA: have you ever tried to say something with water in your mouth?

• ESSERE ALLA FRUTTA: it is no longer possible.

• RENDERE PAN PER FOCACCIA: to revenge oneself.

How would you say these in English?……..

S P E A K I N G ● W R I T I N G

FRANCESCA E CORRADO

Reread the dialogue on page 202, then complete the sentences below.

Corrado chiede al .... se c'è un .... libero.

Il cameriere gli fa vedere un tavolo in .... e gli dice di .... sedersi

Francesca dice che è ....

Insieme i ragazzi guardano il ....

Francesca non trova qualcosa che le piacerebbe ....

Corrado le propone due .... che lui ha già .... altre volte.

Dice che sono .... e ....

Francesca dice che si .... di lui e prende un panino ....

Assume the role of Francesca. Tell what happened when you went out to eat with Corrado.
The beginning of each sentence is provided.

Oggi sono andata a mangiare con Corrado ....

Il cameriere è stato molto gentile e ci ....

Con Corrado abbiamo .... e cercato ....

Io non trovavo .... perché ....

Allora Corrado mi ha ....

Sono contenta di aver .... perché ....

Corrado ha ragione quando ....

Tell the story as if you were an outsider. Begin as shown in the example and then develop the topics suggested:

Francesca e Corrado devono restare a scuola nel pomeriggio, perciò vanno a mangiare qualcosa.

La ricerca del tavolo.
L'attesa prima di ordinare.
La lettura della lista.
I consigli di Corrado.
La scelta del cibo.
I motivi della scelta.

Tell about a similar experience you have had with friends or classmates.
Write a short text or a dialogue in Italian about it.

B Call your best friend and invite him to have dinner with you.
Write a complete dialogue in Italian using the suggestions given below.

Tu
- Proponi il giorno.
- Gli dici che può portare anche lei.
- Gli dici che cosa cucinerà tua madre.
- Gli dici che non deve portare niente.
- Gli dici che c'è già una torta ....
- Saluti e gli ripeti il giorno e l'ora.

Lui
- Ti dice che è appena arrivata sua sorella ....
- Accetta e ti chiede che cosa prepari.
- Ti chiede che cosa può portare ....
- Propone dei dolci.
- Dice che ci penserà e troverà qualcosa.
- Saluta e ti ringrazia.

C Write a short composition about your trip to a pizzeria with your classmates.

D With your classmates prepare a questionnaire designed to collect information on the dietary habits of students between 12 and 15 years of age. The data collection can be done in English, but the results will be presented in Italian. Using this information students create a chart for the bulletin board.

Cultura

LO SPUNTINO E LA MERENDA

There are three traditional meals: **breakfast**, **lunch** and **dinner**.
Often people get hungry between meals and eat something to take away the
uncomfortable feeling and restore their energy.
The Italian word for snack is SPUNTINO.
For children involved in sports there is the traditional MERENDA mid-afternoon snack with fruit, sweets,
a glass of milk, bread and jam... Everyone has his/her own habits.
Nutritionists now have reconsidered these habits and made new recommendations. For a healthy diet
eat five times a day: three main meals, a mid-morning snack or SPUNTINO and a
mid-afternoon MERENDA. Following this plan it is easy to stay fit,
but beware of heavy, fattening snacks!

● R E V I E W ●

A Complete the chart with the forms of FUTURO SEMPLICE and CONDIZIONALE PRESENTE of the verbs in the chart below.

	PARLARE		PRENDERE		SCENDERE	
	futuro	condizionale	futuro	condizionale	futuro	condizionale
io	parlerò	parlerei	....	....	....	....
tu	....	....	....	....	....	....
lui/lei/**Lei**	....	....	....	....	....	....
noi	....	....	....	....	....	....
voi	....	....	....	....	....	....
loro	....	....	....	....	....	....

B Complete the dialogue following the instructions below.

Marco incontra Gianni fuori dalla scuola e gli chiede se vuole andare a con lui a mangiare qualcosa.

1. Saluta e chiede come va.
→ **Mario:** – ....
Gianni: – Bene grazie, sono un po' stanco.

2. Invita Gianni a mangiare con lui.
→ **Mario:** – ....
Gianni: – Volentieri, così parliamo un po'.

3. Chiede dove preferisce andare.
→ **Mario:** – ....
Gianni: – Il bar qui vicino va bene.

4. Il cameriere chiede che cosa vogliono e i due rispondono.
→ **Cameriere:** – ....
Gianni:– Io prendo ....
Mario: – Per me ....

5. Marco dice che ci va quando resta a scuola nel pomeriggio.
→ **Gianni:** – Vieni spesso qui?
Mario: – ....

6. Chiede al cameriere quanto deve pagare.
→ **Gianni:**– ....

7. Pagano e salutano.
→ **Mario:** – Ecco a lei. Arrivederci.
Gianni: – Grazie e a presto.

C Check to see if you know the CONDITIONALE PRESENTE of irregular verbs and complete the chart below.

	DARE	AVERE	ESSERE	DOVERE	RIMANERE	VENIRE
io	....	....	....	....	rimarrei	....
tu	....	avresti	....	....	....	....
lui/lei/**Lei**	....	....	sarebbe	....	....	....
noi	....	....	....	dovremmo	....	....
voi	dareste	....	....	....	....	....
loro	....	....	....	....	....	verrebbero

D Write complete sentences in Italian with the words below.

1. nonni, andare, domenica, ristorante, prossima
....

2. famiglia, solito, cenare, mia, 8.00, dopo
....

3. ragazzi, volentieri, mangiare, pizza, panino
....

4. così, dove, comperare, frutta, verdura, buona
....

5. preferire, noi, prendere, primo, frutta
....

6. buonissimo, panettiere, casa, vicino, vendere, torte
....

E Arrange the words to form correct sentences.

1. beve / un / mia / colazione / caffè / sorella / a /solo
....

2. per / compera / delle / anche / me / fragole
....

3. pizza / insieme / mangiare / una / a / andiamo
....

4. al / sono / le / ragù / saporite / tagliatelle / molto
....

5. fa / la / mediterranea / bene / salute / dieta / alla
....

6. piace / non / a / la / me / pizza
....

F Answer the questions as in the example below.
Quanti panini vuole? Ne vorrei due.

1. Quanta acqua bevi in un giorno? (*una bottiglia*)
....

2. Hai già provato le torte di Antonio? (*no, ancora nessuna*)
....

3. Prendi delle mele? (*sì, una per il pomeriggio*)
....

4. Quanti pasti fai al giorno? (*tre, come tutti*)
....

5. Quante arance hai usato per la spremuta? (*solo due*)
....

6. Quanti piatti di spaghetti avete ordinato? (*quattro in tutto*)
....

G Fill in CI / NE or the correct personal pronoun in the sentences below.

1. Ho incontrato Gianni e .... ho invitato a cena.
2. Non .... vedevamo da un anno e avevo voglia di parlar ....
3. Prendi .... pure un altro pezzo, se ti piace.
4. Ho chiamato mio cugino e .... ho dato il tuo numero di telefono.
5. Mia zia? Quando sono a Roma vado sempre da ....
6. Hanno portato tre pizze? Quante .... avevi ordinate?
7. Che bell'uva! Me .... daresti un po'?
8. Ho chiamato Mario e con .... sono andato al cinema.
9. Quante bottiglie .... stanno ancora in frigorifero?
10. Dici che .... hai parlato della cena, ma Marta non .... sa niente!
11. Ho letto la lista, ma non .... ho trovato quello che volevo.

N DOLCE PARTICOLARE: CONFETTI

onfetti sono un dolce molto semplice, fatti con
ndorle e zucchero, anzi sono mandorle
operte di zucchero. Per tradizione i confetti
no associati a particolari momenti della vita:
ngono regalati in occasione di battesimi,
atrimoni e altre ricorrenze.

gni occasione ha il suo colore, anche se il
nfetto tradizionale è bianco.
egli ultimi tempi a fianco dei tradizionali
nfetti **alla mandorla** sono comparsi **confetti al
occolato** o con particolari **ripieni alla frutta**.
iù sfiziosi sono quelli al **pistacchio**, al **rosolio** e
bieni di **pasta di mandorle**, prodotti sia in Sicilia
e a Sulmona, la città abruzzese del confetto.

A PARTICULAR SWEET: THE SUGARED ALMONDS

These sugared almonds are a very simple candy.
They are made of almonds and sugar.
Traditionally they are associated with special life
moments. They are given during baptism and
wedding ceremonies and for others events.

Each event has its color, even if the traditional
comfit is white.
Recently in addition to the traditional sugared
almonds there are also comfits with chocolate or
filled with fruit.
The most tasty are those with pistachio and rosolio
filled with almond paste. They are made in Sicily
and Sulmona, the Abruzzi town renowned for
them.

Le bomboniere

uando nasce un bambino i genitori offrono agli amici e ai
renti **confetti rosa** o azzurri.
uando si arriva alla laurea si offrono agli amici **confetti rossi**
me augurio di una felice attività professionale.
occasione del matrimonio si usano **confetti bianchi**.
nche gli anniversari di matrimonio importanti hanno il loro
olore; chi festeggia i venticinque anni di matrimonio offre
nfetti **d'argento**; chi festeggia i cinquanta, offre **confetti
lor oro**.

RICETTE TIPICHE REGIONALI / TYPICAL REGIONAL RECEPIES

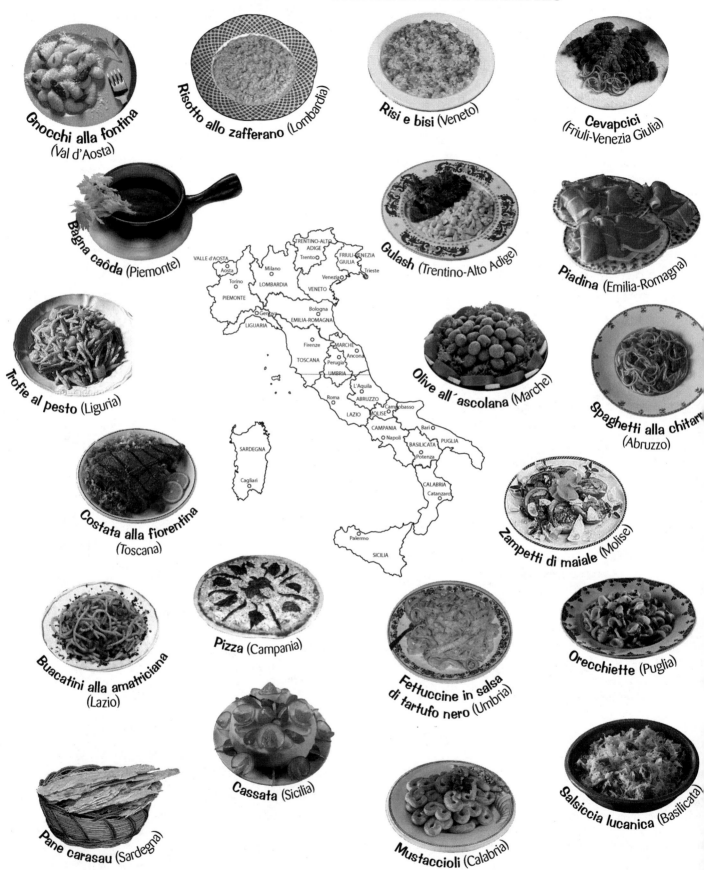

Gnocchi alla fontina (Val d'Aosta)

Risotto allo zafferano (Lombardia)

Risi e bisi (Veneto)

Cevapcici (Friuli-Venezia Giulia)

Bagna caôda (Piemonte)

Gulash (Trentino-Alto Adige)

Piadina (Emilia-Romagna)

Trofie al pesto (Liguria)

Olive all'ascolana (Marche)

Spaghetti alla chitarra (Abruzzo)

Costata alla fiorentina (Toscana)

Zampetti di maiale (Molise)

Bucatini alla amatriciana (Lazio)

Pizza (Campania)

Fettuccine in salsa di tartufo nero (Umbria)

Orecchiette (Puglia)

Cassata (Sicilia)

Salsiccia lucanica (Basilicata)

Pane carasau (Sardegna)

Mustaccioli (Calabria)

Unità 11

Obiettivi / Goals:

- Describing a person
- Making comparisons
- Talking about oneself

CHE TIPO SEI?

■ Teatri lirici, scenografie

La foto di classe

Every year in the spring students have their pictures taken for the school yearbook. Students can then get copies. Indira has sent one to her family to let them see her classmates.

Indira: – Ciao mamma. Come stai? E papà?

Mamma: – Noi stiamo bene. Abbiamo ricevuto la fotografia…

Indira: – Hai visto com'è numerosa la mia classe?

Mamma: – Certo, e penso di aver riconosciuto Mike e Jacopo.

Indira: – Be' ti avevo già mandato le loro foto.

Mamma: – Ma i ragazzi cambiano in fretta alla vostra età.

Indira: – Allora qual è Mike? E qual è Jacopo?

Mamma: – Jacopo è quello magro con i capelli neri un po' lunghi, dietro di te… Mike è quello con l'aria simpatica, i capelli biondi a spazzola in fianco a lui… ma è più magro di quando siete arrivati.

Indira: – Brava mamma, adesso guarda sulla prima fila a destra…c'è una ragazza con i capelli lunghi e biondi… non molto alta. Quella è Anna, la mia miglior amica.

Mamma: – È carina e mi sembra un tipo allegro. E chi è la ragazza con la maglietta a righe vicino ad Anna?

Indira: – Quella con i capelli scuri e corti?

Mamma: – Sì, proprio lei…

Indira: – È Lisa, la compagna che mi ha aiutato a studiare.

Mamma: – Ora ti devo lasciare, papà vuole salutarti. Ci sentiamo presto.

Hello! Hi Mom. How are you? And Dad?

Vocabolario

abbiamo ricevuto = we have received
numerosa = numerous
riconosciuto = recognized
magro = thin
lunghi = long
l'aria (f.s.) = air
simpatica = nice
biondi = blond
a spazzola = crew cut

alta = tall
carina = nice
tipo allegro = cheerful
che coppia! = what a pair!
la pelle (f.s.) = skin
scuri = dark
corti = short
lasciare = to leave
l'apparenza (f.s.) = appearance

Focus grammatica

QUAL È

As you know, in Italian, when a word ending in a vowel is followed by a word beginning in a vowel, the final vowel of the first word is dropped and replaced by an apostrophe (elision). Some adjectives are also shortened for the sake of pronunciation.

QUALE before **ESSERE** and its forms beginning with E becomes **QUAL** → **qual è, qual era.**

GRANDE before a **CONSONANT** becomes **GRAN** → una **gran** cosa, **un gran** palazzo.

BELLO before a **CONSONANT** becomes **BEL** → un **bel** cane, un **bel** maglione.

A Read the dialogue and complete the sentences bel

1. La classe di Indira è molto ……..
2. I genitori di Indira hanno ricevuto una ……..
3. Jacopo è …….. e ha i …….. ……..
4. La ragazza della prima fila è ……..
5. Indira e Anna sono ……..
6. Lisa ha aiutato Indira a ……..
7. Anna sembra …….. …….. ……..
8. Nella foto Mike è vicino a ……..

B Read the dialogue and answer the questions.

1. Di che cosa parla Indira con la madre?
……..
2. Quali ragazzi ha riconosciuto la madre di Indira?
……..
3. Quali ragazze le descrive Indira?
……..
4. Com'è Anna?
……..
5. Che cosa dice Indira di Lisa?
……..
6. Chi è la ragazza con la maglietta a righe?
……..

Match the names with their features.

Anna

Jacopo

Mike

Lisa

a. ha i capelli scuri e corti

b. ha i capelli a spazzola

c. ha i capelli lunghi e biondi

d. ha l'aria simpatica

Which word does not belong in the group.

biondo, nero, bianco, corto

corto, lungo, magro, a spazzola

simpatico, alto, allegro, socievole

straniero, italiano, americano, indiano

Write complete sentences in Italian as in the example below.

Jane (*magra, alta, capelli lunghi e lisci*) →

ne è quella magra e alta, con i capelli lunghi e lisci.

Carlo (*robusto, giovane, capelli scuri, occhi neri*).

.....

Leila (*magra, bassa, occhi verdi, capelli ricci*).

.....

Massimo (*grasso, calvo, occhi grigi, pelle chiara*).

.....

Marina (*alta, atletica, capelli corti e ricci*).

.....

Gianna (*piccola, sportiva, capelli corti, biondi*).

.....

Io sono

......

F Answer the questions as in the example below.

1. Hai già visto il nuovo professore di inglese? (*sì*) →

Sì, ho già visto il nuovo professore di Inglese.

2. Che tipo è ? (*giovane, aria simpatica, capelli corti*)

....

3. Quando l'hai visto? (*ieri, in segreteria*)

....

4. E che cosa ci facevi in segreteria? (*consegnare documenti*)

....

5. Come era vestito? (*abito elegante, camicia, no cravatta*)

....

6. Di che colore ha gli occhi? (*non so, occhiali.*)

....

7. Tu dici che è simpatico? (*non so ....*)

....

G ⊙ **Listen to the dialogue and fill in the missing words.**

– Ecco i miei ...., puoi farmi scendere ....

– Dove sono?

– .... gruppo là, in fondo alla ....

– Ah, li vedo, ma chi è quel signore alto, con i .... grigi?

– È un ....

– Tu li conosci tutti, vero?

– Certo, mamma, sono i miei compagni di .... !

– Chi è quel ragazzo ...., con i capelli biondi?

– È Mario. E .... vicino a lui con la .... blu è Gigi.

– E la ragazza con i .... neri e la gonna lunga?

– Quella è Susi. Adesso vado, avrai .... anni per conoscerli.

– Ciao, ..., ci vediamo davanti alla .... verso le dieci.

– Ciao, arrivederci!

Focus lingua

LE CARATTERISTICHE FISICHE

You have already learned a few adjectives used to describe physical characteristics.
Here are some others that are commonly used:

CAPELLI	OCCHI	NASO	CORPO
ricci	grandi	piccolo	alto
lisci	piccoli	grosso	basso
mossi	a mandorla	corto	magro
calvo (senza capelli)	rotondi	lungo	grasso
colorati		all'insù	robusto, muscoloso
		a patatina	atletico, agile

Lei conosce tutti?

The Campis live in an apartment building. Mike now knows almost everyone, but one day when he comes home he meets a stranger. That evening he tells Mr. Campi that he is a bit worried. Who was that mysterious fellow who was in the lobby of the building watching everything?

Mike: – Senta signor Giorgio, lei conosce tutti qui, vero?

Giorgio: – Penso di sì, non ci sono nuovi inquilini da almeno un anno.

Mike: – Oggi, quando sono rientrato, ho incontrato nell'atrio un signore…

Giorgio: – … non ne avevi mai incontrati?

Mike: – Altri sì, ma lui no. Aveva un'aria molto strana.

Giorgio: – Descrivimelo.

Mike: – Non molto alto, pochi capelli… castani. Né grasso, né magro..

Giorgio: – Che cosa ha di strano un tipo così?

Mike: – Barba e baffi che sembravano finti, occhiali scuri, una tuta da lavoro con un sacco di tasche dove poteva nascondere di tutto…

Giorgio: – E che cosa faceva questo signore?

Mike: – Stava scendendo in cantina, dopo aver schiacciato alcuni pulsanti dell'ascensore.

Giorgio: – Mi sa che tu hai visto troppi telefilm… penso di aver capito chi è il tuo uomo misterioso.

Mike: – Davvero?

Giorgio: – Credo proprio che sia il tecnico che stava controllando l'ascensore! È un tipo strano e tu l'hai descritto benissimo..

A Read the dialogue and check Vero [V] or Falso [F] (True/False).

1. Mike conosce quasi tutti gli inquilini del palazzo. [V] [F]
2. Nel palazzo ci sono alcuni nuovi inquilini. [V] [F]
3. Mike chiede a Giorgio se ci sono nuovi inquilini [V] [F]
4. Tornando a casa ha incontrato un signore che non conosce. [V] [F]
5. Questo signore aveva un'aria strana [V] [F]
6. Lo strano tipo saliva dalla cantina [V] [F]

B Fill in the correct word to complete the sentences below.

1. Il signore che Mike ha incontrato ha i capelli ……..
(*grigi, castani, non ha capelli*)

2. È un tipo ……..
(*alto, basso, non molto alto*)

3. Porta degli occhiali ……..
(*da sole, rotti, scuri*)

4. È un tipo ……..
(*grosso, atletico, normale*)

Focus grammatica

PENSO DI / PENSO CHE

After PENSARE and other verbs expressing an opinion you can use two structures:

• PENSO CHE… when the subject of the verb PENSARE is different from the subject of the second verb.
Ex.: **Pensiamo** che Gianni sia partito. → **Noi** pensiamo. **Gianni** è partito.

• PENSO DI… when the subject of the verb PENSARE is the same as the subject of the second verb.
Ex: **Penso di** aver detto tutto. → **Io** penso. **Io** ho detto.

Vocabolario

gli inquilini (m.p.) = tenants
almeno = at least
l'atrio (m.s.) = lobby
la barba (f.s.) = beard
i baffi (m.p.) = mustache
finti = fake
scuri = dark
nascondono = they hide
lo sguardo (m.s.) = glance
un sacco di (m.s.) = a lot of
le tasche (f.p.) = pockets

nascondere = to hide
schiacciato = flat
i pulsanti (m.p.) = buttons
il telefilm (m.s.) = TV movies
misterioso = mysterious
l'uomo (m.s.) = man
davvero? = really?
il tecnico (m.s.) = technician
controllando = checking
credo = I believe

Use the words below to describe yourself and then describe a member of your family, a friend or whoever. ...ow the example below.

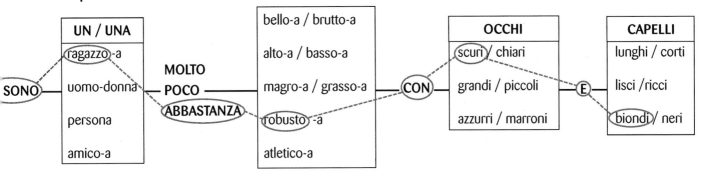

:

SONO UN **ragazzo** ABBASTANZA **robusto** CON OCCHI **scuri** E CAPELLI **biondi**.

O PAPÀ È...	MIA MAMMA È...	LA MIA AMICA È...	IL MIO PROFESSORE É...
A SORELLA É...	I MIEI VICINI SONO...	IL MIO COMPAGNO È...	LE MIE COMPAGNE SONO...

Compete the sentences as in the example below.

Noi pensiamo che tu sia un ragazzo simpatico.

•, ragazzo, simpatico, essere)

Mario crede ....

ɔi, essere, straniere)

Mia sorella pensa che ....

•, essere, francese)

Mike pensa ....

•, essere, francese)

Giorgio crede che ....

sere, tecnico, ascensore)

Tutti pensano ....

ɑrla, ragazza, carina , essere)

Complete the sentences as in the example below.

Hanno detto di essere partiti presto.

•ro, partire, presto)

Pensate ....?

ɔi, venire, cena, noi)

Crediamo ....

ɔi, ragazzi, gentili, essere)

Dice ....

ıi, venire, paese, caldo)

Mi sembra ....

•, studente, bravo, essere)

F Arrange the words to form correct sentences.

1. di / è / il / Paolo / un / fratello / italiano / di / insegnante

....

2. ragazza / con / una / è / carina / e / tutti / gentile

....

3. capelli / Maria / lunghi / i / e / neri / come / ha / i / tuoi

....

4. gli / portano / da / loro / sole / sempre / occhiali

....

5. quel / alto / vestito / molto / tipo / il / scuro / è / con / elegante

....

6. mia / il / ragazzo / la / di / ha / barba / capelli / sorella / e / i lunghi

....

G ◉ Listen to the text and complete each sentence below.

1. Il ragazzo che parla si chiama ....
2. Abita a ....
3. Dice di avere .... anni.
4. I suoi capelli sono .... e ....
5. Il colore degli occhi cambia ....
6. Porta .... piccoli e ....
7. Dice di essere un tipo ....
8. È alto ....
9. Studia in un .... di Bergamo.
10. Vorrebbe andare all' .... per studiare ....

Le parti del corpo

You can not accurately describe a person without knowing the names of the body parts.
Look at the pictures and memorize the words.

A In your notebook write the words for the different parts of the body. Then write the corresponding English word.

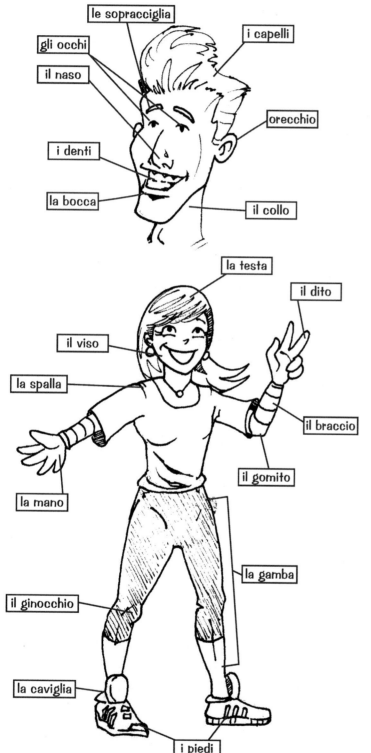

le sopracciglia
gli occhi
il naso
i capelli
i denti
orecchio
la bocca
il collo

la testa
il dito
il viso
la spalla
il braccio
il gomito
la mano
la gamba
il ginocchio
la caviglia
i piedi

B Change the sentences into the plural.

1. Dall'armadio usciva la manica della giacca.

....

2. Ha chiuso il dito nel cassetto della scrivania!

....

3. Non mettere la mano sul muro pulito!

....

4. Da quando chiudi il cassetto con il piede?

....

5. Mi fa male l'occhio.

....

6. Ha un capello bianco.

....

C 🔘 Listen to the dialogue and fill in the missing words .

– Ciao Maria, hai saputo l'......... ?
– Non so, sentiamo...
– Gianni è finito di nuovo in ....
– Che cosa .... fatto .... volta?
– Stava .... a palla con i nipotini in cortile.
– Alla sua .... gioca ancora a .... con i bambini?
– Certo, è un tipo .... !
– Be', che cosa ha fatto?
– È finito contro un muro e si è rotto un .... !
– Certo che solo lui .... a farsi male giocando!

Focus grammatica

PLURALE IRREGOLARE
Some words for the parts of the body have an irregular plural. Memorize the words and their plural.

la **mano**	→ le **mani**
il **dito**	→ le **dita**
il **ginocchio**	→ le **ginocchia**
l'**orecchio**	→ le **orecchie**
il **braccio**	→ le **braccia**

Match the descriptions with the pictures.

l mio vicino è quel signore calvo con i baffi.

l fratello di Anna è quello con i capelli ricci e gli occhiali.

Anna è la ragazza con i capelli lunghi e lisci.

4. Marco è quello con i capelli lunghi e con la maglietta a righe.

5. La moglie del mio vicino è anziana e porta gli occhiali.

6. Il figlio dei vicini è robusto e ha i capelli corti.

Look at the student in the desk next to yours and answer the questions.

Di che colore sono i capelli?

....

È un tipo atletico o normale?

...

È magro o robusto?

....

Di che colore ha gli occhi?

....

Ha il viso rotondo o lungo?

....

Ha il naso piccolo o grosso?

....

Write complete sentences in Italian with the words below.

questo, avere, pigiama, diversa, gamba, altra

....

piedi, acqua, calda, mettere, scaldarti

....

inverno, sempre, fredde, avere, mani

....

manica, braccio, camicia, mio, corta, essere, più

....

ragazza, lunghi, capelli, avere, spalle, fino

....

ma, bambina, occhi, tenere, chiusi, dormire, non

....

G Match the physical characteristics to the sport practiced by the athlete.

1. È un tipo molto alto, abbastanza robusto, ha braccia lunghe e muscolose.

2. È un tipo atletico, dalle spalle larghe, ma non è magro.

3. È un tipo grosso, muscoloso, di solito anche alto, ma mai grasso.

4. È un tipo agile, sottile, elegante, non alto, leggero.

Che carattere hai?

How many people do you meet every day? All of them look different.

A Match the descriptions to the pictures.

1 Come sono i nuovi vicini di casa?

2 Com'è il tuo amico Luca?

3 Com'è il nuovo collega, mamma?

4 La ragazza di Mario è proprio un tesoro!

Due persone allegre, ma educate e gentili.
Salutano sempre.
Si fermano a parlare con tutti, ma sono molto discreti.

Simpatico, carino, forse un po' timido… certo non è come te, Mario, che sei intraprendente e quasi sfacciato con le ragazze.

Nervoso, aggressivo, sempre arrabbiato con tutti.
È impossibile lavorare con uno così antipatico… e poi vuole sempre avere ragione lui!

È molto carina, dolce… un ti calmo… proprio giusta per l che è agitato e rumoroso… da quando è con lei è già diventato più tranquillo.

B Read the texts and fill in the correct adjectives in the sentences below.

1. I mio vicino di casa è una persona ………
2. L'amico di Mario è un ragazzo ………
3. Mario, invece è un tipo ………
4. Il collega di mia madre è un tipo ……….
5. La ragazza di Mario è proprio un ………
6. Con uno così ……… è impossibile lavorare!
7. Mario è cambiato, è più ………
8. Luca con le ragazze non è ………

C Change the sentences below into the plural.

1. Il ragazzo che mi hai presentato è carino.

………

2. Non mi piace quel tipo. È molto aggressivo.

………

3. La mia nuova compagna è antipatica.

………

5. Domani vedrò il mio simpatico cugino.

………

6. Lo zio di Mike è una persona gentile.

………

D Which word does not belong in each group?

1.
antipatico
allegro
arrabbiato
nervoso

2.
gentile
carino,
timido,
aggressivo

3.
rumoroso
tranquillo
intraprendente
sfacciato

4.
gentile
educato
timido
antipatico

Vocabolario

il carattere (m.s.) = character
allegre = cheerful
educate = well mannered
si fermano = stop
discreti = discreet
mi sembra = I think
timido = shy
intraprendente = enterprising
sfacciato = cheeky/insolent
il disastro (m.s.) = disaster
nervoso = nervous

aggressivo = aggressive
arrabbiato = angry
impossibile = impossible
antipatico = unpleasant
la ragione (f.s.) = reason
è un tesoro! = is a treasure!
calmo = calm
giusta = right
agitato = upset
rumoroso = noisy
è diventato = has become

Answer the questions using the information in [bra]ckets.

[N]ella tua classe c'è una ragazza con i capelli biondi?
[..], solo castani) ....

È vero che Marco si è rotto il braccio destro?
[..], la gamba destra) ....

[J]ane ha gli occhi a mandorla. È cinese?
[.., Shangai) ....

Di che colore ha gli occhi tuo fratello?
[..eri) ....

Dove ti sei fatto male cadendo?
[.. la testa) ....

Che cosa devi fare con le forbici?
[.. tagliare i capelli) ....

Read the answer and ask the question.

....
[..]no corti e ricci.

....
[..], non sono azzurri, sono verdi.

....
[..]Mario è proprio simpatico.

....
[..]uovo compagno è un tipo allegro.

....
[..]anna in ufficio è sempre molto gentile.

....
[..], mio padre non è un uomo tranquillo.

Fill in the correct prepositions and articles in the [se]ntences below.

.... ragazzo .... tuta sta andando .... palestra?
Chi è .... nuova segretaria? Quella .... occhiali.
Quando vai .... parrucchiere .... tagliare .... capelli?
Dove sono .... calze? Ho .... piedi freddi.
.... testa ha sempre .... cappello .... lana.
.... capelli neri portava .... fiore .... seta.
.... collo aveva .... sciarpa .... lana fatta .... mano.
Aveva .... piedi .... paio .... ciabatte blu.
.... spalle portava .... zaino molto pesante.
[..]. Fatima si copre .... capelli .... foulard .... seta.

H Change the verbs in the sentences below into the IMPERFETTO.

1. Di che colore ha i capelli tua nonna?

....

2. Porta sempre un paio di occhiali scuri.

....

3. Con quel vestito sembri più magra.

....

4. È sempre nervoso e antipatico.

....

5. Ai piedi ha un paio di scarpe col tacco.

....

I ⊙ Listen to the dialogue and check Vero V or Falso F (True/False).

	V	F
1. Vale parla con la sorella di Marco.	☐	☐
2. Vale si è fatta male in palestra.	☐	☐
3. Ha chiuso un dito nell'armadietto.	☐	☐
4. Si è fatta male mentre parlava con un'amica.	☐	☐
5. Stava parlando di una nuova compagna.	☐	☐
6. Vale hai capelli rossi.	☐	☐
7. Sara ha i capelli rossi.	☐	☐
8. Vale è arrabbiata con Sara.	☐	☐
9. Pensa che Marco, il suo ragazzo, esca con Sara.	☐	☐
10. Non vuole parlarne con la sorella di Marco.	☐	☐
11. Sara è una cugina di Marco.	☐	☐

Focus lingua

There are many different ways to wear one's hair.

frangetta   caschetto   trecce

coda   ciuffo   codino

Tre piccole storie

Look at the cartoons and complete each story with the words below.

1. SULLA SABBIA

caldo • sole • sabbia • sole • alberi • ginocchia • sete • mani • stanco • acqua • occhi

Il .... è alto nel cielo. Fa molto .... Tutto intorno non ci sono ...., solo sabbia.

Un uomo si muove a fatica sulla .... sotto il .... Si vede che è molto .... e che ha ....

Si sposta appoggiandosi alle .... e alle ....

La luce del sole è così forte che fa fatica a tenere gli .... aperti. Vorrebbe una sola cosa: un po' di ....

In your opinion how does the story end? Translate the story into English and then complete it by choosing one of the three possibilities below:

◯ the man is a competitor who participates in a reality show

◯ the man is a naive tourist, but lucky

◯ the man has lost his glasses on the beach

2. SULLA SPIAGGIA

mare • capelli • tempo • tranquillo • sole • asciugamano • occhi • viso famiglia • gambe • bambini • neri • papà • corti

Oggi il .... è bellissimo. Il .... è caldo e il .... è calmo.

Daria, la giovane con i lunghi .... biondi, è scesa in spiaggia e ha scelto un posto .... per p dere il sole.

Ha steso l' .... sulla sabbia, si è seduta e si è messa la crema protettiva sulle ...., sulle bra e soprattutto sul .... Poi ha chiuso gli ...., pensando a cose allegre.

Poco lontano da lei, c'è una .... La mamma, una signora dai capelli .... e .... , prende il

Il .... gioca in acqua con i .... biondi come lui.

Translate the story into English. And now, what happens? Write your own ending for the s

....

3. IN CAMPAGNA

acqua • mese • giovane • pioggia • estate • sole • campi • settimane aggressivo • fare • allegro • mani • fatica • nervoso

Mattia è un .... agricoltore. In estate deve continuamente dare .... ai suoi campi, soprattutto nel .... di luglio, quando il .... è molto caldo e la .... arriva poche volte.

Quest'anno l'......... è molto calda e non piove da .... Anche il piccolo fiume che porta l'acqua ai .... è asciutto.

Mattia si mette le .... nei capelli, non sa più che cosa .... Lui che era un tipo .... e tranquillo, adesso è sempre .... Gli altri fanno .... a stargli vicino, perché è ....

If you were Mattia what would you do? Translate the story into English and complete it.

....

›cabolario

ole (m.s.) = sun
ielo (m.s.) = sky
sabbia (f.s.) = sand
nuove = it moves
poggiandosi = leaning
spiaggia (f.s.) = beach
crema protettiva (f.s.) = protective cream, nscreen
è sdraiata = she has lain down
gricoltore (m.s.) = farmer
ampi (m.p.) = fields
prattutto = mostly
pioggia (f.s.) = rain
ve = it is raining
ciutto = dry
ntinuamente = continuously

Change the sentences as in the example below.

Mattia aspetta la pioggia. →

attia sta spettando la pioggia.

La ragazza bionda prende il sole.

.....

Il papà gioca con i bambini.

.....

Quell'uomo si muove con fatica.

.....

Aspetto la fine della storia.

.....

Tu pensi cose allegre.

.....

C Write complete sentences in Italian as in the example below. Use the COMPARATIVO.

1. Marco – robusto – mio fratello.

Marco è più robusto di mio fratello.

2. vestito – elegante – altro

....

3. mamma – bassa – sua sorella

....

4. Giovanni – simpatico – suo amico.

....

5. tue gambe – lunghe – sue

....

6. sciarpa lana – calda – sciarpa seta

....

D Write complete sentences in Italian as in the example below. Use the COMPARATIVO.

1. tua amica – bello – gentile →

La tua amica è più bella che gentile.

2. Matteo – grosso – grasso

....

3. vestito – largo – lungo

....

4. miei capelli – ricci – lisci

....

5. collega – nervoso – arrabbiato

....

6. io – simpatica – carina

....

Match the description to the correct drawing.

1. Da bambina avevo le trecce lunghe.

2. Mi sta bene la frangetta?

3. Roby, il codino non è più di moda!

4. I capelli a caschetto sono eleganti.

5. Per me che faccio sport, la coda è comoda.

6. Che cosa vuoi nascondere con quel ciuffo?

Come ti senti?

The end of the school year is approaching. Now the boys and girls in Jacopo's class know each other and some have become friends. Sometimes on Sundays they meet for a picnic at the Park Le Cascine. They play games and share their feelings and talk about their experiences in school in Italy.

Anna: – Non so come vi sentite voi, ma il bel tempo mi mette di buon umore.

Lisa: – Anch'io sono contenta, se c'è il sole, ma se piove divento triste.

Marco: – A me il tempo non interessa, posso essere contento anche con la pioggia, basta che non ci siano problemi con i miei o con la scuola.

Gianni: – Io in questo periodo sono un po' giù, perché non so se sarò promosso.

Anna: – Capisco, ma se studi durante l'estate ce la fai!

Gianni: – Dici bene tu, ma l'idea di passare l'estate a studiare non mi rende felice!

Marco: – Bisogna studiare durante l'anno!

Indira: – Io mi sento divisa a metà. Una parte di me è triste perché non vi vedrò più; l'altra parte è piena di gioia, perché ritorno a casa dalla mia famiglia e dai vecchi amici.

Mike: – Quest'anno di scuola per me è stato impegnativo ma molto bello. Anche se a volte avevo nostalgia di casa, non mi sono mai sentito solo.

Anna: – Ragazzi, basta, se continuiamo così mi commuovo e mi metto a piangere…

A Read the dialogue and complete the sentences below.

1. Anna e Lisa sono di buon umore quando ....
2. Con la pioggia Lisa diventa ....
3. Gianni è ....; non sa se sarà ....
4. Non è .... di studiare in estate.
5. Mike dice che non si è mai sentito ....
6. Anna non vuole ....

Vocabolario

buon umore (m.s.) = good mood
contenta = happy
triste = sad
non interessa = not interested
basta che = (that is) enough
il periodo (m.s.) = period
un po' giù = a bit 'down

promosso = promoted
felice = happy
mi sento divisa = I feel divided
la gioia (f.s.) = joy
la nostalgia (f.s.) = nostalgia
solo = only
mi commuovo = I get moved

Focus lingua

SENTIRE / SENTIRSI
The verb SENTIRE almost always means to hear / to listen.
When used in the reflexive form, SENTIRSI means to feel.

Ex.:
• Io **sento** un rumore (*udire*).
• Io **sento** volentieri (la musica (*ascoltare*).
• Io **mi sento** felice (*provare un sentimento*).

In the composite tenses note the auxiliary verb.
• Io **ho sentito** un rumore.
• Io **ho sentito** volentieri la musica.
• Io **mi sono sentito** felice.

Read the dialogue and answer the questions.

Quando Anna è di buon umore?

....

Che cosa dice Mario del tempo, bello o brutto?

....

Chi è d'accordo con Anna?

....

Perché Gianni è un po' giù?

....

Come si sente Indira?

....

Che cosa la rende triste?

....

Read the answer and ask the question.

....

oggi sono proprio di buon umore.

....

mo tristi, perché dobbiamo partire.

....

n mi interessa sapere se è promosso.

....

no triste perché non farò le vacanze.

....

n vengo con te in montagna, devo studiare.

....

no contento perché non ho problemi.

Change the verb in the sentences below into the
PERFETTO.

Marco è contento per il regalo.

....

Sono nervosi e litigano spesso.

....

Incontrarti tutti i giorni mi riempie di gioia.

....

Marco è proprio arrabbiato.

....

Il suo modo di pensare non interessa a nessuno.

....

Non siete tranquilli in questa casa.

....

E Form sentences by arranging the words in the correct order.

1. di / siete / umore / questa / buon / mattina?

....

2. studi / sarai / se / di / promosso / più.

....

3. piace / a / essere / chi / triste?

....

4. sono / Marta / e / contenti / stare / di / qui / Giorgio.

....

5. vede / si / quando / certi / commuove / film.

....

6. tranquillo / ho / sono / se / problemi / non / a / scuola.

....

F Check the correct form in the sentences below.

1. Marta e sua sorella sono sempre (*contente/ contenti*).
2. Quando ti incontro mi sento più (*tranquillo / tranquilli*).
3. Se mi porti al cinema (*siamo felici /sono felice*).
4. Dopo le vacanze Mario (*si sente / mi sente*) giù.
5. Prima di partire Luisa è sempre (*nervosa/ nervoso*).
6. Quella macchina è proprio (*rumorosa / rumorose*).
7. Mike è davvero un ragazzo (*simpatico / simpatica*).
8. Lei non (*era / ero*) così contenta da molto tempo.

Cultura

PROMOSSO O BOCCIATO

If a student advances to the next grade the
following year, he/she is said to be **promosso**
(promoted). If a student has to repeat the year, he/she is
said to be **bocciato**.
To be promoted students have to earn good
grades and pass final exams.
If a student gets too many bad grades he/she fails
for the year.
Students who fail only one or two subjects
can take an exam in September.
If they pass they are promoted and
do not have to repeat a
whole year.

G Use the data on this chart to write at least six sentences making comparisons. Follow the examples below.

	MARIA	CARLA	SARA
età	18	20	15
altezza	1,60	1,70	1,65
peso	54	60	58

1. **Maria è più giovane di Carla.**
2. **Sara è meno alta di Carla.**
3. **Carla pesa più di Maria.**
4. ………
5. ………
6. ………
7. ………
8. ………

H Read the chart in G and answer the questions below.

1. Chi è la ragazza più giovane?

………

2. Chi è la ragazza più bassa?

………

3. Chi è la ragazza più alta?

………

4. Chi pesa meno di Sara?

………

5. Chi è più giovane di Maria?

………

6. Chi è più bassa di Carla?

………

7. Chi è la più magra delle tre ragazze?

………

I Look at the picture and answer the questions orally. Write a short text in Italian which describes the situation, how the characters are dressed and how they feel in this situation.

Vignetta A

1. Com'è il tempo?
2. Chi vedi nel disegno?
3. Che cosa stanno facendo?
4. Come sono vestiti?
5. Di che umore sono?
6. Che cosa dicono secondo te?

Vignetta B

1. Dove si trova il signore?
2. Com'è il tempo?
3. Che cosa sta facendo?
4. Che cosa indossa?
5. Come si sente?
6. Che cosa sta pensando?

L Review the irregular verbs and fill in the correct forms of the PASSATO PROSSIMO.

	PRENDERE	SENTIRSI	SCENDERE	ANDARE	VENIRE
io	ho preso	………	………	………	………
tu	………	………	………	………	………
lui/lei/**Lei**	………	………	………	………	………
noi	………	………	………	………	………
voi	………	………	………	………	………
loro	………	………	………	………	………

Corrispondenza

Read the letter and complete the chart with the requested information.
[Th]en write the name of the members of Francesca's family.

[Ci]ao Chiara

[io] sono Francesca, la tua nuova amica. Ho 12 anni e faccio la
[se]conda media. Abito a Milano in un appartamento in periferia.
[In] famiglia siamo in quattro: mio papà Angelo, mia mamma Luisa,
[m]io fratello Alessio e io.

[Il] papà è molto alto, ha la barba e pochi capelli. Fa il giornalista ed
[è] un tipo serio e tranquillo. La mamma lavora in un ufficio e spesso
[è] nervosa. Lei non è molto alta, ha i capelli biondi e corti.

[M]io fratello è alto, ha i capelli lunghi e scuri come quelli di papà.
[È] un tipo simpatico e allegro.

[Fr]equenta la scuola superiore, ma studia poco e forse sarà bocciato.
[H]o gli occhi chiari e i capelli biondi, sono un tipo sportivo e
[in]traprendente.

[In] casa c'è anche un cane, nero, con il pelo corto. Si chiama Leo e
[di]venta triste quando lo lasciamo solo.

[As]petto tue notizie.

Francesca

PARENTELA	NOME	LAVORO	ASPETTO FISICO	CARATTERE
padre				

Answer the questions.

A chi scrive Francesca?

.....

Dove abita?

.....

Quanti sono in famiglia?

.....

Che classe fa?

.....

5. Quale problema ha il fratello di Francesca?

....

6. Come si chiama il suo cane?

....

7. Di che colore è?

....

8. Che cosa dice di lui Francesca?

....

Write a letter talking about yourself and your family as Francesca does in her letter.

CHE COSA TI PIACE FARE

Un pomeriggio, Anna e Indira sono andate a sentire una conferenza. Indira fatica a seguire il discorso, si annoia e si mette a disegnare sul suo blocco per gli appunti. Anna ascolta, ma la osserva.

È inutile, non conosco ancora abbastanza la vostra lingua per capire una conferenza, così ho preso appunti a modo mio.

Ho visto, hai disegnato per tutto il tempo, fammi vedere i tuoi "appunti".

Sei bravissima, con pochi tratti metti in evidenza le caratteristiche di un viso. Da quanto disegni?

Seguo i corsi di un maestro. Lui dice che ho delle capacità, ma devo impegnarmi molto se voglio ottenere dei buoni risultati.

Sono tutti così gli insegnanti. Secondo loro bisogna sempre lavorare... lavorare... lavorare!

Ehi, vedo che anche tu ne sai qualcosa! Non dirmi che disegni anche tu...

Arena di Verona
The Verona Arena is a Roman amphitheatre in Verona, which is internationally famous for the large-scale opera performances given there. It is one of the best preserved ancient structures of its kind.
The building itself was built in 30 AD on a site which was then beyond the city walls. The amphitheatre could host more than 30,000 spectators in ancient times.

L'AIDA DI GIUSEPPE VERDI
Giuseppe Verdi (1813 – 1901) fu un compositore italiano del Romanticismo, soprattutto di opere.
Fu uno dei compositori più autorevoli del diciannovesimo secolo. I più importanti teatri lirici del mondo spesso rappresentano le sue opere.
Tutti conoscono alcune sue romanze: "La donna è mobile" dal Rigoletto, "Va, pensiero" dal Nabucco, "Libiamo ne' lieti calici" da La Traviata e la "Grande Marcia" dall'Aida.
Le principali opere di Verdi sono: Nabucco, Rigoletto, Il trovatore, La Traviata, Aida, Otello.
L'Aida è un'opera in quattro atti che si svolge in Egitto ed ebbe molto successo quando fu finalmente rappresentata al Cairo il 24 dicembre 1871. Verdi, tuttavia considerò la prima rappresentazione italiana alla Scala l'8 febbraio 1872, come la sua vera prima. L'Aida, infatti, ricevette grande entusiasmo nella sua prima di Milano.
L'opera fu presto rappresentata presso i maggiori teatri lirici d'Italia e nel mondo.

GIUSEPPE VERDI AND AIDA
Giuseppe Verdi (1813 – 1901) was an Italian romantic composer, mainly of ope
He was one of the most influential composers of the 19th century. His works are frequently performed in opera houses all over the world.
Everybody knows the arias "La donna è mobile" from Rigoletto, "Va, pensiero" fro Nabucco, "Libiamo ne' lieti calici" from L Traviata and the "Grand March" from Aid

The most important operas by Verdi are: Nabucco, Rigoletto, Il trovatore, La Travia Aida, and Otello.

Aida is an opera in four acts based on a story set in Egypt and met with great acclaim when it finally opened in Cairo or December 24, 1871. Verdi, however, considered the Italian premiere, held at L Scala, Milan on February 8, 1872, to be it real premiere. Aida was received with grea enthusiasm at its Milan premiere.
The opera was soon performed at major opera houses throughout Italy and all ove the world.

ida continua ad essere un caposaldo del
ertorio lirico e compare al sedicesimo
to nell'elenco delle venti opere
ggiormente rappresentate in America.

l 2007, solo il Metropolitan Opera ha
o più di 1100 rappresentazioni
l'opera, ponendola al secondo posto dei
ori più rappresentati dalla Compagnia
o La Boheme di Puccini.

n John usò la storia dell'opera, ma non
ua musica, come base per il musical con
stesso nome che scrisse nel 1998.

Aida continues to be a staple of the
standard operatic repertoire and appears as
number 16 on the list of the 20 most-
performed operas in America.

As of 2007, the Metropolitan Opera alone
has given more than 1,100 performances of
the opera, making it the second most
frequently performed work by the company
behind La Bohème by Puccini.

The opera's story, but not its music, was
used as the basis for a 1998 musical of the
same name written by Elton John.

■ **Giacomo Puccini**

d the question and answer in Italian.

Chi fu Giuseppe Verdi?

...

Che cosa rappresentano spesso i teatri lirici del mondo?

...

Quali romanze conoscono tutti?

...

Quali sono le principali opere di Verdi?

...

Che cos'è l'Aida e dove si svolge?

...

Che cosa usò Elton John per il suo musical che scrisse

1998?

...

■ **Giuseppe Verdi**

■ **L'Aida all'Arena di Verona**
The first 20th century operatic
production at the Arena, a staging of
Giuseppe Verdi's Aida, took place on
August 10, 1913, to mark the birth of
Verdi a 100 years before. Since then,
a summer opera season has been
presented continuously at the Arena.
Every year over 500,000 people see
spectacular productions of the
popular operas in this Arena.
In recent times, the Verona Arena has
also hosted concerts of popular
music such as Pink Floyd, Ennio
Morricone, Elton John, and Tina
Turner, among others.

IL GIOCO DELL'OCA

1. Students are divided in two or more groups. One player throws the dice and moves his/her piece as many squares as the number on the dice.

2. For each box there are three questions the group has to answer.
The three questions are:
• what do you see in the picture?
• what are you doing?
• give an adjective describing the mood of the characters?

3. For each box with the smiley face you have to give an adjec

4. If you land on a box with only a number you can not advan

5. If your answer is incomplete, you lose a turn.

6. If you answer incorrectly or do not answer all the questions you go back to box 1.

AND THE WINNER IS ...
THE TEAM THAT GETS TO THE END FIRST!

S P E A K I N G • W R I T I N G

A Describe in detail the people in the pictures.

C Referring to this person, describe her physical appearence and character, compare her to a person you know.

B Try to create a personal portrait. Who are you? What do you do? Where do you live? How do you dress? Say what makes you happy and what makes you angry.

....

....

....

....

....

....

D Watch the expressions on the faces of these people and imagine how they feel. Write a brief story on each of them (who they are, where they live, what they are feeling, what is happening...).

....

....

....

....

....

....

....

....

....

Focus lingua

Here are some Italian expressions referring to the body parts.

• È USCITO DAI GANGHERI. →
A person who loses his/her temper easily, his/her balance and is behaving in an uncontrolled way .

• HA UN DIAVOLO PER CAPELLO. →
A very angry person who can not be approached without running the risk of suffering the consequences of his wrath.

• HA RICEVUTO UNA TIRATA DI ORECCHIE. →
When a person has been gently criticized for a mistake.

• HA RICEVUTO UNA LAVATA DI CAPO. →
If he/she has been severely criticized.

• SE NE STA CON LE MANI IN MANO. →
A person who spends his/her time doing nothing.

How would you express the same ideas in English? ....

R E V I E W

A Review the irregular verbs and complete the chart with the FUTURO of the verbs below.

	SAPERE	TENERE	AVERE	ANDARE	VENIRE
io	saprò	....	....	....	....
tu	....	terrai	....	....	....
lui/lei/**Lei**	....	....	avrà	....	....
noi	sapremo	....	....	....	....
voi	....	....	....	....	verrete
loro	....	....	....	andranno	....

B Look at the two cartoons and write a short story about the characters in the first and the second scene. How old is the person? Where is he? How is the weather? How is he reacting to the situation? Why are the reactions different?

C Answer the questions and fill in the correct personal pronoun. Follow the example below.

1. Hai detto a Carlo che è antipatico? →

Sì, gliel'ho detto.

2. Vi hanno chiesto di venire alla festa?

Sì, ...

3. Gli hai dato l'indirizzo di casa nostra?

Sì, ...

4. Ci avete mandato voi quella persona?

No, ...

5. Carmen, hai portato il bambino dalla nonna?

No, ...

D Fill in MA, PERCHÈ, POI, MENTRE in the sentences below.

1. Non ho voglia di andare al cinema .... sono stanco.
2. Franco è gentile, ... Marco è antipatico.
3. Prima fai compiti .... andiamo al parco. Sei contento?
4. Si è commosso .... guardava quel vecchio film.
5. Matteo è arrabbiato .... non ha avuto nessun regalo.
6. Tuo fratello di solito è simpatico, ... a volte fa brutti scherzi.
7. Mara è triste .... ha preso un brutto voto.
8. In ufficio è nervoso .... a casa è calmo
9. .... sei venuto, se non avevi voglia di parlare con me?
10. Mi faccio una doccia, ... tu finisci il libro.

E Fill in the correct endings of the adjectives in the sentences below.

1. Queste lezioni sono molto interessant_
2. Il tuo amico è davvero simpatic_
3. I compagni di Jacopo sono gentil_
4. Le tue cugine sono antipatic_
5. I film indiani sono favolos_
6. Mio zio è un tipo nervos_
7. Alla nonna piacciono le persone educat_
8. Oggi siamo davvero stanc_

G Write the verbs in brackets using the correct tense.

1. Mi sembra che Luisa .... (*essere*) più alta di te.
2. .... (*volere*) andare al mare, ma non posso.
3. Ieri .... (*io, vedere*) la nuova collega.
4. Quando .... (*fare*) più caldo, noi .... (*andare*) al mare.
5. Perché non ci hai detto che .... (*essere*) triste.
6. Quando .... (*tu, tagliare*) i capelli?
7. Da bambina .... (*avere*) le trecce, ora .... (*porto*) i capelli cor
8. Mi .... (*piacere*)avere gli occhi azzurri come i tuoi.

F Tommaso, Antonio and Nicola have the same traits, but to different degrees. Look at the chart and write some sentences in Italian for each of them. Follow the examples below.

Qualità	TOMMASO	ANTONIO	NICOLA
simpatico	+	+++	++
disponibile	++	+	+++
bravo	+++	++	+
nervoso	++	+	+++
rumoroso	+	++	+++

Tommaso (+) è simpatico. Nicola (++) è più simpatico di Tommaso. Antonio (+++) è il più simpatico di tutti.

Antonio

....

Nicola

....

Tommaso

....

Tommaso è meno simpatico (+) di Nicola (++).

Antonio

....

Nicola

....

Tommaso

....

ETTURE

NDREA BOCELLI (Lajatico, Pisa 1958).

minciò a studiare pianoforte all'età di sei anni,
 imparò a suonare anche il flauto e il sassofono.
ito il liceo, si iscrisse all'università e studiò
risprudenza e contemporaneamente diventò
evo del grande tenore Franco Corelli.

nizio ufficiale della carriera di cantante fu nel
92, quando a uno spettacolo sostituì sul palco
ciano Pavarotti.

rtecipò con successo ad alcuni Festival di
remo. Con la canzone **Con te partirò** ottenne
 successo mondiale con vendite di dischi
aordinarie.

gi Bocelli è il cantante italiano più conosciuto nel
ndo, è ammirato per la sua voce e per la sua
estria tecnica.

ANDREA BOCELLI (Lajatico, Pisa 1958).

Andrea Bocelli began to study the piano at six
years of age, but he also learned to play flute and
saxophone. After high school he attended the
university and studied law, but at the same time he
studied with the famous tenor, Franco Corelli.

The official beginning of his career as a singer was
in 1992 when he replaced Luciano Pavarotti
during a show.

He successfully took part in several San Remo
festivals. With the song Con te partirò (I will leave
with you) he became world famous with
extraordinary CD sales.

Today Bocelli is the most well known singer in the
world. He is admired for his voice and the
technical artistry of his performances.

JOVANOTTI (vero nome Lorenzo Cherubini, Roma, 1966). Scoprì la musica molto giovane e coltivò questa sua passione diventando DJ nelle radio private e nelle discoteche romane.

All'inizio della sua carriera suonò un genere di musica dance, simile a quella americana dell'hip hop che in Italia non era ancora conosciuto.

Debuttò quindi su Radio Deejay col nome di Jovanotti. Partecipò nel 1989 al Festival di Sanremo eseguendo la famosa canzone Vasco nella quale imitava Vasco Rossi.
Fece diversi album nei quali impose le canzoni rap, genere musicale del quale diventò l'interprete più significativo in Italia.
I contenuti delle sue canzoni propongono valori condivisi dai giovani come nel caso di **Penso positivo**.

Jovanotti e le sue canzoni sostengono i paesi poveri del Sud del mondo.

JOVANOTTI (his name is Lorenzo Cherubini, Rome 1966). He discovered music very young and became a disk jockey for private radio stations and in Roman discos.

At the beginning of his career he played a kind of dance music like American hip hop which was unknown in Italy.

He adopted the name Jovanotti and made his debut with Radio DJ. In 1989 he took part to the San Remo Festival with his famous song Vasco imitating Vasco Rossi.
He made several albums of rap songs becoming the most meaningful interpreter of this kind of music in Italy.
His songs express the values shared with young people such as the song Penso positivo (I think positive).

Jovanotti and his songs advocate for the poor countries in the southern hemisphere.

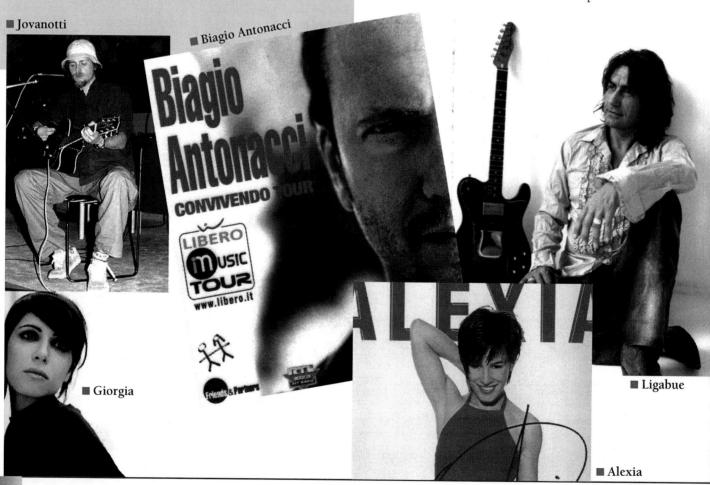

■ Jovanotti

■ Biagio Antonacci

■ Giorgia

■ Alexia

■ Ligabue

Obiettivi / Goals:

- Describing objects
- Asking prices
- Asking for permission
- Expressing preferences

UVA EXTRA
€ 18,00

■ Negozi di alimentari

FACCIAMO LA SPESA?

Che cosa manca?

On Saturdays Claudia usually goes shopping at the local market where the products sold are fresh and at very reasonable prices. Before leaving she prepares a shopping list to be sure not to forget anything. Her husband prefers to go shopping near home. Shops there offer home delivery.
Claudia does not agree, because there everything costs much more.

Giorgio: – Sei sicura di voler andare al mercato?

Claudia: – Certo, i prodotti di Cesare sono ottimi, freschi.

Giorgio: – Ma il mercato è un po' lontano e portare le borse della spesa è faticoso…

Claudia: – Non ricominciare con la solita storia!
Il fruttivendolo qui vicino mi porta la spesa a casa, ma i suoi prezzi sono il doppio di quelli di Cesare… è troppo caro!

Giorgio: – Va bene, hai ragione, allora ti accompagno, così ti aiuto.

Claudia: – Così va meglio! Adesso preparo la lista. Dunque… per la verdura vedo al momento… per la frutta… un chilo di fragole… due o tre chili di mele… un cestino di kiwi, una cassetta di arance… le spremute piacciono a tutti.

Indira: – Posso venire anch'io? Girare per il mercato mi piac… Ci sono tante cose da vedere…

Vocabolario

sicura = sure	**la spesa** (f.s.) = shopping	**il doppio** (m.s.) = double
il mercato rionale (m.s.) = local market	**faticoso** = tiring	**al momento** = at the moment
i prodotti (m.p.) = products	**la storia** (f.s.) = story	**il cestino** (m.s.) = basket
freschi = fresh	**il fruttivendolo** (m.s.) = greengrocer	**caro** = expensive
accompagno = I accompany	**i prezzi** (m.p.) = prices	**la cassetta** (f.s.) = box

A Read the dialogue and answer the questions.

1. Dove pensa di andare Claudia a fare la spesa?

………

2. Che cosa pensa di comperare?

………

3. Perché il marito non è d'accordo?

………

4. Dove vorrebbe andare lui?

………

5. Qual è il motivo della sua scelta?

………

Cultura

IL MERCATO

Every week in towns and cities in Italy a local **mercato** (market) is held in a square or along a road. There are stalls for food, footwear, clothing and household items. Basically everything that you need. Vendors from all ove arrive early in the morning with their vans and assemble stand to display, the goods, then they wait for customers. In large cities the market is held several times a week, but in different locations. In recent years store owners and growers have begun setting up markets in their own towns. There they offer high quality, local products at affordable prices.

Fill in the correct adjective endings in the sentences
ow .

a verdura la mercato è fresc __

Gli spinaci sono verd __

Vorrei dei pomodori matur __

Mi dà due peperoni giall __

Le banane sono ancora verd __

Queste uova sono fresc __?

Prendo un chilo di patate bianc __

Ha del formaggio fresc __

Non voglio il prosciutto cott __

Queste fragole non sono buon __

Fill in the correct prepositions and articles in the
tences below.

Oggi sono andata .... mercato .... mia madre.

Metti .... patate .... quella borsa.

Mi piacciono .... fragole .... panna.

.... borse .... spesa sono piene .... frutta.

.... mercato ci sono tante cose .... vedere.

Non voglio andare .... fruttivendolo.

Mettiamo la verdura .... frigorifero.

.... arance faccio ottime spremute.

Vengo .... te, così ti aiuto.

Siete sicuri .... volere .... spinaci?

Change the sentences below to the plural .

Da bambino non mi piaceva la verdura.

....

L'hai già fatta tu la spesa?

....

Quando vai al mercato chiamami.

....

Deve andare a fare la spesa, signora ?

....

Il negozio vicino è caro.

....

Il negozio che preferisco è lontano
casa mia.

....

E Answer the questions as in the example below.

1. Chiedi alla mamma che cosa le serve? ➞

Gliel'ho già chiesto.

2. Di' a Maria che andiamo in negozio,

....

3. Porta le mele alla zia.

....

4. Gli dai del succo di frutta?

....

5. Ditegli di venire qui subito?

....

F Listen to the dialogue and fill in the missing words.

– Buongiorno signora, ... servirla?

– Buongiorno Cesare, ... delle mele.

– Prenda .... gialle, sono ....

– Devo fare una torta, ... bene?

– Certo, le può .... così o ...., sono molto buone.

– Allora me ne dia due .... Mi piace mangiare una mela dopo
pranzo.

– Ha bisogno di altro?

– Sì, tre limoni e un cestino di ....

– Ecco fatto.

– .... le devo?

– Sono 5 € e venti.

– Ecco a lei. Arrivederci!

Cultura

PESI E MISURE

Italy uses the metric system for weights and measures.
This system uses multiples of ten as the basis for all measurements.
The basic unit for weights is the **grammo** (g).
The unit for length is **metro** (m).

1 inch (pollice) = 2,54 cm

1 foot (piede) = 30,40 cm

1 yard (iarda) = 91,44 com

1 mile (miglio) = 1,6093 km

1 pound (libbra) = 453 g

Serve qualcosa, mamma?

Jacopo: – Mamma, ti serve qualcosa al supermercato?

Claudia: – Sì,… perché me lo chiedi?

Jacopo: – Vado con Mike al centro commerciale e lì c'è anche il supermercato.

Claudia: – Ho bisogno…

Jacopo: – Aspetta che faccio la lista, altrimenti dimentico tutto… ecco sono pronto.

Claudia: – Allora mi prendi un litro di latte fresco, due scatole di biscotti, un vasetto di marmellata e un pacco di pasta da un chilo, spaghetti, … e un sacchetto di riso. Sai quali sono le marche che usiamo, vero?

Jacopo: – E dove trovo queste cose?

Claudia: – Il latte è nel banco frigorifero, vicino ai formaggi, le altre cose sono sugli scaffali in diversi corridoi… guarda i cartelli.

Jacopo: – Mi dai il gettone per il carrello? E le borse dove le trovo? Me le danno alla cassa?

Claudia: – No, prendi quelle di cotone che uso io…

Jacopo: – Mi dai i soldi?

Claudia: – Eccoti 20 € … e non dimenticare il resto… E lo scontrino…

Jacopo: – Sìììììììì mamma.

Vocabolario

il supermercato (m.s.) = supermarket
il centro commerciale (m.s.) = mall
dimentico = I forget
le scatole (f.p.) = boxes
il vasetto (m.s.) = jar
il pacco (m.s.) = pack
il sacchetto (m.s.) = bag
le marche (f.p.) = brands

gli scaffali (m.p.) = shelves
il gettone (m.s.) = token
il carrello (m.s.) = cart
la cassa (f.s.) = cash register
i soldi (m.p.) = money/change
il resto (m.s.) = rest/change
i cartelli (m.p.) = signs
i corridoi (m.p.) = corridors
lo scontrino (m.s.) = receipt

A Read the dialogue and check the correct answer.

1. Jacopo pensa di:
○ andare in centro
○ andare in un centro commerciale
○ uscire con gli amici

2. Chiede a sua madre:
○ di fare la spesa
○ se ha bisogno di fare la spesa
○ se le serve qualcosa al supermercato.

3. Claudia spiega a Jacopo:
○ dove trovare il latte
○ dove sono gli scaffali
○ dove trovare i prodotti

Cultura

L'EURO

In 2000 Italy adopted the currency of the European Union; the **euro**. Lire, the old monetary system, can no longer be used.

Euros come in both coins and bills. The bills are identical for all countries. The coins are not the same. Each coin has a common side and a "national" side with a different design reflecting the culture of the country.

The euro is divided in to 100 cents.

There are **coins** for the following denominations:
1 - 2 -5 -50 - 10 -20 cents and **1** and **2 euros**.

There are **bills** (banknotes) for **5 - 10 - 20 -50 -100 euros**.

There are also **200** and **500 euro bills**, but these are seldom used.

Read the dialogue and complete the sentences below.

supermercato si trova dentro il ....

acopo fa la .... per non .... le cose da prendere.

Claudia gli chiede di prendere un .... di marmellata.

ai quali sono le .... che usiamo, vero?

latte è nel .... frigorifero.

icino al latte ci sono i ....

er prendere il .... ci vuole un gettone.

er la spesa Claudia usa .... di ....

er la spesa Claudia dà a Jacopo .... €.

Answer the questions below.

cusi, dove posso trovare un carrello?

ino all'ingresso) ....

ove sono i biscotti?

rzo corridoio a sinistra) ....

Quanto costa un vasetto di marmellata?

colo, 2 €) ....

ove trovo il latte fresco?

l frigorifero) ....

he cosa serve per prendere il carrello?

gettone o una moneta) ....

Change the sentences below into the singular

olete venire con me al centro commerciale?

...

he cosa pensate di comperare?

...

Abbiamo bisogno di un po' di cose.

...

A loro piacerebbe andare al mercato.

...

Pensiamo che sia ora di tornare a casa.

...

Check the correct word in the sentences below.

Metti le bottiglie (*nel carrello / nella borsa*) e poi vai alla cassa.

Per portare a casa la spesa ho preso (*una borsa / un carrello*).

prodotti dello stesso tipo sono tutti in un (*corridoio / cestino*).

l latte si trova vicino (*al formaggio / ai biscotti*).

Claudia usa (*borse / cestini*) di cotone per la spesa.

F Conjugate the verbs in brackets in the CONDIZIONALE PRESENTE.

1. .... (*io, prendere*) solo un po' di frutta.
2. A Mario .... (*piacere*) andare in centro.
3. Noi .... (*venire*) volentieri con te.
4. Con chi .... (*andare, tu*) al mercato.
5. Ci .... (*portare, lui*) la spesa a casa.
6. Mi .... (*tenere, tu*) la borsa un momento?
7. Voi .... (*dovere*) bere più latte.
8. Questa .... (*essere*) la verdura migliore?

G Listen to the dialogue and arrange the sentences in the correct sequence.

.... Vale, vieni con me al supermercato?

.... Due panini, un chilo di pesche e sei uova per la nonna.

.... No, faremo presto. Sono solo tre cose.

.... La nonna dice che lì costano meno.

.... Devi fare tanta spesa?

.... Ma come fa a sapere dove sei andato?

.... Qui sotto c'è un piccolo negozio che ha di tutto

.... E per queste poche cose vuoi andare al super?

.... Sai che la nonna ha le sue idee…

.... Dal sacchetto del pane e dallo scontrino…

.... Che cosa devi prendere?

.... È proprio un bel tipo tua nonna!

Cultura

LA BORSA DELLA SPESA

When people did their food shopping every day, each person had **la borsa della spesa** (a large shopping bag) which could be of different materials according to the tastes and customs of that time. Then plastic bags appeared and merchants gave them to the customers. Supermarkets put their logos on the bags and got free advertising. Now, as more people are "going green", plastic bags have been replaced with other biodegradable materials to help fight environmental pollution. Many people also bring their own reusable cloth bags to the store.

Un negozio per ogni cosa

Vocabolario illustrato

la pasticceria (f.s.)
= pastry shop

la gelateria (f.s.)
= ice-cream shop

la salumeria (f.s.)
= delicatessen

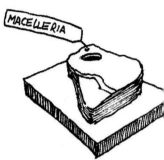

la macelleria (f.s.)
= butcher's shop

la profumeria (f.s.)
= perfumery

la pizzeria (f.s.)
= pizzeria

la panetteria (f.s.)
= bakery

A Looks at the drawings and match the name of the store to the product.

1. pasticceria	a. profumi, creme
2. gelateria	b. carne di diversi tipi
3. salumeria	c. pasticcini, torte, dolci in genere
4. macelleria	d. pizza e focaccia
5. profumeria	e. gelato
6. pizzeria	f. pane, focacce
7. panetteria	g. salumi e prosciutto

B Change the words in italics into the plural.

1. Mi dia *un chilo* di pane.
....

2. Vorrei *una bistecca e un pollo.*
....

3. Prendiamo *la pizza* con il prosciutto.
....

4. Per la festa *ho ordinato una torta.*
....

C Fill in the correct word in the questions or in the answers below.

1. Dove hai comperato questa torta al cioccolato?
Nella .... di Piazza Roma.

2. Cerchi un .... da regalare a Carla?
Vai in una profumeria del centro, ce ne sono tante.

3. Per questa sera ordiniamo una pizza?
Sì, telefono alla .... e la faccio portare a casa.

4. Sai che non c'è più carne in freezer?
Sì, nel pomeriggio devo andare dal ....

5. Dove possiamo trovare un buon gelato?
Nella .... vicino all'Università.

6. Questo .... è straordinario! Dove lo prendi?
Nella panetteria sotto casa.

Check the correct form in the sentences below.

ignora, (le / gli / la) serve altro?

er favore (mi / ci / gli) fa il conto, ho fretta.

ignor Rossi, (le / gli / vi) porto il solito caffè?

arla, posso far (ti / le/ ci) provare questo profumo?

agazzi, (ci / vi / gli) ho preparato la pizza.

e ti fermi da Mario (le/ lo/ gli) devi lasciare le arance.

ianni dice che (gli/ lo/ le) hanno portato una cassetta

rutta.

icorda che i tuoi amici vengono a trovar (ti/ vi/ li)

mani.

Read the answer and ask the question.

....

salumiere sono andata ieri .

....

mercato ho preso solo la frutta.

....

o preso dal panettiere di via Nizza.

....

vi una buona profumeria in centro.

....

no andato al centro commerciale con Mario.

....

torta viene dalla Pasticceria Manara.

F Answer the question. Fill in the correct form of IL MIGLIORE, IL PEGGIORE in the sentences below.

1. Davvero ti piace questo pane?

Sì, è .... che io abbia mangiato.

2. Ti piace la pizzeria Mare Blu?

No, è .... che io conosca,

3. Ha delle arance rosse di Sicilia?

Sì, sono .... che io abbia.

4. Prendi la verdura da quel fruttivendolo?

No, è .... del mercato.

5. Ha dei salumi meno cari?

No, noi teniamo solo ....

6. Perché non vai al supermercato?

Perché non ci sono .... marche.

G Conjugate the verbs in brackets in the FUTURO.

1. Dove .... (tu, prendere) il giornale, se l'edicola è chiusa?

2. Per la fine dell'anno .... (noi, andare) in pizzeria.

3. Mio cugino .... (aprire) una pasticceria a Siena.

4. Il panettiere .... (chiudere) nel mese di agosto.

5. Non .... (io, comperare) più niente in quella macelleria

6. Non .... (voi, trovare) mai una profumeria meno cara di questa.

7. Per il loro matrimonio .... (fare, loro) una grande torta con la frutta.

8. Domani .... (voi, fare) la spesa per i nonni.

Focus grammatica

SUFFISSI

n Italian the name of the store where you buy certain products and the word for the person selling those items are formed by adding a suffix. You already know the suffix –ERIA indicating the place where they sell products and the suffix –AIO that ndicates the seller. In this unit there is a new suffix, –IERE that sometimes refers to the seller and sometimes to those who repare the products. Read the chart below and memorize it.

PRODOTTO	NEGOZIO	CHI VENDE	CHI PREPARA
carne	macelleria	macellaio	macellaio
pesce	pescheria	pescivendolo	/
dolci	pasticceria	pasticcere	/
frutta	/	fruttivendolo	/
pane	panetteria	panettiere	panettiere
salumi	salumeria	salumiere	salumiere
pizza	pizzeria	/	pizzaiolo
profumo	profumeria	/	profumiere
gelato	gelateria	gelataio	gelataio

Al supermercato

After Jacopo and Mike spent some time at the shopping mall, they went to the supermarket to buy what Claudia wanted. They are not used to shopping and it takes them a long time to find what they are looking f[...]
Soon they realize that one product can come in many different ways.

Jacopo: – Abbiamo trovato il latte, adesso diamo la caccia al resto.

Mike: – Sei sicuro di aver preso quello giusto?

Jacopo: – Certo, ricordo bene la confezione: bottiglia di plastica, etichetta blu.

Mike: – C'erano almeno sei bottiglie con le etichette blu!

Jacopo: – Be' spero di aver preso quella giusta…

Mike: – Adesso cerchiamo biscotti e marmellata… dovrebbero essere vicini.

Jacopo: – Perché si mangiano tutti e due a colazione?

Mike: – Più o meno… eccoli! Quali prendiamo?

Jacopo: – Quelli con le gocce di cioccolato, scatola bianca, scritta arancione.

Mike: – Perché non prendi il sacchetto da mezzo chilo? Costa meno.

Jacopo: – Perché sono di un'altra marca. A mio padre non piacciono.

Mike: – La marmellata in barattolo o in vasetto di vetro?

Jacopo: – Vasetto da 300g all'albicocca.

Mike: – Etichetta bianca, verde o gialla?

Jacopo: – Non lo so. Si chiama Fruttasol ed è senza zucchero.

Cultura

IL CODICE A BARRE

Do you know what the **codice a barre** (barcode) on every package is for? It consists of lines and numbers and is a kind of identity card indicating the country of the manufacturer (the first two digits) the manufacturer (the first group of five numbers) and product type (the second group of five numbers). The last number is for control.

Vocabolario

la caccia (f.s.) = hunting
la confezione (f.s.) = package
la plastica (f.s.) = plastic
l'etichetta (f.s.) = label
più o meno = more or less
le gocce (f.p.) = drops

la scritta (f.s.) = written
il sacchetto (m.s.) = bag
il barattolo (m.s.) = jar
il vetro (m.s.) = glass
lo zucchero (m.s.) = sug[...]

A Read the dialogue and answer the questions.

1. Com'era la bottiglia del latte?

....

2. Era la sola bottiglia di quel tipo?

....

3. Che cosa spera Jacopo?

....

4. Che cosa cercano dopo il latte?

....

5. Come sono i biscotti?

....

B Read the dialogue and check Vero [V] or Falso [F] (True/Fals[...]

1. I ragazzi prendono per prima cosa il latte. [V][F]

2. Mike non è sicuro che sia la marca giusta. [V][F]

3. Jacopo ricorda solo l'etichetta. [V][F]

4. La scatola dei biscotti è bianca. [V][F]

5. La scritta sulla scatola dei biscotti è blu. [V][F]

6. Il sacchetto di biscotti costa meno. [V][F]

7. Non importa quale sia la marca dei biscotti. [V][F]

8. La marmellata deve essere di albicocche. [V][F]

9. La marmellata è in un vasetto di vetro. [V][F]

10. Jacopo ricorda il nome della marca. [V][F]

Write complete sentences in Italian as in the example
ow.

izza, focaccia, saporita, essere →

izza è più saporita della focaccia.

Gianni, gelato, torta , piacere

..

egozio, mercato, caro, credo

..

rutta, mercato, frutta, supermercato, fresca, mi, sembra

..

Carla, spaghetti, riso, piacere

..

catola biscotti, sacchetto, biscotti, caro, essere

...

Write complete sentences in Italian, using the PASSATO
OSSIMO of the verbs.

ia, Matteo, negozio, abiti, aprire, Milano

...

giro, mercato, saldi, fare, amica, tu

...

nuova, aprire, pizzeria, stazione, noi, vicino

...

sabato, mamma, andare, papà, supermercato

...

voi, pasticcini, prendere, festa, compleanno

...

iso, piacere, molti, mangiare, verdure, e

...

Complete the short story with the words below.
ok at the picture on the right.

odotti · insalata · persone · metterà · zucchine ·
ricoltore · verdure · spesa · mercato · raccolte

ovanni è un piccolo ....

l suo campo ci sono, ..., cipolle, ...

ltre .... pronte per essere ....

mani mattina, molto presto, le .... nelle

ssette e le porterà al .... dove da anni ha un banco.

i, aspetterà le .... che tutti i giorni vengono

are la .... e comperano i suoi .... perché

no freschi e buonissimi.

E Write complete sentences in Italian as in the example
below.

1. Hai una borsa elegante. →

Hai la borsa più elegante.

2. Quella pasticceria fa delle buone torte.

....

3. Il prosciutto crudo è caro.

....

4. Il supermercato è comodo.

....

5. La pizzeria di Angelo è vicina a casa.

....

6. La commessa di quel negozio è gentile.

....

F Answer the questions using the information provided.

1. Bevi il latte a colazione?

Sì, ...

2. Preferite un succo di frutta o un tè?

(*tè*) ....

3. Dove avranno comperato quei biscotti?

(*pasticceria, forse*) ....

4. Ci sono negozi di scarpe qui vicino?

(*solo nel centro commerciale*) ....

5. Hai trovato le pesche al mercato?

(*no, solo pere*) ....

6. Dove comperi il giornale di solito.

(*edicola, all'angolo*) ....

Tu leggi le etichette?

On the way back from the supermarket Mike and Jacopo are talking about product labels.
One argues that packaging and labels only serve to attract the attention of the buyer, the other, on the contrary, says that they contain a great deal of useful information that consumers should know .

Mike: – Non ti capita spesso di andare a fare degli acquisti, vero?

Jacopo: – Ci vado per comperare vestiti, scarpe, quello che mi serve per la scuola… a v prendo il pane o qualche piccola cosa nei negozi vicini.

Mike: – Ma il super non è uno dei posti che frequenti volentieri?

Jacopo: – Come fai a saperlo? È vero, ci vado raramente. Sono i miei che ci vanno per la

Mike: – Basta vedere come scegli i prodotti in base ai colori delle confezioni!

Jacopo: – Hai ragione! Io ricordo la forma della scatola o il colore di un'etichetta più faci del nome del produttore o del prodotto. Sarà perché i colori mi attirano più delle scritte!

Mike: – Hai mai provato a leggere quello che c'è scritto su un'etichetta?

Jacopo: – Perché? Dovrei farlo?

Mike: – Forse sì, per capire che cosa stai comperando.

Jacopo: – Come si fa a leggere quei caratteri microscopici. Ci vorrebbe una lente di ingrandimento.

Mike: – Non è necessario leggere tutto, ma alcune indicazioni sono importanti

Jacopo: – Per esempio?

Mike: – Il peso della merce, la data di scadenza, gli ingredienti, i conservanti, perché se s allergico a qualche cosa…

Jacopo: – Così si passa la vita dentro un super… non ti sembra di esagerare?

Mike: – Non lo fai certo per tutto, ogni volta, ma se comperi un prodotto nuovo.

Focus grammatica

FACILMENTE, RARAMENTE

The adverbs that indicate how you perform an action usually end –MENTE or AMENTE.
The adverb is formed by dropping the final vowel on the adjective and adding the suffix.
Here below there are some of the most commonly used adverbs.

AGGETTIVO	AVVERBIO
facile (easy)	facilmente
difficile (difficult)	difficilmente
raro (rare)	raramente
sicuro (sure)	sicuramente
certo (certain)	certamente
faticoso (tiring)	faticosamente
completo (complete)	completamente
misterioso (mysterious)	misteriosamente
pieno (full)	pienamente
gentile (kind)	gentilmente
comodo (comfortable)	codomante

Vocabolario

allergico = allergic
capita = it happens
gli acquisti (m.p.) = shopping
raramente = seldom
in base a = according to
la forma (f.s.) = form
facilmente = easily
il produttore (m.p.) = producer
mi attirano = they draw me in/ they attract me
i caratteri (m.p.) = characters

microscopici = microscopic
la lente ingrandimento (f.s.) = magnifying lens
il peso (m.p.) = weight
la merce (f.s.) = goods
la data di scadenza (f.s.) = expiration date
gli ingredienti (m.p.) = ingredient
i conservanti (m.p.) = preservativ
esagerare = exaggerate

Attività

● The Italian teacher and the chemistry teacher work togethe with the students to analyze the labels on such products a drinks, snacks or cosmetics. What are the ingredients? Are the healthy? Are the ingredients harmful to the environment?

Read the dialogue and complete the sentences below.

Ion ti .... spesso di fare ....

. volte .... il pane.

. super non è uno dei .... che frequenti.

ono i .... che ci vanno.

icordo la .... della scatola.

colori mi .... più delle scritte.

ome si fa a leggere quei .... ?

'i vorrebbe una .... di ....

.lcune .... sono importanti.

Bisogna sempre leggere la data di ....

**Read the dialogue and check Vero [V] or Falso [F]
ue/False).**

Mike capita spesso di andare a fare acquisti.	V	F
acopo ci va solo per i vestiti.	V	F
acopo non va spesso al super.	V	F
ono i suoi a fare la spesa.	V	F
Mike sceglie prodotti in base all'etichetta.	V	F
eggere le etichette è importante.	V	F
acopo dice che i caratteri sono molto piccoli.	V	F
ulle etichette c'è il prezzo del prodotto.	V	F
econdo Jacopo Mike esagera.	V	F
Mike controlla tutto ogni volta.	V	F

Answer the questions as in the example below.

Quando vai a fare spesa? →

vado nel pomeriggio.

Con che cosa andrete al centro commerciale?

.tobus) ....

/errai con me al mercato sabato prossimo?

rtamente) ....

Che cosa hai trovato dal panettiere?

.accia con i pomodori) ....

Chi è andato a prendere le arance?

.aria) ....

Che cosa hai messo in quella borsa?

.scarpe per la palestra) ....

Che cosa hai comperato in profumeria?

. ottimo profumo) ....

Answer the questions as in the example below.

1. Dove hai preso quelle fragole? →

Le ho prese al mercato.

2. Dove trovo la marmellata?

(*secondo scaffale a destra*) ....

3. Hai preso le scatole di biscotti per papà?

(*sì, ieri*) ....

4. Chi ha preparato quei pasticcini?

(*mia nonna*) ....

5. Dove avete messo la cassetta di zucchine?

(*in cantina*) ....

6. Hai letto l'etichetta del vasetto di marmellata?

(*sì, con fatica*) ....

E 🎧 **Listen to the dialogue and fill in the missing words.**

– Hai preso i .... di frutta alla pera?

– Sì, ne ho prese due ....

– Hai .... la data di .... ?

– Certo, scadono il 3.5.2011.

– Hai letto gli ....? Quanto zucchero?

– Non contengono .... oltre a quello della frutta.

– Ci sono dei conservanti, sai sono ....

– Stai .... ho controllato tutto.

– Quante .... ci sono in ogni confezione?

– Bottiglie? Ma io ho preso .... nel brik!

– Li hai già pagati?

– No, vado ora alla ....

– Allora torna .... e cambiali.

Focus grammatica

I NOMI IN –TORE

Nouns ending in –TORE indicate who performs an action.
The ending changes to –TRICE to form the feminine.
The noun is usually derived from the action verb.
Look at the chart and memorize it.

NOME M.	NOME F.	VERBO
lavoratore	lavoratrice	lavorare
giocatore	giocatrice	giocare
educatore	educatrice	educare
disegnatore	disegnatrice	disegnare
consolatore	consolatrice	consolare

Dove metto la lattina?

After living with the Campis for several months Indira and Mike have adopted many of the family's habits. They have learned how to separate the household trash for recycling and rarely have doubts about where to put a container or packaging. When they first arrived it was not this way.

Jacopo: – Ragazzi, tocca a me spiegarvi cosa fare dei rifiuti.

Indira: – Qual è il problema? C'è il contenitore, no?

Mike: – Forse non hai visto bene, ce ne sono almeno quattro…

Jacopo: – Allora, la cosa è semplice: carta e cartone nel contenitore gial... scarti di cucina… marrone; bottiglie, lattine e barattoli vari, anche i brik... celeste. Le altre cose, tranne le pile scariche… contenitore blu. Capito?

Indira: – Quasi. Perché i contenitori hanno colori diversi?

Jacopo: – Perché così è facile capire in quale cassonetto devi rovesciarli, hanno il coperchio dello stesso colore… e dove la raccolta si fa casa per casa, gli addetti sanno che cosa prendere.

Mike: – Ma è complicato! Si deve sempre pensare dove mettere una co...

Jacopo: – … dopo un po' si riesce senza pensarci. Basta che tutti stiano un po' attenti…

Indira: – Quali sono i vantaggi di questa divisione?

Jacopo: – Si recuperano metalli, vetro… Sono materie prime!

Indira: – E c'è meno bisogno di discariche! Ne ho vista una, una volta, e spaventosa!

A Read the dialogue and complete the sentences below.

1. Jacopo deve spiegare agli amici ....
2. I rifiuti devono essere messi ....
3. La carta e il cartone vanno nel ....
4. Nel contenitore marrone vanno ....
5. Con la divisione dei rifiuti si recuperano ....
6. In questo modo c'è meno bisogno di ....

B Read the dialogue and answer the questions below

1. Che cosa deve fare Jacopo?

....

2. A che cosa servono i colori dei contenitori?

....

3. Quali vantaggi porta la divisione dei rifiuti?

....

4. Che cosa pensa Indira delle discariche?

....

Vocabolario

spiegare = to explain
i rifiuti (m.p.) = trash
il contenitore (m.s.) = container
semplice = simple
la carta (f.s.) = paper
il cartone (m.s.) = cardboard
gli scarti (m.p.) = rubbish
le lattine (f.p.) = cans
tranne = except

le pile (f.p.) = batteries
scariche = flat
il cassonetto (m.s.) = container
rovesciarli = to throw them
il coperchio (m.s.) = cover
la raccolta (f.s.) = collection
gli addetti (m.p.) = employees
il sistema (m.s.) = system

complicato = complicated
i vantaggi (m.p.) = benefits
la divisione (f.s.) = division
si recuperano = are recovered
i metalli (m.p.) = metal
le materie prime (f.p.) = raw materials
le discariche (f.p.) = dumps
spaventosa = frightening

Change the sentences to the plural.

Qual è il problema?

..

C'è il contenitore, vero?

..

La cosa è semplice.

..

Questo è il vantaggio della divisione?

..

L'azienda che fa la raccolta li vende.

..

La discarica è un posto spaventoso.

..

Answer the questions referring to the dialogue on the previous page .

Dove metto il barattolo dei piselli?

...

Che cosa si mette nel contenitore giallo?

...

In quale contenitore si mettono le pile scariche?

...

È complicato dividere i rifiuti?

...

Perchè i contenitori hanno colori diversi?

...

Perchè si recuperano metalli e vetro?

...

E Complete the sentences as in the example below.

Lo scrittore è la persona che scrive.

1. Il venditore è ....
2. Il pensatore è ....
3. Il pescatore è ....
4. Il guidatore è ....
5. Il servitore è ....
6. Il disegnatore è ....
7. L'educatore è ....

F Write the adjective from which each adverb is derived.

1. misteriosamente   ....
2. educatamente   ....
3. sicuramente   ....
4. raramente   ....
5. certamente   ....
6. completamente   ....
7. gentilmente   ....
8. maleducatamente   ....
9. spontaneamente   ....
10. dolorosamente   ....

Attività

● The teacher can suggest that the students do research on how household waste is collected.
The teacher asks students to research how Italian households manage waste. Is there daily collection? Is there mandatory recycling? What happens to the waste?

Grammatica

LA FORMA IMPERSONALE

Impersonal verbs express an action or a situation and do not refer to someone or to something specific. Italian always uses the third person singular.

Impersonal verbs are:
• those that describe the weather (**piove, nevica…**)
• verbs like **sembrare, bisognare, capitare.**

All verbs can also be used in an impersonal way, using the third person preceded by the personal pronoun SI, like the English pronoun "one."

Ex.: MANGIARE
• **forma personale** →I miei fratelli non **mangiano** il riso. (My brothers do not eat rice.)
• **forma impersonale** →In India **si mangia** molto riso. (In India one eats a lot of rice.)

IL PIC-N

Per l'ultimo giorno di scuola i compagni di Indira e Mike vogliono organizzare una festa per salutarli.
Nel pomeriggio andranno tutti alle Cascine, il grande parco fiorentino per un picnic.

Allora come ci organizziamo?
Chi va a fare la spesa?
Dove prepariamo i panini?

Calma, prima di parlare di spesa decidiamo che cosa vogliamo portare. Mi piacerebbero pizza, focacce, spaghetti...

A me l'idea piace... ma non dimenticate la torta di mele e il castagnaccio, Mike ne va pazzo! Poi, se qualcuno mi aiuta, vorrei preparare anch'io qualcosa... un piatto indiano ad esempio.

Per la pizza sono d'accordo e per le focacce alla verdura anche. Conosco un panettiere che ne fa di buonissime, ma gli spaghetti!!!

Avete pronta la lista della spesa?
Vado al supermercato e posso provvedere io a prendere quel che vi serve...

Grazie mamma, ci servono solo alcune bottiglie di acqua e delle bevande, questo è l'elenco, e poi piatti e bicchieri. Insomma quel che serve, tu lo sai meglio di me.

CULTURA ITALIAN

■ **Patate, pomodoro, peperone**

■ **Vari tipi di pasta**

■ **Orecchiette e spaghetti**

LA CUCINA ITALIANA

La cucina italiana si è sviluppata attraverso i secoli e ha ricevuto notevoli influenze dalla cucina degli Etruschi, dei Greci e dei Romani.

Significativi cambiamenti intervennero con la scoperta del Nuovo Mondo. La cucina italiana introdusse nuovi prodotti come: patate, pomodori, peperoni e mais.

La cucina italiana è nota per le differenze regionali e per la quantità di differenti gusti. È una delle più diffuse nel mondo.

Pasta

La pasta è un termine generico per un alimento ottenuto da un impasto non lievitato di grano o di grano saraceno, farina e acqua (pasta) alcune volte con altri ingredienti come le uova (pasta all'uovo) o con la carne (ravioli e tortellini).

La pasta si serve solitamente con vari tipi di salsa.

Ci sono centinaia di tipi di pasta con nomi diversi: spaghetti, maccheroni, fusilli, lasagne, etc.

La pasta viene fatta bollire. Gli italiani, tradizionalmente, cucinano la pasta "al dente".

ITALIAN CUISINE

As it developed through the centuries Ita cuisine was heavily influenced by Etrusca ancient Greek and ancient Roman cuisine

Significant changes occurred with the discovery of the New World. Italian cuisir introduced new products such as potatoe tomatoes, bell peppers and corn. Italian cuisine is noted for its regional diversity a abundance of difference in taste. It is one the most popular in the world.

Pasta

Pasta is a generic term for foods made fro an unleavened dough of wheat or buckwheat, flour and water. Pasta is sometimes prepared with other ingredien such as eggs (pasta all'uovo) or with meat (like ravioli and tortellini).

Pasta is usually served with sauce.

There are hundreds of different shapes of pasta; thin rods, tubes or cylinders, swirls and sheets, etc.

Pasta is generally cooked in boiling. Italiar pasta is traditionally cooked "al dente".

■ **Vari tipi di pizza**
There are many varieties of pizza; the most important are: **Margherita**, made with tomato, sliced mozzarella, basil and extra-virgin olive oil, **Capricciosa** (capricious pizza), **Quattro stagioni** (four seasons pizza), **Quattro formaggi** (four cheese pizza), **Bianca** (white pizza).

Olio

olio d'oliva è un olio ottenuto dalle olive,
frutti dell'olivo, albero tradizionale del
acino del Mediterraneo.

comunemente usato in cucina, in
osmetica, in farmacia e nei saponi.

olio d'oliva è usato in tutto il mondo, ma
pecialmente nell'area mediterranea.

li olivi sono coltivati per il 95% nell'area
editerranea, in Spagna, Italia, Portogallo e
recia.

el Nord America, l'olio italiano e quello
pagnolo sono i più conosciuti.

zza

pizza napoletana è una Specialità
adizionale Italiana Garantita (STG).

pizza è un pane a forma di disco piatto
tto nel forno, tipicamente condito con
lsa di pomodoro, formaggio (di solito
ozzarelle) e vari tipi di ingredienti.

riginaria della cucina napoletana, la pizza
liventata popolare in numerose e diverse
rti del mondo.

ocale o il ristorante che soprattutto fa o
nde pizza si chiama **pizzeria**.

pizza può essere cotta in un forno
ettrico o in un forno a legna (il più usato
Italia).

Olio

Olive oil is obtained from the fruit of the
olive tree, a traditional tree found in the
Mediterranean Basin.

It is commonly used in cooking, cosmetics,
pharmaceuticals and soaps.

Olive oil is used throughout the world, but
especially in the Mediterranean area.

The olive trees are cultivated about 95% in
the Mediterranean region in Spain, Italy,
Portugal and Greece.

In North America, Italian and Spanish olive
oils are the best-known.

Pizza

Pizza napoletana is a guaranteed traditional
Italian speciality.

Pizza is an oven-baked, flat, disc-shaped
bread typically topped with a tomato sauce,
cheese (usually mozzarella) and various
toppings.

Originating in Neapolitan cuisine, the pizza
has become popular in many different parts
of the world.

A shop or a restaurant that primarily makes
and sells pizzas is called "pizzeria".

The pizza can be baked in an electric deck
oven or a wood or fired brick oven (used
more often in Italy).

■ Olio extra vergine
Extra-virgin olive oil is the
highest quality olive oil and
comes from a single pressing.
It is judged to have a superior
taste. It is used on salads,
added at the table to soups and
stews or for dipping bread.

■ **Pizzeria**

ad the questions and answer in Italian.

Da chi ha ricevuto notevoli influenze la cucina italiana?

....

Quali prodotti introdusse la cucina italiana con la scoperta del
uovo Mondo?

....

È diffusa nel mondo la cucina italiana?

....

Che cos'è la pasta?

....

Con che cosa si serve solitamente la pasta?

....

Quanti tipi di pasta ci sono? Quali?

....

7. Gli italiani come cucinano tradizionalmente la pasta?

....

8. Che cos'è l'olio d'oliva?

....

9. Dove è usato l'olio d'oliva?

....

10. Quali sono gli oli più conosciuti nel Nord America?

....

11. Che cos'è la pizza?

....

12. Come si chiama il locale che soprattutto fa o vende pizza?

....

● R E V I E W ●

A Answer the questions as in the example below.

1. Quanto prosciutto vuole? →

Ne voglio un etto.

2. Chi vuole delle patate?

(*io, due kg*) ………

3. Quanto pane devo prendere?

(*tre etti*) ………

4. Volete della verdura?

(*sì, molta*) ………

5. Mangiate del pesce?

(*no*) ………

6. Dobbiamo prendere dei biscotti?

(*no*) ………

B Answer the questions as in the example below.

1. Ci sono cassonetti per il vetro qui vicino? →

Ce ne sono due lungo la strada.

2. C'è ancora dell'olio in cantina?

(*sì*) ………

3. Vi serve della frutta?

(*no*) ………

4. Quanta pasta ci vuole per una persona?

(*un etto*) ………

5. Quanto latte ci vuole per fare il gelato?

(*un litro*) ………

6. Ci sono discariche qui vicino?

(*no*)

C Check the correct form in the sentences below.

1. Se vedi Mario non (*gli / le*) devi dire niente.

2. Quando vai da Marta (*le / la*) porti il libro?

3. Non (*mi / ti*) piace che tu faccia queste cose.

4. Prendi il sacchetto e porta (*lo / li*) nel cassonetto.

5. Quando le pile sono scariche (*le / li*) riporto al negozio.

6. Ragazzi, (*vi / ci*) spiego tutto io.

7. Se vieni da (*me / mi*), facciamo i compiti.

8. Ha pagato con 50 € e la cassiera (*gli / li*) ha dato il resto.

9. Dove (*li / gli*) metto questi vasetti di vetro?

10. Signora, che cosa (*le / la*) serve?

D Fill in the correct personal pronoun in the sentences below.

1. Prendi quel sacchetto e porta nel ……… cassonetto giallo.

2. Signore, ……… porto la pizza?

3. ……… vado al mercato, ……… pulite la cucina.

4. Quando ti porto la spesa? Me ……… porti nel pomeriggio.

5. Vieni con ……… o vai con papà?

6. Sono andato dai nonni e ho portato ……… la spesa.

7. Dove ……… trovi queste pesche?

8. Prendi l'olio e metti ……… nel carrello.

9. Se comperi il pane, prendi ……… dal panettiere.

10. ……… faccio un panino col prosciutto. ……… vuoi?

E Answer the questions using the information provided in parentheses.

1. Chi ti ha dato quella borsa?

(*la nonna*) ………

2. Dove hai preso i pasticcini?

(*in pasticceria*) ………

3. Chi ti ha detto quelle cose?

(*un amico*) ………

4. Quanto riso ti serve?

(*un chilo*) ………

5. Quanto latte bevi in un giorno?

(*mezzo litro*) ………

F ◉ Listen to the dialogue and arrange the sentences in the correct sequence.

……… Ciao Marta, stai bene? Hai una faccia!

……… Di che tipo?

……… Come mai? Di solito dormi bene.

……… Sì, ma questa mattina mi hanno svegliato alle cinque!

……… Quelli che raccolgono i rifiuti.

……… Ma oggi c'è stato un problema.

……… Come fai a saperlo?

……… Chi ti ha svegliato a quell'ora?

……… Non ho dormito molto.

……… La macchina che alza i cassonetti si è rotta.

……… E il cassonetto è caduto giù di colpo.

……… Che cosa è successo? Di solito non li senti.

……… È successo anche da noi alcuni mesi fa.

ocus lingua

CHI PIÙ SPENDE, MENO SPENDE (Who spends more, spends less.)
/hen making an important purchase people have to consider both price
nd quality. Sometimes the less expensive product is not of the same
uality and breaks or wears out sooner than a more expensive item.
/hich expression would you use in English? ......

• A BUON MERCATO
An item purchased "a buon mercato" was bought "at
a good price". It is a good value because the buyers
got something of quality for less than they expected.
What would you say in English? ......

G I O C O

E COSA VA A COMPERARE ANNA?

llow the path, solve the riddle and you will understand it. Read the questions.
d the answers and follow the path marked by the corresponding letter.

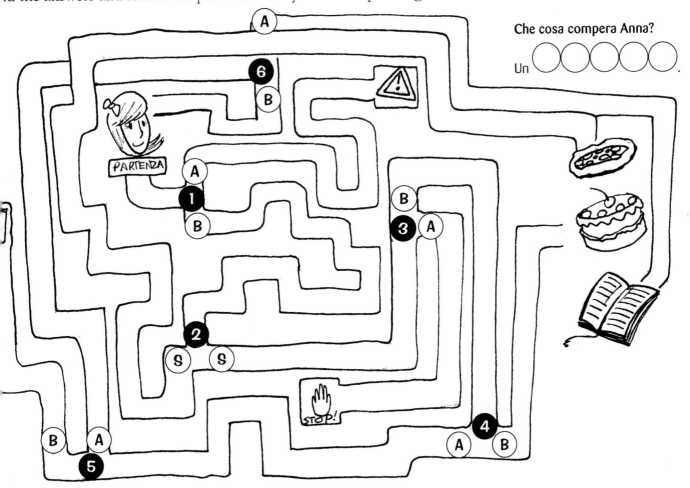

Che cosa compera Anna?

Un ⚪⚪⚪⚪⚪ .

Nel supercato si trovano i prodotti:

nella borsa   **B.** sullo scaffale

Ti serve quando vai a fare la spesa:

bottiglia   **B.** borsa

È più grande di un cestino e di solito contiene frutta e verdura:

scatola   **B.** cassetta

4. Può essere di vetro o di plastica:

A. bottiglia   **B.** lattina

5. Ti serve per mettere i prodotti che vuoi comperare:

A. carrello   **B.** frigorifero

6. Se ho un tacco rotto vado da lui:

A. calzolaio   **B.** prestinaio

R E A D I N G ● W R I T I N G

Look at the picture, complete the story with the words below and then turn the story into a dialogue.

A AL MERCATO

**fruttivendolo • banco • frutta • pesanti • mozzarelle • bella
cominciare • saporita • prezzi**

Ieri Angela, come tutti i lunedì, è andata al mercato. Si è fermata prima al ....
dei formaggi, dove ha preso delle .... per la cena. Poi si è messa in coda dal ....
e ha cominciato a guardare con attenzione i .... dei prodotti esposti.
Angela conosce da molto tempo il fruttivendolo e sa che a volte dietro il banco tiene
la .... del suo giardino, raccolta in giornata. Non tutti la vogliono, perché è meno
........, ma Angela sa che è .... e fresca, perciò gli chiede sempre che cosa ha portato prima di .... a fare la spesa. Il fruttivendolo è molto gentile e se Angela ha le
borse molto .... gliele fa portare alla macchina da un ragazzo.

B AL SUPERMERCATO

**controlla • moglie • spesa • borse • prodotto • carrello
lista • scaffali • cioccolato • corridoi**

Mauro e la .... Laura ogni sabato vanno a al supermercato per la .... settiman
Prima di uscire Mauro .... di aver preso le .... e chiede alla moglie se ha fatto
.... di quello che le serve. Una volta arrivati, lui va a prendere il ...., poi comir
ciano il giro nei .... Laura si ferma solo davanti agli .... dove ci sono i prodotti
le servono. Mauro guarda anche altre cose e spesso le chiede che cosa pensa di
questo o quel ....
Gli piacciono molto i dolci e Laura deve stare attenta che non prenda biscotti e ...
che non deve mangiare, perché è a dieta.

C IN PASTICCERIA

**campagna • cioccolatini • prodotti • pezzi • fiori • pasticceria
contenta • consiglia • regalo • ciliegie • cestino • giardino**

Paolo deve andare a trovare una zia che abita in ....
Ha pensato che non può portarle dei ...., perché ha un grande ...., perciò ha
deciso di comperare dei .... La zia li ama molto e sarà ....
In .... non sa decidere quali comperare e la commessa cerca di aiutarlo.
Ce ne sono di ogni tipo, sono tutti buoni, ma lei gli .... di prendere del cioccolato
al latte con piccoli .... di frutta: uva, ..., fragole. Sono favolosi e farà senz'altro
un .... gradito. Lui ha ancora qualche dubbio e la commessa gli consiglia allora
di prendere un .... in cui ci sono un po' tutti i .... della casa.
Paolo la ringrazia e segue il suo consiglio.

● R E V I E W ●

A Check to see if you know the conjugation of the verbs. Fill in the correct forms in the chart below.

	INDICATIVO PRESENTE	FUTURO	PASSATO PROSSIMO	IMPERFETTO	GERUNDIO	CONDIZIONALE PRESENTE
vedere	....	....	....	....	....	....
mangiare	....	....	....	....	....	....
capire	....	....	....	....	....	....
andare	....	....	....	....	....	....
sapere	....	....	....	....	....	....
chiedere	....	....	....	....	....	....
prendere	....	....	....	....	....	....
girare	....	....	....	....	....	....

B Change the sentences as in the example below.

1. Dove **mettete** quelle scatole? →

Dove state mettendo quelle scatole?

2. Che cosa prende tua sorella?

....

3. Che cosa cerchi al mercato?

....

4. Vado a mettere i giornali nel cassonetto.

....

5. Raccolgo la frutta del mio giardino.

....

6. Compero dei dolci per la mia ragazza.

....

C Fill in the correct prepositions in the sentences below.

1. Ho messo la bottiglia .... acqua .... frigorifero.
2. Prendi una scatola .... biscotti .... scaffale.
3. Compera una confezione .... pasta .... supermercato.
4. Mettete i barattoli .... metallo .... quel contenitore.
5. Metti la frutta .... cassette .... legno.
6. .... banco .... fruttivendolo non ci sono le arance.

D Answer the questions below.

1. Dove si mette la carta?
(*contenitore giallo*) ....
2. Come si cucina il pollo?
(*arrosto*) ....
3. Dove si prende la pizza?
(*in pizzeria*) ....
4. Dove si va a fare acquisti?
(*al centro commerciale*) ....
5. Che cosa si vede dalla tua finestra?
(*il mare*) ....
6. Come si mangia la pasta?
(*con la forchetta*) ....

E Change the words in italics into the plural.

1. Ho fatto *una torta* per la colazione. (.........)
2. Vorrei *una mela* rossa e dolce. (.........)
3. Compera *un litro* di latte quando esci. (.........)
4. *Quel barattolo* è di vetro o di plastica? (.........)
5. Hai rovesciato *il contenitore* dei rifiuti. (.........)
6. Dove trovo *una bottiglia* di acqua? (.........)
7. Mi fai provare *quel profumo* per farvore? (.........)

F Change the sentences below into the FUTURO.

1. Ti porto una cassetta di mele.

....

2. Prendete due chili di riso.

....

3. Andiamo dal panettiere tra mezz'ora.

....

5. Domani passano a raccogliere la carta.

....

6. Mi serve un chilo di spinaci.

....

G Read the answer and ask the question.

1. ....

Ho comperato le fragole dal fruttivendolo.

2. ....

Non mi piacciono le torte col cioccolato.

3. ....

Ho messo il sacchetto nel cassonetto.

4. ....

Domani mattina passano a ritirare vetro e plastica.

5. ....

Le pile scariche si riportano al negozio che le vende.

6. ....

Quando torno andiamo a mangiare un gelato.

I Check the correct form in the sentences below.

1. Ho visto delle belle pere (*sul / nel*) banco di Cesare.
2. Metti la scatola (*nel / sul*) contenitore (*della/ dalla*) carta.
3. Prendi un litro di olio (*da / in*) quello scaffale.
4. Non hai portato le borse (*dalla / della*) spesa.
5. (*Al / sul*) mercato ci sono tanti prodotti diversi.
6. Prendi i biscotti (*nel / del*) sacchetto rosso.
7. Trovi la pasta (*nel / al*) corridoio centrale.
8. Questa sera andiamo a cena (*al / nel*) ristorante.

L 🔘 Listen to the dialogue and arrange the sentences in the correct sequence.

.... Dove state andando?

.... Ciao Andrea, vieni con noi?

.... Allora veniamo noi con te.

.... Facciamo un giro in centro e prendiamo un gelato.

.... Che cosa cerchi?

.... Certo, la gelateria del centro commerciale è ottima.

.... Non posso, devo andare al centro commerciale.

.... Mi servono un paio di jeans e una maglietta.

.... Va bene, il gelato possiamo prenderlo anche lì.

H Check to see if you know the conjugation of the verbs. Fill in the correct forms in the chart below.

	ESSERE	AVERE	FARE	VOLERE	POTERE	CAPIRE
presente indicativo 3ª s.	....	....	....	....	....	....
presente condizionale 2ª p.	....	....	....	....	....	....
futuro semplice 1ª s.	....	....	....	....	....	....
passato prossimo 3ª p.	....	....	....	....	....	....
imperfetto 2ª s.	....	....	....	....	....	....
gerundio	....	....	....	....	....	....
presente congiuntivo 1ª p.	....	....	....	....	....	....

NEGOZI

lle città italiane ci sono molti tipi di **negozi**.
o a trent'anni fa erano molto numerosi quelli
e vendevano generi alimentari.

gi, soprattutto in centro città, troviamo, **bar**,
gozi di abbigliamento, gioiellerie.

enditori di alimentari sono quasi scomparsi,
ché la maggior parte delle famiglie fa la spesa
upermercato, dove i prezzi sono più bassi e
rova di tutto.

stano ancora **panetterie** e **pasticcerie**, e poi
gozi di salumi o formaggi, **enoteche**, che
opongono prodotti particolari, di solito di alta
alità.

sono anche le **farmacie**, che offrono una grande
lta di prodotti. Qui si possono comperare le
dicine con le ricette o prenderle gratis. Inoltre ci
no molti prodotti per la cura della pelle e per
iene personale; le **edicole**, dove un tempo si
ndevano solo i quotidiani e le riviste e dove, oggi
ossono trovare anche libri, cd e gadget di ogni
o.

SHOPS IN ITALY

In Italian cities there are many kinds of shops.
Until thirty years ago there were a lot of grocer's
shops.

Today above all in downtown areas you can find coffee
shops clothing and footwear shops, and jewelry stores.

Food shops have almost disappeared because most
of the people go shopping in supermarkets where
the prices are cheaper and you can find everything.

There are still bakeries and pastry shops and some
specialty shops for salami and cheese and also
liquor stores which offer very special products
generally of high quality.

There are also pharmacies that offer a wide range of
products. Here you can fill your prescription with
the medical prescription or get them free. In
addition there are also many products for skin care
and personal hygiene.

At the newspaper stands, where once only
newspapers and magazines where sold, today
you can also find books, CDs and all kind of
gadgets.

L'EURO

La moneta comune europea l'**euro**, introdotta definitivamente nel 2002 è di due tipi: **monete** e **banconote**.

Ci sono le **monete** per i valori inferiori a 2 €. Le monete hanno un lato uguale per tutti i Paesi dell'Unione e uno in cui sono rappresentati simboli della cultura nazionale, diversi per ogni Stato.

THE EURO

The common European currency the euro, introduced in 2002, consists of coins and bills.

There are coins for values less than 2 €. The coins have one side that is identical for all t[h]e countries of the Union and one side where the symbols of the national culture are represented. They are different for each country.

■ Monet[e]

Ci sono le **banconote** per i valori di 5, 10, 20, 50, 100, 200, 500 €. Le banconote sono uguali per tutti i Paesi dell'Unione.

I disegni delle banconote hanno un grande valore simbolico e rappresentano la nuova Europa che non sarà più segnata dalle divisioni e da frontiere.

The bills come in denominations of 5, 10, 20, 50, 100, 200, 500 €. The banknotes are the same in all the countries i[n] the European Union.

The drawings on the banknotes have a great symbolic value and represent the new Europe which will never be divided along state lines.

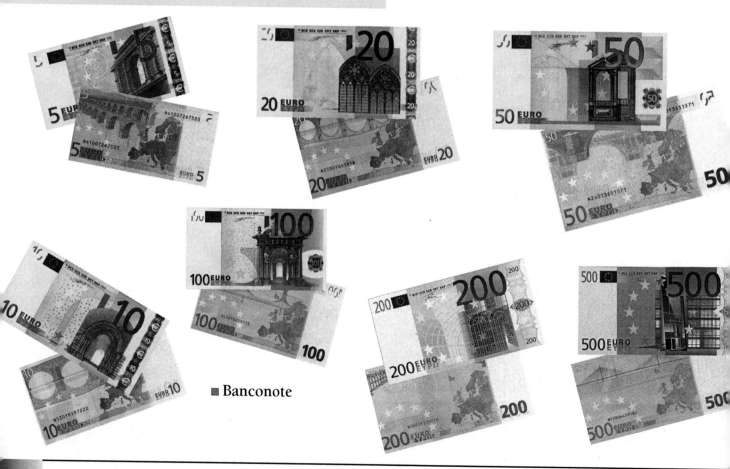

■ Banconote

TEMPO DI VACANZE

Unità **13**

Obiettivi / Goals:

- Expressing feelings
- Understanding a text
- Writing a short text

■ Panorami dall'Italia

Dobbiamo salutarci

The school year is almost over. The friends know they will soon have to say goodbye.
They will go back to their countries bringing with them the memories of the time they spent in Italy.
They often talk to the Campis about what will happen when the summer is over.

Jacopo: – Come passa in fretta il tempo! Mi sembra di esse venuto a prendervi alla stazione solo pochi giorni fa.
Ero curioso di vedere che tipi eravate!

Claudia: – E io ero molto preoccupata, non sapevo se sare riuscita a parlare con voi!

Mike: – Anch'io ero un po' preoccupato… cambiare scuol vivere con persone sconosciute…
Invece è stata una bellissima esperienza.

Indira: – Io ero un po' viziata, ero la più piccola di famiglia. qui ho imparato a fare tante cose e sono diventata più indipendente.

Jacopo: – E a me non pensate? Vedermi capitare in casa du sconosciuti con cui dividere tutto!
E dover fare la babysitter per mesi… che fatica!

Claudia: – Smettila, tu. Perché non dici la verità, che sentir loro mancanza?

Jacopo: – Perché non è necessario dirlo, lo sappiamo tutti.

Mike: – Ma noi continueremo a sentirci… e tu potresti ven a Boston… come io sono venuto a Firenze.

Indira: – La mia casa sarà sempre aperta per te e per la tua famiglia, quando vorrete venire.

Claudia: – Adesso basta, dobbiamo parlare dei prossimi me La scuola finisce, ma voi potete restare con noi fino alla fine dell'estate, se le vostre famiglie lo permettono. Passeremo vacanze insieme e saranno vacanze speciali.

Vocabolario

curioso = curious
in fretta = quickly
preoccupata = worried
sconosciute = unknown
l'esperienza (f.s.) = experience
viziata = spoiled
diventata = become
indipendente = independent

capitare = to happen
dividere = to divide
smettila = stop!
la mancanza (f.s.) = lack
restare = to remain
l'estate (f.s.) = summer
permettono = they allow
con cui = with whom

A Listen to the dialogue and complete the sentences below.

1. Jacopo pensa che il tempo passa ………
2. Claudia era molto ………
3. Indira dice che è diventata ………
4. Jacopo sentirà ……… degli amici.
5. Mike invita Jacopo ………
6. Anche Indira invita ……… e ………
7. Claudia chiede ai ragazzi di restare fino ………
8. Passeranno insieme ………

3 Read the dialogue and check the correct statement.

Quando Jacopo è andato a prendere i ragazzi alla stazione:
) era felice
) era arrabbiato
) era curioso

Mike dice che era preoccupato perché:
) non conosceva l'italiano
) non conosceva nessuno
) non voleva venire in Italia.

Indira dice che in questi mesi:
) è diventata più allegra
) ha imparato a fare tante cose
) si è sentita sola

Check the correct statement in the sentences below.

Nell'espressione **capitare in casa** il verbo capitare
significa:
) arrivare all'improvviso
) succedere qualcosa

Nell'espressione **sentire la mancanza** il verbo sentire
significa:
) ascoltare, udire
) provare un sentimento

L'espressione **la mia casa sarà sempre aperta**
significa:
) che la porta sarà aperta
) che gli amici saranno sempre ben accolti

Fill in the correct statement in the sentences below.

Siamo tristi perché ...
) dobbiamo partire
) dobbiamo lasciarvi

Sono contenti perché ...
) hanno incontrato un amico
) hanno perso un amico

Sono allegri perché ...
) vanno a fare una gita
) vanno dal dentista

Sono preoccupato perché ...
) devo fare un esame
) devo andare in vacanza

■ Molti ragazzi italiani passano le vacanze in **campeggio**.

E Read the dialogue and answer the questions below.

1. Perché Claudia era preoccupata?
....
2. Che cosa dice di sé Indira?
....
3. Quando Jacopo dice che per lui è stato faticoso, dice la verità?
....
4. Di che cosa vuol parlare Claudia con i ragazzi?
....
5. Che cosa chiederà alle loro famiglie?
....

Cultura

STAGIONI E VACANZE

In **inverno** (**winter**) ci sono le
vacanze di Natale.
In **primavera** (**spring**) ci sono
le vacanze di Pasqua.
In **estate** (**summer**) c'è
la lunga vacanza tra un anno scolastico e l'altro.
In **autunno** (**autumn, fall**)
si ricomincia la scuola.

Dove andiamo in vacanza?

Mike's and Indira's families are allowing their children to remain in Italy for a few more weeks. Now the Campis are trying to decide how and where to spend this time so that it will really be a nice vacation for all of them.

Claudia: – Adesso sentiamo voi… dove vi piacerebbe andare?

Indira: – Siamo stati a Roma, in inverno abbiamo fatto una settimana in montagna a sciare. A me piacerebbe una vacanza al mare. Qui, in Toscana non dovrebbe essere difficile trovare un bel posto.

Jacopo: – Basta sapere che cosa si vuole. Ci sono posti per tutti i gusti.

Mike: – Non scherzare, sai che cosa vuol dire… un posto divertente, ma anche interessante.

Claudia: – D'accordo, possiamo fare due settimane in campeggio all'Isola d'Elba. Lì potete trovare tutto quello che vi piace: mare, spiaggia, escursioni in luoghi interessanti… discoteche.

Giorgio: – Io preferirei restare sulla costa. Verso l'Argentario ci sono davvero tanti bei campeggi in riva al mare… poi, se si ha voglia, si prende un traghetto e si va a fare un giro all'Elba o sulle altre isole più piccole.

Jacopo: – Papà ha ragione, i traghetti sono molto comodi per visitare le isole. Dalla costa, poi, con la macchina in poco tempo si arriva al Parco dell'Uccellina. È un posto bellissimo, con i boschi abitati da caprioli e cinghiali e le antiche paludi dove si allevano cavalli e bufali… uno spettacolo.

Claudia: – D'accordo, la zona dell'Argentario piace molto anche a me, poi vedremo come organizzarci. E per il resto?

Mike: – La settimana scorsa ho parlato con lo zio Marc. Loro hanno preso in affitto una casa in montagna nella zona delle Dolomiti e ci hanno invitato a raggiungerli dopo la metà di luglio.

Jacopo: – Favoloso, non ci sono mai stato. Vedrai Indira, ti piaceranno molto!

■ Isola d'Elba, Portoferraio

■ L'Argentario, Toscana

Vocabolario

la vacanza (m.s.) = vacation	**i boschi** (m.p.) = woods
il mare (m.s.) = sea	**i caprioli** (m.p.) = deer
restare = remain	**le paludi** (f.p.) = swamps
la costa (f.s.) = coast	**i cavalli** (m.p.) = horses
l'isola (f.s.) = island	**i bufali** (m.p.) = buffalo
le escursioni (f.p.) = excursions	**lo spettacolo** (m.s.) = show
le discoteche (f.p.) = disco	**la zona** (f.s.) = area
il campeggio (m.s.) = camping	**organizzarci** = to organize ourselves
la spiaggia (f.s.) = beach	
il traghetto (m.s.) = ferry	**l'affitto** (m.s.) = rent
comodi = comfortable	**raggiungerli** = to reach them
visitare = to visit	**la metà** (f.s.) = half
i monti (m.p.) = mountains	**l'inverno** (m.s.) = winter

■ Il parco dell'Uccellina, Toscana

Read the dialogue and answer the questions below.

Dove sono già stati Indira e Mike per brevi vacanze?

..

Che cosa piacerebbe fare a Indira?

..

Perché Claudia consiglia l'Isola d'Elba?

..

Quale zona preferisce suo marito?

..

Dove si può andare con un traghetto?

..

Dove si allevano i bufali?

..

Read the answer and ask the question.

....

Vorrei conoscere meglio l'Italia.

....

Mi piacerebbe andare al mare.

....

Zio Marc ci ha invitato in montagna.

....

All'Argentario si può andare sulle isole vicine.

....

Cinghiali e caprioli si possono incontrare nei boschi.

....

Andremo in montagna dopo la metà di luglio.

Read the dialogue and check the right statement.

Lungo la costa toscana ci sono

molte isole

molti alberghi

molti campeggi

Dalla costa si possono raggiungere facilmente

le isole vicine

l'Isola d'Elba

le isole e il Parco dell'Uccellina

Per Mike un bel posto è

un posto dove ci si può divertire

un posto piacevole

un posto divertente e interessante

D **Arrange the words to form correct sentences.**

1. l'/ sono / verso / tanti / Argentario / ci / bei / davvero / campeggi / ....

2. preso / loro / una / hanno / affitto / casa / in / montagna / in / ....

3. settimana / abbiamo / a / una / in / sciare / fatto / montagna / ....

4. sono / traghetti / molto / visitare / i / comodi / le / per / isole / ....

5. piace / zona / dell' / la / molto / anche / me / Argentario / a / ....

6. un / dovrebbe / non / bel / difficile / essere / posto / trovare / ....

E  **Listen to the dialogue and fill in the missing words.**

– Dove ti .... andare durante le vacanze di ....?

– Io .... andare al mare, a Rimini per esempio.

– Al mare? No, fa ancora troppo .... per stare sulla spiaggia.

– Ma io non pensavo alla ...., pensavo alle discoteche.

– Niente ...., sei troppo piccolo.

– Ma ho 16 anni!

– Non cominciamo la solita ....

– Allora .... tu che cosa vuoi fare!

– Che cosa pensi di una vacanza a ....?

– Dici sul serio? Io non so andare a cavallo.

– Be' .... ora di imparare, no?

– E dove si può fare?

– In Maremma, è il posto ....

■ La Maremma toscana

Andiamo al mare

Because they will be leaving in just a few days, everyone is helping to get ready for vacation. Georgio is looking in the garage and the cellar for the camping equipment. He wants to see if it is still in good condition or if it has to be replaced. The boys help him, while Claudia and Indira do the same with the clothes.

Giorgio: – Io vado in garage a prendere la tenda e quello che serve per montarla. Voglio controllare che sia tutto a posto. Penso di aver messo lì anche i lettini, le sedie e il tavolino. Tu e Mike, intanto, andate in cantina a cercare le attrezzature per la cucina.

Jacopo: – Ti ricordi dove le hai messe l'anno scorso, dopo le vacanze?

Giorgio: – Il fornello a gas, i piatti, le pentole e tutto il resto sono in una grossa scatola grigia sul primo scaffale a destra.

Jacopo: – Sai dove sono la maschera e le pinne?

Giorgio: – Penso che siano in casa, insieme ai costumi da bagno. Chiedilo alla mamma.

Mike: – Anch'io avrei bisogno di una maschera e di un boccaglio, dove posso comperarli?

Jacopo: – Nel pomeriggio andiamo in un negozio specializzato in attrezzature sportive. Lì c'è tutto.

Indira: – A me, invece, serve un nuovo costume da bagno e qualche altra cosa.

Claudia: – Tu vieni con me al centro commerciale. Ho visto dei costumi proprio carini, non i soliti da piscina.

Indira: – Benissimo, vorrei prendere anche un copricostume e qualche maglietta,

Claudia: – Troverai quello che ti serve, vedrai…

A 🎧 **Listen to the dialogue and complete the sentences below.**

1. Vado in garage a prendere la ……..
2. Le attrezzature per la cucina sono in ……..
3. Chiedi alla mamma dove sono ……..
4. Dove posso comperare una maschera e un ……..
5. Al centro commerciale ci sono dei bei …….. da ……..
6. C'è un negozio specializzato in …….. sportive.

B **Read the dialogue and check Vero** F **or Falso** F **(True/Fal**

1. La tenda è in garage, già pronta. V F
2. Le sedie e il tavolino sono in cucina. V F
3. Il fornello a gas è in una scatola grigia. V F
4. La maschera e le pinne sono in cantina. V F
5. Indira ha bisogno di un costume da bagno. V F
6. Lei vorrebbe anche un copricostume. V F

Vocabolario

il garage (m.s.) = garage
la tenda (f.s.) = tent
montarla = to pitch it (to pitch a tent)
controllare = to control
la cantina (f.s.) = cellar

le attrezzature (f.p.) = equipment
il fornello a gas (m.s.) = camping gas
le pentole (f.p.) = pots
la maschera (f.s.) = mask
le pinne (f.p.) = fins

i costumi (m.p.) **da bagno** = swimwear
il boccaglio (m.p.) = mouthpiece
specializzato = specialized
il copricostume (m.p.) = coverup

Change the sentences into the plural.

rovi la tenda in garage.

...

oglio controllare se è a posto.

...

cantina c'è una grossa scatola grigia.

...

centro c'è un negozio molto carino.

...

Dove trovo un costume da bagno?

...

Hai preso tu il fornello a gas?

...

Answer the questions using the information
arentheses.

Di che colore è il tuo costume da bagno?
sso) ....

Dove hai messo gli asciugamani per la spiaggia?
(l'armadio bianco) ....

Avete preso le sedie da campeggio?
....

Come vi sembra quel negozio?
po' caro) ....

La mamma sa dov'è la mia maschera?
) ....

Chi dormirà in tenda?
agazzi) ....

Fill in the correct prepositions and articles in the
tences below .

Ho fatto .... babysitter .... tre mesi.

Fino .... fine .... agosto resterete .... noi.

Potrebbero venire .... Milano .... me.

Ci sono posti .... tutti .... gusti.

.... boschi si possono trovare .... funghi.

Che cosa serve .... montare .... tenda?

.... scatola .... attrezzi è .... garage.

Cerco .... negozio .... attrezzature sportive.

■ La Versilia in Toscana

F Conjugate the verb in parentheses in the tense indicated.

1. La famiglia Campi .... (andare, futuro) in vacanza al mare.
2. Indira e Mike .... (venire, futuro) con noi.
3. Mamma chiede se .... (trovare, tu, pass. pross.) gli attrezzi.
4. Ci .... (sembrare, imperfetto) una bella tenda.
5. Quanti lettini .... (esserci, imperfetto) in garage?
6. .... (venire, condizionale, tu) con noi in montagna?
7. Che cosa .... (fare, voi, futuro) in estate?
8. .... (volere, io, condizionale) quel costume nero.

G 💿 Listen to the dialogue and complete each sentence below.

– Questa estate andrò a ....
– È il posto più .... della Versilia.
– In città ci sono tanti .... e ....
– Non mi piace perché ci sono troppe ....
– È la .... più famosa della costa.
– Vorrei un posto più ....
– Vado lì perché i .... hanno una casa.
– È una vacanza senza ....

Cultura

LA COSTA TOSCANA

Tuscany is a region in central Italy whose
western boundary is the Tyrrhenian Sea.
The coastline is dotted with beaches and is divided into
two areas known as: the **Versilia** to the north, and the
Maremma, to the south.
The beaches of Versilia are frequented by those who love
the nightlife, fun and elegant hotels.
The Maremma with a few villages and many nature
preserves is the destination for people who prefer
camping and want to get in touch
with the natural beauty of the region.

Che cosa ti piacerebbe fare?

Mike, Indira and James are sitting on the beach talking about their impressions and making plans.

Indira: – Il vostro mare è diverso dall'oceano, molto più tranquillo.

Mike: – È molto più caldo. L'acqua è deliziosa, non vorrei mai uscire.

Jacopo: – L'aspetto tranquillo del mare non ti deve ingannare.

Poco lontano dalla costa ci sono correnti molto forti e pericolose. Certo non ci sono le onde per fare surf.

Indira: – Però si può nuotare, uscire in barca a vela o col gommone… mi piacerebbe anche provare a fare windsurf.

Mike: – Io, invece vorrei provare a fare sci d'acqua, come fa quella ragazza dietro al motoscafo.

Jacopo: – Se volete provare, c'è un corso qui al campeggio. Non costa molto e gli attrezzi sono compresi nel prezzo.

Indira: – Davvero? Vado subito a sentire. Vieni Mike… e tu Jacopo?

Jacopo: – A me non interessa, mi piace di più guardare il fondo del mare. Una maschera, un boccaglio e lo spettacolo è garantito.

Mike: – Anche a me piace molto, ma qui il fondo è sabbioso, non si vede niente.

Jacopo: – Per questo ho convinto papà a fare una gita all'Isola del Giglio. Il mare intorno è profondo, se fai snorkeling vicino alla costa scopri un mondo favoloso.

A 🔘 Listen to the dialogue and cross out the activities which are not mentioned.

- entrare in acqua
- andare in barca a vela
- pescare
- uscire dall'acqua
- giocare
- fare surf
- nuotare
- guidare un motoscafo
- fare windsurf
- fare una gita
- guidare un gommone
- fare sci d'acq

B Read the dialogue and check Vero F or Falso F (True/False).

	V	F
1. A Jacopo piace la velocità.	V	F
2. Indira vorrebbe fare sci d'acqua.	V	F
3. Al campeggio ci sono corsi per provare.	V	F
4. Si deve solo comperare l'attrezzatura.	V	F
5. A Mike piace lo snorkeling.	V	F
6. Tutti faranno una gita all'Isola del Giglio.	V	F

Vocabolario

l'oceano (m.s.) = ocean
per quanto = however
mi riguarda = in my opinion
deliziosa = delicious
ingannare = to deceive
l'aspetto (m.s.) = look
le correnti (f.p.) = currents
forti = strong
pericolose = dangerous
le onde (f.p.) = waves
nuotare = to swim
la barca (f.s.) = boat
il gommone (m.s.) = rubber dinghy
la vela (f.s.) = sail

compresi = included
il motoscafo (m.s.) = motorboat
lo sci d'acqua (m.s.) = water-skiing
la velocità (f.s.) = speed
il fondo (m.s.) = bottom
lo spettacolo (m.s.) = show
garantito = guaranteed
sabbioso = sandy
ho convinto = I have convinced
profondo = deep
scopri = you discover
il mondo (m.s.) = world

Change the sentences as in the example below.

rendi l'asciugamano di Giorgio. →

prendere l'asciugamano di Giorgio.

ai a fare un giro in barca!

...

sci dall'acqua, fa freddo.

...

lza la vela , c'è vento.

...

eguimi, vado a prendere gli sci.

...

Change the sentences as in the example below.

ntra in acqua dopo di me. →

rate in acqua dopo di me.

a' attenzione alle correnti.

...

ai a vedere dov'è la mamma.

...

i' a Mike di venire con noi.

...

ali sul gommone, andiamo all'Elba.

...

E Conjugate the verb in parentheses using the pronoun and tense indicated.

1. Ieri .... (*andare, voi, passato prossimo*) a nuotare.
2. .... (*prendere, noi, futuro*) una barca .
3. .... (*piacere, condizionale*) venire con te sul gommone.
4. Domani .... (*provare, io futuro*) a fare sci d'acqua.
5. .... (*stare, lui, condizionale*) sempre in acqua.
6. Qui non .... (*potere, noi, presente*) fare surf.
7. .... (*dovere, tu, presente*) vedere quanti pesci ci sono!
8. .... (*prendere, loro, imperfetto*) sempre il traghetto da Livorno.

F Fill in the correct words in the sentences below.

snorkeling • maschera • asciugamani • isola •

forti • agitato • vento • costa • pericolose

1. Se vuoi guardare sott'acqua devi avere la ....
2. Per fare .... ci vuole il boccaglio.
3. Oggi c'è .... possiamo fare windsurf.
4. Il mare è troppo .... è pericoloso nuotare.
5. Poco lontano dalla .... ci sono forti correnti.
6. Andremo a fare una gita all' .... d'Elba.
7. Hai portato gli .... per la spiaggia?
8. Lontano dalla costa ci sono correnti .... e ....

Match the picture to the corresponding action.

(A) **PRENDERE IL SOLE**

(B) **FARE SCI D'ACQUA**

(C) **ANDARE IN BARCA**

(D) **NUOTARE**

(E) **FARE WINDSURF**

L'isola del Giglio

Today is the day of the excursion to Isola del Giglio, a small green paradise in the sea.
The Campis and their guests took the ferry to Giglio Porto and arrived at about nine o'clock in the morning. There they decided to divide into two groups.

■ Giglio Porto, Isola del Giglio

Giorgio: – Eccoci arrivati. Adesso prendiamo una barca o u
gommone, ci allontaniamo un po' dal porto e cerchiamo un
piccola spiaggia.

Claudia: – Veramente il nostro programma è un po' diverso.
Voi tre andate ad esplorare il mare, io e Indira facciamo un
giro a Giglio Porto e cerchiamo qualche ricordo da portare
casa. Mi sembra che ci siano dei negozietti carini.
Poi andremo alla spiaggia di Campese.

Indira: – Una sdraio, un ombrellone e un buon libro da
leggere. Oggi voglio rilassarmi. Vi aspetteremo lì per mangia
qualcosa. Tornate presto.

Jacopo: – Non tanto presto… oggi il mare è una meraviglia!

Mike: – Come possiamo trovarvi sulla spiaggia?

Giorgio: – Sapete già dove andare?

Claudia: – No. Vedremo dove c'è posto…

Indira: – Avete il cellulare, no? Quando siete alla torre all'ini
della spiaggia, fate uno squillo e io vi raggiungo.

Mike: – Come fai a sapere tutte queste cose sull'isola se no
ci sei mai stata?

Indira: – Semplice, ho fatto un giro in Internet ieri sera…

Vocabolario

eccoci = here we are
ci allontaniamo = we move
ci sistemiamo = we arrange
esplorare = to explore
ci dedichiamo = we devote ourselves
il ricordo (.s.) = memory
la sdraio (f.s.) = deckchair
l'ombrellone (m.s.) = sun umbrella
rilassarmi = to relax
la meraviglia (f.s.) = wonder
l'osservazione (f.s.) = observation
il cellulare (m.s.) = mobile phone
la torre (f.s.) = tower
l'inizio (m.s.) = start
fare uno squillo = to ring up

Focus grammatica

IL DIMINUTIVO
Suffixes can be added to nouns to indicate special characteristics.

The suffix –INO –INA forms the diminutive:

| casa | → piccola casa | → casina |
| gatto | → piccolo gatto | → gattino |

The suffix –ETTO –ETTA indicates small size and attractive appearance:

casa	→ piccola casa graziosa	→ casetta
negozio	→ piccolo negozio carino	→ negozietto
spiaggia	→ spiaggia piccola e bella	→ spiaggetta

Read the dialogue and complete the sentences below.

copo con i suoi e gli amici è arrivato ....

padre pensa di prendere ....

uole andare un po' lontano dal ....

ndira e Claudia, invece, pensano di ....

i aspetteranno per ....

iorgio chiede come potranno ....

dira dice di chiamarli con ....

Read the questions and check the correct answer.

erché Giorgio vuol prendere una barca?

per visitare l'isola

per allontanarsi dal porto

per tornare al campeggio

Che cosa hanno in programma Claudia e Indira?

fare un'escursione sull'isola

fare un giro per negozi

stare tranquille

erché Indira sa molte cose sull'isola?

ha visto delle foto

ha letto un libro

ha fatto una ricerca in Internet

Come faranno Mike e Giorgio a ritrovare le amiche sulla aggia?

devono camminare dalla torre all'inizio della spiaggia

chiamare con il cellulare

chiedere a qualche passante

C Change the sentences below into the plural.

1. Oggi voglio rilassarmi.

....

2. Mi aspetti per mangiare?

....

3. Come fai a trovarmi?

....

4. Hai il tuo cellulare, vero?

....

5. Verso le cinque fammi uno squillo.

....

6. L'ultimo traghetto parte alle sette.

....

D Fill in the correct prepositions and articles in the sentences below.

1. Facciamo .... giro .... negozi .... ricerca .... qualcosa .... carino.

2. Voi andate .... esplorare .... mare.

3. Prenderemo .... barca .... lasciare .... porto.

4. .... ritorno ci fermiamo .... prendere .... pizza.

5. Oggi .... mare è .... meraviglia!

6. Quando siete .... 'inizio .... spiaggia, chiamateci.

7. Vi aspettiamo .... mangiare qualcosa insieme.

8. Noi staremo .... prendere .... sole .... spiaggia.

9. Prendi .... sdraio e .... 'ombrellone.

10. Ieri sera ho fatto .... giro .... Internet.

Grammatica

IL CONGIUNTIVO PRESENTE
Coniugazioni regolari

Look at the chart and memorize it.

PARLARE		PRENDERE		PARTIRE		FINIRE	
io	parl-i	io	prend-a	io	part-a	io	finisc-a
tu	parl-i	tu	prend-a	tu	part-a	tu	finisc-a
lui/lei/**Lei**	parl-i	lui/lei/**Lei**	prend-a	lui/lei/**Lei**	part-a	lui/lei/**Lei**	finisc-a
noi	parl-iamo	noi	prend-iamo	noi	part-iamo	noi	fin-iamo
voi	parl-iate	voi	prend-iate	voi	part-iate	voi	fin-iate
loro	parl-ino	loro	prend-ano	loro	part-ano	loro	finisc-ano

UN GIRO PER L'ITALIA

■ **Aosta** (Valle d'Aosta) è una città di antiche origini, fu colonia romana fin dal 25 a.C. I suoi monumenti testimoniano la sua storia: le mura, con le torri quadrate, la porta Pretoria, l'arco di Augusto, il ponte romano. Intorno al centro storico si è sviluppata la zona moderna della città.

■ **Genova** (Liguria) è il maggior porto italiano sia turistico sia commerciale con navi mercantili che trasportano merci di diversa provenienza e destinazione. A Genova sono caratteristici i carrugi, le strette vie, buie, tipiche della zona portuale. La Lanterna, il faro di Genova domina tutto il porto e il bellissimo lungomare.

■ **Milano** (Lombardia) è, dopo Roma, la più grande città italiana. Negli ultimi anni si è molto sviluppata la periferi con molti quartieri residenziali. Nelle zone centrali si trovano soprattutto gli uffici delle grandi aziende, le banche, gli alberghi di lusso. Gli stabilimenti delle grandi industrie sono soprattutto nelle cittadine dell'hinterland.

■ **Trento** (Trentino-Alto Adige), sorta sulla sponda sinistra dell'Adige, è una città chiusa tra le montagne. La caratterizzano le vecchie case, le logge, le chiese medievali della parte più antica.

■ **Bologna** (Emilia-Romagna), è il punto di incontro di importanti vie di comunicazione. Tra gli edifici antichi e le chiese, famosi sono S. Petronio e le due torri: quella degli Asinelli e quella della Garisenda, simboli della città medievale. Bologna è famosa anche per la sua università, la più antica in Italia.

ieste (Friuli-Venezia Giulia) è uno dei porti commerciali
importanti dell'Adriatico. Il luogo più famoso della città è
lle di San Giusto, con la basilica di San Giusto. Lungo la
a si può visitare il bianco castello di Miramare.

■ **Torino** (Piemonte) è una grande città, attraversata dal fiume
Po. Il centro storico è elegante e ricco di edifici artistici
dell'Ottocento che si affacciano su belle piazze, tra portici,
negozi e caffè.

renze (Toscana), attraversata dal fiume Arno, è una vera e
pria città d'arte, visitata ogni anno da milioni di turisti
nieri. Da vedere il Battistero e il Campanile progettato da
tto, l'Arno con il caratteristico Ponte Vecchio e la Galleria
li Uffizi, con i capolavori dell'arte italiana.

■ **Perugia** (Umbria), circondata da antiche mura; è sede di
una Università per stranieri. Da vedere: la fontana Maggiore,
simbolo di Perugia, la Cattedrale di San Lorenzo e il Palazzo
Comunale.

■ **Venezia** (Veneto) è una città unica al mondo, costruita
su 120 isole collegate fra loro da oltre 400 ponti. Ci sono
170 canali con le case colorate e i palazzi di marmo.
Venezia è tutta da visitare con i suoi splendidi palazzi sul
Canal Grande o lungo le calli, le tipiche vie strette e
tortuose.

■ **Ancona** (Marche) sorge intorno a un'insenatura delimitata dal promontorio del Monte Conero; il paesaggio è bellissimo, con le sue pendici a picco sul mare azzurro. Ancona ha sviluppato la sua economia intorno al grande porto.

■ **Roma** (Lazio) è la capitale d'Italia e, per questo, a Roma hanno sede il Parlamento, il Governo, Palazzo Chigi con i vari Ministeri. Ci sono inoltre le Ambasciate dei Paesi esteri. Al Quirinale risiede il Presidente della Repubblica.

■ L'**Aquila** (Abruzzo) sorge a 720 metri di altitudine, alle pendici del Gran Sasso. È un vivace centro culturale, sede di università.

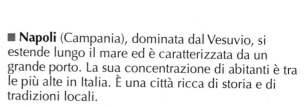

■ **Campobasso** (Molise) si trova a 700 metri di altitudine e è costituita dalla parte vecchia costruita sui pendii di un colle intorno al castello di Monforte e dalla parte moderna che si estende in pianura.

■ **Napoli** (Campania), dominata dal Vesuvio, si estende lungo il mare ed è caratterizzata da un grande porto. La sua concentrazione di abitanti è tra le più alte in Italia. È una città ricca di storia e di tradizioni locali.

■ **Catanzaro** (Calabria) è capoluogo di provincia dal 1971. Il nucleo storico della città è di origine medievale e sorge su un'altura, mentre la parte nuova si estende verso il Golfo di Squillace.

>tenza (Basilicata), situata a 820 metri di altitudine, città più fredda del Meridione. È sede di università. noso è il Museo Archeologico provinciale, dove sono toditi ritrovamenti relativi alle civiltà lucana e greca.

■ **Palermo** (Sicilia) sorge nella Conca d'Oro. Molte sono le testimonianze del suo passato: palazzi e chiese che ricordano gli stili arabo e normanno, rinascimentale e barocco.

Cagliari (Sardegna) è il maggior porto della Sardegna per ansito delle merci. La città è nella Pianura del mpidano e ha conservato l'antico aspetto medievale la parte antica.

■ **Bari** (Puglia) ha una parte vecchia con testimonianze storiche e una parte nuova e moderna, con ampie strade e alti edifici. È la città più importante della regione con il suo porto, molto attivo per il traffico mercantile e turistico. La Basilica di San Nicola e il castello costruito da Federico II sono molto famosi.

● R E V I E W ●

A Change the form of the nouns using ETTO / ETTA
or write the corresponding noun as the examples below.

mobile	→	**mobiletto**
maglie	←	**maglietta**
pacco	→	....
armadio	→	....
....	←	barchetta
cuscino	→	....
....	←	camicetta
casa	→	....
....	←	isoletta
spiaggia	→	....
libro	→	....
legno	→	....

B Change the form of the nouns using INO / INA
or write the correct noun as in the examples below.

piede	→	**piedino**
biscotto	→	....
disegno	→	....
nonno	←	**nonnino**
....	←	fettina
cavallo	→	....
cesto	→	....
....	←	ragazzino
....	←	sorellina
costume	→	....
vestito	→	....
....	←	scarpina

C Check the correct form in the sentences below.

1. Guarda (*quella / questa*) torre là in fondo.
2. Portami (*quel / questo*) piatto.
3. Prendete (*quei /quelli*) libri sullo scaffale.
4. Vorrei partire (*questa / quella*) sera.
5. Dove metto (*questi / questo*) pesci?
6. Di chi è (*quel / quello*) costume da bagno?
7. Ho trovato solo (*questa / queste*) sedia.
8. Non vorrai usare (*questa/ questo*) tenda!

D Check the correct possessive adjective in the sentence below.

1. Carla dice che questa è (*la tua / il tuo*) borsa.
2. Mario non ha visto (*il tuo / la tua*) tenda.
3. Non mi serve (*il suo / i suoi*) cappello
4. Mi sono seduto (*sulla tua / sulle tue*) sedia
5. Che cosa c'è (*nella vostra/ nelle vostre*) borse?
6. Se ne sta tranquillo sotto (*il suo / la sua*) ombrellone.
7. Siamo partiti con (*il vostro / la vostra*) stesso traghetto.
8. Dove ha trovato (*le sue / il suo*) amiche?

E Answer the questions as in the example below.

1. Mi hai portato la scatola grigia? →
Sì, te l'ho portata ieri.
2. Ci avete preso il biglietto del traghetto?
....
3. Ti ha dato l'indirizzo del ristorante?
....
4. Vi hanno fatto vedere la tenda nuova?
....
5. Gli hai detto dove possiamo incontrarci?
....
6. Gli avete scritto un biglietto per salutarlo?
....

F Fill in the correct auxiliary verb ESSERE or AVERE and then write the INFINITO of the verb used as in the example below.

1. **Loro hanno bevuto (bere).**
2. Io .... arrivato (........).
3. Noi .... scelto (........).
4. Voi .... aperto (........).
5. Lui .... salito (........).
6. Voi .... partiti (........).
7. Io ....nato (........).
8. Tu .... arrivato (........).
9. Voi .... preso (........).
10. Loro .... venuti (........).
11. Tu .... parlato (........).

G Conjugate the CONGIUNTIVO PRESENTE and fill in the correct verb form in the chart below.

	NUOTARE	SCENDERE	APRIRE	CAPIRE
io	....	....	....	capisca
tu	nuoti	....	....	....
lui/lei/**Lei**	....	....	....	....
noi	....	scendiamo	....	....
voi	....	....	....	....
loro	....	....	aprano	....

H Change the verbs in parentheses into the CONGIUNTIVO PRESENTE.

1. È ora che tu .... (*prendere*) il traghetto.
2. Penso che lui .... (*essere*) contento.
3. È giusto che voi .... (*partire*) domani.
4. Non mi piace che loro .... (*parlare*) di me.
5. Mi sembra che Mike .... (*nuotare*) bene.
6. Vogliono che noi .... (*andare*) in gita.

I Fill in the correct verb in the CONDIZIONALE in the sentences below.

1. Che cosa vi .... (*piacere*) fare domani?
Noi .... (*fare*) volentieri una gita in barca
2. Scusi, ... (*potere*) dirmi dov'è il porto?
.... (*volere*) dirglielo, ma non lo so.
3. Ragazzi, mi .... (*fare,voi*) un piacere?
Sentiamo, che cosa .... (*dovere, noi*) fare?

L Read the answer and ask the question.

1. ....
Ci trovi sulla spiaggia vicino al paese.
2. ....
Vorrei prendere lezioni di vela.
3. ....
Il campeggio è vicino a Orbetello.
4. ....
Ho messo la tenda e il resto in garage.
5. ....
No, io e papà dormiremo in un'altra tenda.
6. ....
No, non ho portato il boccaglio.

M Answer the questions using the information provided.

1. Dove hai messo i costumi da bagno?
(*armadio*) ....
2. Hai trovato le sedie e il tavolino?
(*sì,*) ....
3. Avete preso il fornello a gas?
(*no,*) ....
4. Dove portate i vostri amici?
(*in campeggio*) ....
5. Abbiamo prenotato il ristorante?
(*sì, ieri*).
6. Ha trovato posto in albergo?
(*no,*) ....

N Change the sentences below into the FUTURO.

1. Quando torni a Boston?
....
2. Vieni ancora in Italia?
....
3. Mi scrivi una lettera?
....

O Write complete sentences in Italian with the words below.

1. portare, ricorda, piatti, bicchieri
....
2. sdraio, stare, leggere, libro
....
3. nuotare, maschera, divertente, essere
....

Il ◯◯◯◯◯◯◯

CRUCIVERBA

Find the words that match the pictures and fill them in the chart. The letters of the colored boxes will give you the name of the animal you can see on the right.

Focus lingua

The **fish** is the main figure of many Italian proverbs and idioms.

In Italian they say:
• MUTO COME UN PESCE to indicate a person who can always keep his mouth shut.

• SANO COME UN PESCE to denote a person who is very healthy.

• ESSERE UN PESCE FUOR D'ACQUA to indicate a person who feels uncomfortable in a certain situation.

What would you say in English? ....

The **sea** is also used in many Italians idioms .

In Italian they say:
• ESSERE IN UN MARE DI GUAI to say that a person has really bad problems.

• VUOTARE IL MARE CON UN BICCHIERE to indicate an impossibile task, like emptying the water of the sea with the cup.

And how would you say this in English? ....

R E A D I N G ● S P E A K I N G

SULLA SPIAGGIA

ok at the picture and write a short composition in Italian to scribe what it represents.

have to:

escribe the environment

ay what the weather is like

xplain what people are doing on the beach or at sea.

can use the verbs:

uardare

arlare

ggere

uotare

rendere il sole

ndare in…

re ... or other action.

SCOPRI UN PO'… D'ITALIA

th the help of the teacher of geography look at a map Italy. Locate the places talked about in this unit. en do an Internet search to learn about the characteri-
s of these places and find images to use to make a po-
r or a slide presentation in which captions or short ormative texts are written in Italian.

B UNA GITA A …

Write a letter to a friend telling how you spent last Sunday.
Use the verb in the PASSATO PROSSIMO.
It begins like this:
Dear... I want to tell you what I did last Sunday...

You should also:

• tell where you went and with whom

• describe the place

• tell us what you did

• describe an aspect of the place that impressed you.

• R E V I E W •

A Fill in the first person singular of the verb in the chart below.

INFINITO	PRESENTE INDICATIVO	PRESENTE CONDIZIONALE	PRESENTE CONGIUNTIVO
parlare	....	....	....
finire	....	....	....
mettere	....	....	....
giocare	....	....	....
pescare	....	....	....
scendere	....	....	....

B Fill in the correct prepositions in the sentences below.

in • al • per • con • a • su • per

1. Questa estate sono andato .... mare .... Viareggio
2. I miei amici sono andati .... montagna .... Cortina.
3. Carla è rimasta .... casa .... suoi genitori.
4. Mauro e Gianni sono andati .... campeggio.
5. Abbiamo passato due giorni .... una piccola isola.
6. Quando farete il vostro viaggio .... estero.
7. Siamo stati .... albergo .... pochi giorni.
8. Abbiamo dormito spesso .... tenda.
9. Marina passava tutto il giorno .... spiaggia.
10. Laura è andata .... estero .... alcuni amici.

C Fill in the correct words in the sentences below.

**campeggio • maschera • costa • vacanze • barca
spiaggia • attrezzi • gommone • mare • albergo**

1. Le nostre .... sono appena cominciate.
2. Domani partiremo per il .... con gli amici.
3. Andremo in .... con due piccole tende.
4. Preferiamo la vita libera del campeggio a quella dell' ....
5. Abbiamo scelto la .... Toscana, in Maremma.
6. Non portiamo .... da cucina, mangeremo dove capita.
7. Pensiamo di stare poco in ....
8. Ci piace di più andare per mare con una .... a vela
9. Gli amici di papà hanno comperato un ....
10. Non dimenticare di portare la tua ....

D Answer the questions.

1. Quando sei andato in vacanza?
....
2. Dove sei stato e per quanto tempo?
....
3. Con quale mezzo hai viaggiato?
....
4. Con chi ci sei andato?
....
5. Che cosa hai fatto ?
....
6. Quando sei tornato a casa?
....

E Check the correct form in the sentences below.

1. Ieri abbiamo (*preso / prenduto*) il traghetto.
2. Avete (*chieduto / chiesto*) quanto costa il biglietto?
3. Ci siamo (*seduto / seduti*) sulla spiaggia.
4. Abbiamo (*visto/ veduto*) i delfini.
5. Hai (*capito / capita*) dove trovarci?
6. Ci siamo (*perse/ perso*) nei boschi.
7. Loro sono (*saliti / salito*) su un gommone.
8. Dove hai (*messo / mettuto*) il tuo asciugamano?
9. Io sono (*andati /andato*) con la barca a vela fino all'Elba.
10. Le ragazze sono (*diventate / diventati*) rosse per il sole.
11. Ha (*portato / portata*) la sdraio vicino all'acqua.
12. Non ricordo se ho (*chiuso / chiusa*) la porta della cantina.

F Fill in the first person plural of the verb in the chart below.

INFINITO	FUTURO	IMPERFETTO	PASSATO PROSSIMO
andare	....	....	....
venire	....	....	....
prendere	....	....	....
giocare	....	....	....
dire	....	....	....
scegliere	....	....	....

G Write complete sentences in Italian with the words below.

. preoccupato, amico, tardi, arrivare

....

. contento, prossimo, anno, passare, in famiglia

....

. stanco, lavorare, troppo, questo, mese

....

. felice, arrivare, cugina, Roma

....

. curioso, conoscere, nuovi, vicini

....

H Read the text and answer the questions below.

Il mio amico Giacomo è molto contento.
Quest'anno ha fatto davvero tante vacanze.
A Natale è andato una settimana in montagna a sciare
insieme agli amici. Hanno preso in affitto un appartamento e
non ha speso molto. In primavera, la zia che abita in Spagna,
a Barcellona, l'ha invitato a passare qualche giorno da lei.
Barcellona è una città interessante, come poteva dire di no?
Dopo la fine della scuola ha lavorato per un mese in
un'azienda agricola, per raccogliere la frutta e con i soldi che
ha preso è andato in campeggio al mare.

1. Giacomo fa sempre così tante vacanze? ....
2. Che cosa ha fatto dopo la fine della scuola? ....
3. Come ha usato i soldi che ha preso? ....
4. Dove è stato in Primavera? ....

I This is the letter Jacopo sent to his friend. Fill in the words in the correct place.

**lavorato • vacanze • piaciuto • giorni • racconterò
tornare • campeggio • finendo • corso**

Cara Luisa,
le mie lunghe .... stanno ....
Sono in .... da più di tre settimane e tra due o tre ....
dovrò .... a casa.
Il mese scorso ho .... molto, ma quello che ho guadagnato
l'ho speso per seguire un .... di windsurf che mi è ....
tantissimo.
Sabato sarò senz'altro a Milano e ti .... tutto.

Giacomo

L Now write a letter to a friend telling how you have spent your vacation (even if you stayed in town, you should have done something).

Cara

....
....
....
....
....
....
....
....
....
....
....

Jacopo

Il verbo ESSERE

MODO INDICATIVO

Tempi semplici	Tempi composti
presente	**passato prossimo**
io sono	io sono stato
tu sei	tu sei stato
lui/lei/**Lei** è	lui/lei/**Lei** è stato
noi siamo	noi siamo stati
voi siete	voi siete stati
loro sono	loro sono stati
imperfetto	**trapassato prossimo**
io ero	io ero stato
tu eri	tu eri stato
lui/lei/**Lei** era	lui/lei/**Lei** era stato
noi eravamo	noi eravamo stati
voi eravate	voi eravate stati
loro erano	loro erano stati
passato remoto	**trapassato remoto**
io fui	io fui stato
tu fosti	tu fosti stato
lui/lei/**Lei** fu	lui/lei/**Lei** fu stato
noi fummo	noi fummo stati
voi foste	voi foste stati
loro furono	loro furono stati
futuro semplice	**futuro anteriore**
io sarò	io sarò stato
tu sarai	tu sarai stato
lui/lei/**Lei** sarà	lui/lei/**Lei** sarà stato
noi saremo	noi saremo stati
voi sarete	voi sarete stati
loro saranno	loro saranno stati

MODO CONGIUNTIVO

Tempi semplici	Tempi composti
presente	**passato**
(che) io sia	(che) io sia stato
(che) tu sia	(che) tu sia stato
(che) lui/lei/**Lei** sia	(che) lui/lei/**Lei** sia stato
(che) noi siamo	(che) noi siamo stati
(che) voi siate	(che) voi siate stati
(che) loro siano	(che) loro siano stati
imperfetto	**trapassato**
(che) io fossi	(che) io fossi stato
(che) tu fossi	(che) tu fossi stato
(che)) lui/lei/**Lei** fosse	(che) lui/lei/**Lei** fosse sta
(che)) noi fossimo	(che) noi fossimo stati
(che) voi foste	(che) voi foste stati
(che) loro fossero	(che) loro fossero stati

MODO CONDIZIONALE

presente	**passato**
io sarei	io sarei stato
tu saresti	tu saresti stato
lui/lei/**Lei** sarebbe	lui/lei/**Lei** sarebbe stato
noi saremmo	noi saremmo stati
voi sareste	voi sareste stati
loro sarebbero	loro sarebbero stati

MODO IMPERATIVO

presente	**futuro**
–	–
sii (tu)	sarai (tu)
sia (lui/lei/**Lei**)	sarà (lui/lei/**Lei**)
siamo (noi)	saremo (noi)
siate (voi)	sarete (voi)
siano (loro)	saranno (loro)

INFINITO		PARTICIPIO		GERUNDIO	
presente	**passato**	**presente**	**passato**	**presente**	**passato**
essere	essere stato	–	stato	essendo	essendo stato

Il verbo AVERE

MODO INDICATIVO

Tempi semplici	Tempi composti
presente	**passato prossimo**
ho	io ho avuto
hai	tu hai avuto
/lei/**Lei** ha	lui/lei/**Lei** ha avuto
abbiamo	noi abbiamo avuto
avete	voi avete avuto
o hanno	loro hanno avuto

Tempi semplici	Tempi composti
imperfetto	**trapassato prossimo**
avevo	io avevo avuto
avevi	tu avevi avuto
/lei/**Lei** aveva	lui/lei/**Lei** aveva avuto
avevamo	noi avevamo avuto
avevate	voi avevate avuto
ro avevano	loro avevano avuto

Tempi semplici	Tempi composti
passato remoto	**trapassato remoto**
ebbi	io ebbi avuto
avesti	tu avesti avuto
/lei/**Lei** ebbe	lui/lei/**Lei** ebbe avuto
avemmo	noi avemmo avuto
aveste	voi aveste avuto
ro ebbero	loro ebbero avuto

Tempi semplici	Tempi composti
futuro semplice	**futuro anteriore**
avrò	io avrò avuto
avrai	tu avrai avuto
/lei/**Lei** avrà	lui/lei/**Lei** avrà avuto
avremo	noi avremo avuto
avrete	voi avrete avuto
ro avranno	loro avranno avuto

MODO CONGIUNTIVO

Tempi semplici	Tempi composti
presente	**passato**
(che) io abbia	(che) io abbia avuto
(che) tu abbia	(che) tu abbia avuto
(che) lui/lei/**Lei** abbia	(che) lui/lei/**Lei** abbia avuto
(che) noi abbiamo	(che) noi abbiamo avuto
(che) voi abbiate	(che) voi abbiate avuto
(che) loro abbiano	(che) loro abbiano avuto

Tempi semplici	Tempi composti
imperfetto	**trapassato**
(che) io avessi	(che) io avessi avuto
(che) tu avessi	(che) tu avessi avuto
(che) lui/lei/**Lei** avesse	(che) lui/lei/**Lei** avesse avuto
(che) noi avessimo	(che) noi avessimo avuto
(che) voi aveste	(che) voi aveste avuto
(che) essi avessero	(che) loro avessero avuto

MODO CONDIZIONALE

presente	passato
io avrei	io avrei avuto
tu avresti	tu avresti avuto
lui/lei/**Lei** avrebbe	lui/lei/**Lei** avrebbe avuto
noi avremmo	noi avremmo avuto
voi avreste	voi avreste avuto
loro avrebbero	loro avrebbero avuto

MODO IMPERATIVO

presente	futuro
–	–
abbi (tu)	avrai (tu)
abbia (lui/lei/**Lei**)	avrà (lui/lei/**Lei**)
abbiamo (noi)	avremo (noi)
abbiate (voi)	avrete (voi)
abbiano (loro)	avranno (loro)

INFINITO		PARTICIPIO		GERUNDIO	
presente	passato	presente	passato	presente	passato
avere	avere avuto	avente	avuto	avendo	avendo avuto

TABELLE DEI VERBI

Prima coniugazione attiva: AM-ARE

MODO INDICATIVO

Tempi semplici	Tempi composti
presente	**passato prossimo**
io amo	io ho amato
tu ami	tu hai amato
lui/lei/**Lei** ama	lui/lei/**Lei** ha amato
noi amiamo	noi abbiamo amato
voi amate	voi avete amato
loro amano	loro hanno amato
imperfetto	**trapassato prossimo**
io amavo	io avevo amato
tu amavi	tu avevi amato
lui/lei/**Lei** amava	lui/lei/**Lei** aveva amato
noi amavamo	noi avevamo amato
voi amavate	voi avevate amato
loro amavano	loro avevano amato
passato remoto	**trapassato remoto**
io amai	io ebbi amato
tu amasti	tu avesti amato
lui/lei/**Lei** amò	lui/lei/**Lei** ebbe amato
noi amammo	noi avemmo amato
voi amaste	voi aveste amato
loro amarono	loro ebbero amato
futuro semplice	**futuro anteriore**
io amerò	io avrò amato
tu amerai	tu avrai amato
lui/lei/**Lei** amerà	lui/lei/**Lei** avrà amato
noi ameremo	noi avremo amato
voi amerete	voi avrete amato
loro ameranno	loro avranno amato

MODO CONGIUNTIVO

Tempi semplici	Tempi composti
presente	**passato**
(che) io ami	(che) io abbia amato
(che) tu ami	(che) tu abbia amato
(che) lui/lei/**Lei** ami	(che) lui/lei/**Lei** abbia amato
(che) noi amiamo	(che) noi abbiamo amato
(che) voi amiate	(che) voi abbiate amato
(che) loro amino	(che) loro abbiano amato
imperfetto	**trapassato**
(che) io amassi	(che) io avessi amato
(che) tu amassi	(che) tu avessi amato
(che) lui/lei/**Lei** amasse	(che) lui/lei/**Lei** avesse amato
(che) noi amassimo	(che) noi avessimo amato
(che) voi amaste	(che) voi aveste amato
(che) loro amassero	(che) loro avessero amato

MODO CONDIZIONALE

presente	**passato**
io amerei	io avrei amato
tu ameresti	tu avresti amato
lui/lei/**Lei** amerebbe	lui/lei/**Lei** avrebbe amato
noi ameremmo	noi avremmo amato
voi amereste	voi avreste amato
loro amerebbero	loro avrebbero amato

MODO IMPERATIVO

presente	**futuro**
–	–
ama (tu)	amerai (tu)
ami (lui/lei/**Lei**)	amerà (lui/lei/**Lei**)
amiamo (noi)	ameremo (noi)
amate (voi)	amerete (voi)
amino (loro)	ameranno (loro)

INFINITO		PARTICIPIO		GERUNDIO	
presente	passato	presente	passato	presente	passato
amare	avere amato	(amante)	amato	amando	avendo amato

Seconda coniugazione attiva: TEM-ERE

MODO INDICATIVO

Tempi semplici	Tempi composti
presente	**passato prossimo**
temo	io ho temuto
temi	tu hai temuto
lui/lei/**Lei** teme	lui/lei/**Lei** ha temuto
noi temiamo	noi abbiamo temuto
voi temete	voi avete temuto
loro temono	loro hanno temuto
imperfetto	**trapassato prossimo**
temevo	io avevo temuto
temevi	tu avevi temuto
lui/lei/**Lei** temeva	lui/lei/**Lei** aveva temuto
noi temevamo	noi avevamo temuto
voi temevate	voi avevate temuto
loro temevano	loro avevano temuto
passato remoto	**trapassato remoto**
temetti	io ebbi temuto
temesti	tu avesti temuto
lui/lei/**Lei** temette	lui/lei/**Lei** ebbe temuto
noi tememmo	noi avemmo temuto
voi temeste	voi aveste temuto
loro temettero	loro ebbero temuto
futuro semplice	**futuro anteriore**
temerò	io avrò temuto
temerai	tu avrai temuto
lui/lei/**Lei** temerà	lui/lei/**Lei** avrà temuto
noi temeremmo	noi avremo temuto
voi temerete	voi avrete temuto
loro temeranno	loro avranno temuto

MODO CONGIUNTIVO

Tempi semplici	Tempi composti
presente	**passato**
(che) io tema	(che) io abbia temuto
(che) tu tema	(che) tu abbia temuto
(che) lui/lei/**Lei** temi	(che) lui/lei/**Lei** abbia temuto
(che) noi temiamo	(che) noi abbiamo temuto
(che) voi temiate	(che) voi abbiate temuto
(che) loro temino	(che) loro abbiano temuto
imperfetto	**trapassato**
(che) io temessi	(che) io avessi temuto
(che) tu temessi	(che) tu avessi temuto
(che) lui/lei/**Lei** temesse	(che) lui/lei/**Lei** avesse temuto
(che) noi temessimo	(che) noi avessimo temuto
(che) voi temeste	(che) voi aveste temuto
(che) loro temessero	(che) loro avessero temuto

MODO CONDIZIONALE

presente	**passato**
io temerei	io avrei temuto
tu temeresti	tu avresti temuto
lui/lei/**Lei** temerebbe	lui/lei/**Lei** avrebbe temuto
noi temeremmo	noi avremmo temuto
voi temereste	voi avreste temuto
loro temerebbero	loro avrebbero temuto

MODO IMPERATIVO

presente	**futuro**
–	–
temi (tu)	temerai (tu)
tema (lui/lei/**Lei**)	temerà (lui/lei/**Lei**)
temiamo (noi)	temeremo (noi)
temete (voi)	temerete (voi)
temino (loro)	temeranno (loro)

INFINITO		PARTICIPIO		GERUNDIO	
presente	passato	presente	passato	presente	passato
temere	avere temuto	(-)	temuto	temendo	avendo temuto

TABELLE DEI VERBI

Terza coniugazione attiva: SENT-IRE

MODO INDICATIVO

Tempi semplici	Tempi composti
presente	**passato prossimo**
io sento	io ho sentito
tu senti	tu hai sentito
lui/lei/**Lei** sente	lui/lei/**Lei** ha sentito
noi sentiamo	noi abbiamo sentito
voi sentite	voi avete sentito
loro sentono	loro avevano sentito
imperfetto	**trapassato prossimo**
io sentivo	io avevo sentito
tu sentivi	tu avevi sentito
lui/lei/**Lei** sentiva	lui/lei/**Lei** aveva sentito
noi sentivamo	noi avevamo sentito
voi sentivate	voi avevate sentito
loro sentivano	loro avevano sentito
passato remoto	**trapassato remoto**
io sentii	io ebbi sentito
tu sentisti	tu avesti sentito
lui/lei/**Lei** sentì	lui/lei/**Lei** ebbe sentito
noi sentimmo	noi avemmo sentito
voi sentiste	voi aveste sentito
loro sentirono	loro ebbero sentito
futuro semplice	**futuro anteriore**
io sentirò	io avrò sentito
tu sentirai	tu avrai sentito
lui/lei/**Lei** sentirà	lui/lei/**Lei** avrà sentito
noi sentiremo	noi avremo sentito
voi sentirete	voi avrete sentito
loro sentiranno	loro avranno sentito

MODO CONGIUNTIVO

Tempi semplici	Tempi composti
presente	**passato**
(che) io senta	(che) io abbia sentito
(che) tu senta	(che) tu abbia sentito
(che) lui/lei/**Lei** senta	(che) lui/lei/**Lei** abbia sentito
(che) noi sentiamo	(che) noi abbiamo sentito
(che) voi sentiate	(che) voi abbiate sentito
(che) loro sentano	(che) loro abbiano sentito
imperfetto	**trapassato**
(che) io sentissi	(che) io avessi sentito
(che) tu sentissi	(che) tu avessi sentito
(che) lui/lei/**Lei** sentisse	(che) lui/lei/**Lei** avesse sentito
(che) noi sentissimo	(che) noi avessimo sentito
(che) voi sentiste	(che) voi aveste sentito
(che) loro sentissero	(che) loro avessero sentito

MODO CONDIZIONALE

presente	**passato**
io sentirei	io avrei sentito
tu sentiresti	tu avresti sentito
lui/lei/**Lei** sentirebbe	lui/lei/**Lei** avrebbe sentito
noi sentiremmo	noi avremmo sentito
voi sentireste	voi avreste sentito
loro sentirebbero	loro avrebbero sentito

MODO IMPERATIVO

presente	**futuro**
–	–
senti (tu)	avrai sentito (tu)
senta (lui/lei/**Lei**)	avrà sentito (lui/lei/**Lei**)
sentiamo (noi)	avremo sentito (noi)
sentite (voi)	avrete sentito (voi)
sentano (loro)	avranno sentito (loro)

INFINITO		PARTICIPIO		GERUNDIO	
presente	passato	presente	passato	presente	passato
sentire	avere sentito	(–)	sentito	sentendo	avendo sentito

Il verbo DARE

MODO INDICATIVO

Tempi semplici	Tempi composti
presente	**imperfetto**
do	io davo
dai	tu davi
/lei/**Lei** dà	lui/lei/**Lei** dava
i diamo	noi davamo
i date	voi davate
ro danno	loro davano

futuro semplice	**passato prossimo**
darò	io ho dato
darai	tu hai dato
/lei/**Lei** darà	lui/lei/**Lei** ha dato
i daremo	noi abbiamo dato
i darete	voi avete dato
ro daranno	loro hanno dato

Il verbo FARE

MODO INDICATIVO

Tempi semplici	Tempi composti
presente	**imperfetto**
io faccio	io facevo
tu fai	tu facevi
lui/lei/**Lei** fa	lui/lei/**Lei** faceva
noi facciamo	noi facevamo
voi fate	voi facevate
loro fanno	loro facevano

futuro semplice	**passato prossimo**
io farò	io ho fatto
tu farai	tu hai fatto
lui/lei/**Lei** farà	lui/lei/**Lei** ha fatto
noi faremo	noi abbiamo fatto
voi farete	voi avete fatto
loro faranno	loro hanno fatto

Il verbo STARE

MODO INDICATIVO

Tempi semplici	Tempi composti
presente	**imperfetto**
sto	io stavo
stai	tu stavi
i/lei/**Lei** sta	lui/lei/**Lei** stava
i stiamo	noi stavamo
i state	voi stavate
ro stanno	loro stavano

futuro semplice	**passato prossimo**
starò	io sono stato
starai	tu sei stato
i/lei/**Lei** starà	lui/lei/**Lei** è stato/stata
i staremo	noi siamo stati
i starete	voi siete stati
ro staranno	loro sono stati

Il verbo ANDARE

MODO INDICATIVO

Tempi semplici	Tempi composti
presente	**imperfetto**
io vado	io andavo
tu vai	tu andavi
lui/lei/**Lei** va	lui/lei/**Lei** andava
noi andiamo	noi andavamo
voi andate	voi andavate
loro vanno	loro andavano

futuro semplice	**passato prossimo**
io andrò	io sono andato
tu andrai	tu seo andato
lui/lei/**Lei** andrà	lui/lei/**Lei** è andato/andata
noi andremo	noi siamo andati
voi andrete	voi siete andati
loro andranno	loro sono andati

VERBI IRREGOLARI

Il verbo BERE

MODO INDICATIVO

Tempi semplici	Tempi composti
presente	**imperfetto**
io bevo	io bevevo
tu bevi	tu bevevi
lui/lei/**Lei** beve	lui/lei/**Lei** beveva
noi beviamo	noi bevevamo
voi bevete	voi bevevate
loro bevono	loro bevevano

futuro semplice	**passato prossimo**
io berrò	io ho bevuto
tu berrai	tu hai bevuto
lui/lei/**Lei** berrà	lui/lei/**Lei** ha bevuto
noi berremo	noi abbiamo bevuto
voi berrete	voi avete bevuto
loro berranno	loro hanno bevuto

Il verbo TENERE

MODO INDICATIVO

Tempi semplici	Tempi composti
presente	**imperfetto**
io tengo	io tenevo
tu tieni	tu tenevi
lui/lei/**Lei** tiene	lui/lei/**Lei** teneva
noi teniamo	noi tenevamo
voi tenete	voi tenevate
loro tengono	loro tenevano

futuro semplice	**passato prossimo**
io terrò	io ho tenuto
tu terrai	tu hai tenuto
lui/lei/**Lei** terrà	lui/lei/**Lei** ha tenuto
noi terremo	noi abbiamo tenuto
voi terrete	voi avete tenuto
loro terranno	loro hanno tenuto

Il verbo PIACERE

MODO INDICATIVO

Tempi semplici	Tempi composti
presente	**imperfetto**
io piaccio	io piacevo
tu piaci	tu piacevi
lui/lei/**Lei** piace	lui/lei/**Lei** piaceva
noi piacciamo	noi piacevamo
voi piacete	voi piacevate
loro piacciono	loro piacevano

futuro semplice	**passato prossimo**
io piacerò	io sono piaciuto
tu piacerai	tu sei piaciuto
lui/lei/**Lei** piacerà	lui/lei/**Lei** è piaciuto/ piaciuta
noi piaceremo	noi siamo piaciuti
voi piacerete	voi siete piaciuti
loro piaceranno	loro sono piaciuti

Il verbo SCEGLIERE

MODO INDICATIVO

Tempi semplici	Tempi composti
presente	**imperfetto**
io scelgo	io sceglievo
tu scegli	tu sceglievi
lui/lei/**Lei** sceglie	lui/lei/**Lei** sceglieva
noi scegliamo	noi sceglievamo
voi scegliete	voi sceglievate
loro scelgono	loro sceglievano

futuro semplice	**passato prossimo**
io sceglierò	io ho scelto
tu sceglierai	tu hai scelto
lui/lei/**Lei** sceglierà	lui/lei/**Lei** ha scelto
noi sceglieremo	noi abbiamo scelto
voi sceglierete	voi avete scelto
loro sceglieranno	loro hanno scelto

Il verbo FINIRE

MODO INDICATIVO

Tempi semplici	Tempi composti
presente	**imperfetto**
finisco	io finivo
finisci	tu finivi
/lei/**Lei** finisce	lui/lei/**Lei** finiva
i finiamo	noi finivamo
i finite	voi finivate
o finiscono	loro finivano

futuro semplice	**passato prossimo**
finirò	io ho finito
finirai	tu hai finito
/lei/**Lei** finirà	lui/lei/**Lei** ha finito
i finiremo	noi abbiamo finito
i finirete	voi avete finito
o finiranno	loro hanno finito

Il verbo USCIRE

MODO INDICATIVO

Tempi semplici	Tempi composti
presente	**imperfetto**
io esco	io uscivo
tu esci	tu uscivi
lui/lei/**Lei** esce	lui/lei/**Lei** usciva
noi usciamo	noi uscivamo
voi uscite	voi uscivate
loro escono	loro uscivano

futuro semplice	**passato prossimo**
io uscirò	io sono uscito
tu uscirai	tu sei uscito
lui/lei/**Lei** uscirà	lui/lei/**Lei** è uscito/ uscita
noi usciremo	noi siamo usciti
voi uscirete	voi siete usciti
loro usciranno	loro sono usciti

Il verbo CAPIRE

MODO INDICATIVO

Tempi semplici	Tempi composti
presente	**imperfetto**
capisco	io capivo
capisci	tu capivi
i/lei/**Lei** capisce	lui/lei/**Lei** capiva
i capiamo	noi capivamo
i capite	voi capivate
ro capiscono	loro capivano

futuro semplice	**passato prossimo**
capirò	io ho capito
capirai	tu hai capito
i/lei/**Lei** capirà	lui/lei/**Lei** ha capito
i capiremo	noi abbiamo capito
i capirete	voi avete capito
ro capiranno	loro hanno capito

Il verbo PREFERIRE

MODO INDICATIVO

Tempi semplici	Tempi composti
presente	**imperfetto**
io preferisco	io preferivo
tu preferisci	tu preferivi
lui/lei/**Lei** preferisce	lui/lei/**Lei** preferiva
noi preferiamo	noi preferivamo
voi preferite	voi preferivate
loro preferiscono	loro preferivano

futuro semplice	**passato prossimo**
io preferirò	io ho preferito
tu preferirai	tu hai preferito
lui/lei/**Lei** preferirà	lui/lei/**Lei** ha preferito
noi preferiremo	noi abbiamo preferito
voi preferirete	voi avete preferito
loro preferiranno	loro hanno preferito

VERBI IRREGOLARI

Il verbo UNIRE

MODO INDICATIVO

Tempi semplici	Tempi composti
presente	**imperfetto**
io unisco	io univo
tu unisci	tu univi
lui/lei/**Lei** unisce	lui/lei/**Lei** univa
noi uniamo	noi univamo
voi unite	voi univate
loro uniscono	loro univano

futuro semplice	**passato prossimo**
io unirò	io ho unito
tu unirai	tu hai unito
lui/lei/**Lei** unirà	lui/lei/**Lei** ha unito
noi uniremo	noi abbiamo unito
voi unirete	voi avete unito
loro uniranno	loro hanno unito

Il verbo SALIRE

MODO INDICATIVO

Tempi semplici	Tempi composti
presente	**imperfetto**
io salgo	io salivo
tu sali	tu salivi
lui/lei/**Lei** sale	lui/lei/**Lei** saliva
noi saliamo	noi salivamo
voi salite	voi salivate
loro salgono	loro salivano

futuro semplice	**passato prossimo**
io salirò	io sono salito
tu salirai	tu sei salito
lui/lei/**Lei** salirà	lui/lei/**Lei** è salito/ salit
noi saliremo	noi siamo saliti
voi salirete	voi siete saliti
loro saliranno	loro sono saliti

Il verbo VENIRE

MODO INDICATIVO

Tempi semplici	Tempi composti
presente	**imperfetto**
io vengo	io venivo
tu vieni	tu venivi
lui/lei/**Lei** viene	lui/lei/**Lei** veniva
noi veniamo	noi venivamo
voi venite	voi venivate
loro vengono	loro venivano

futuro semplice	**passato prossimo**
io verrò	io sono venuto
tu verrai	tu sei venuto
lui/lei/**Lei** verrà	lui/lei/**Lei** è venuto/ venuta
noi verremo	noi siamo venuti
voi verrete	voi siete venuti
loro verranno	loro sono venut

Il verbo DIRE

MODO INDICATIVO

Tempi semplici	Tempi composti
presente	**imperfetto**
io dico	io dicevo
tu dici	tu dicevi
lui/lei/**Lei** dice	lui/lei/**Lei** diceva
noi diciamo	noi dicevamo
voi dite	voi dicevate
loro dicono	loro dicevano

futuro semplice	**passato prossimo**
io dirò	io ho detto
tu dirai	tu hai detto
lui/lei/**Lei** dirà	lui/lei/**Lei** ha detto
noi diremo	noi abbiamo detto
voi direte	voi avete detto
loro diranno	loro hanno detto

Il verbo POTERE

MODO INDICATIVO

Tempi semplici	Tempi composti
presente	**imperfetto**
posso	io potevo
puoi	tu potevi
/lei/**Lei** può	lui/lei/**Lei** poteva
possiamo	noi potevamo
potete	voi potevate
o possono	loro potevano

futuro semplice	**passato prossimo**
potrò	io ho potuto
potrai	tu hai potuto
/lei/**Lei** potrà	lui/lei/**Lei** ha potuto
i potremo	noi abbiamo potuto
i potrete	voi avete potuto
o potranno	loro hanno potuto

Il verbo VOLERE

MODO INDICATIVO

Tempi semplici	Tempi composti
presente	**imperfetto**
io voglio	io volevo
tu vuoi	tu volevi
lui/lei/**Lei** vuole	lui/lei/**Lei** voleva
noi vogliamo	noi volevamo
voi volete	voi volevate
loro vogliono	loro volevano

futuro semplice	**passato prossimo**
io vorrò	io ho voluto
tu vorrai	tu hai voluto
lui/lei/**Lei** vorrà	lui/lei/**Lei** ha voluto
noi vorremo	noi abbiamo voluto
voi vorrete	voi avete voluto
loro vorranno	loro hanno voluto

Il verbo DOVERE

MODO INDICATIVO

Tempi semplici	Tempi composti
presente	**imperfetto**
devo	io dovevo
devi	tu dovevi
/lei/**Lei** deve	lui/lei/**Lei** doveva
i dobbiamo	noi dovevamo
i dovete	voi dovevate
ro devono	loro dovevano

futuro semplice	**passato prossimo**
dovrò	io ho dovuto
dovrai	tu hai dovuto
/lei/**Lei** dovrà	lui/lei/**Lei** ha dovuto
i dovremo	noi abbiamo dovuto
i dovrete	voi avete dovuto
ro dovranno	loro hanno dovuto

Il verbo VEDERE

MODO INDICATIVO

Tempi semplici	Tempi composti
presente	**imperfetto**
io vedo	io vedevo
tu vedi	tu vedevi
lui/lei/**Lei** vede	lui/lei/**Lei** vedeva
noi vediamo	noi vedevamo
voi vedete	voi vedevate
loro vedono	loro vedevano

futuro semplice	**passato prossimo**
io vedrò	io ho visto
tu vedrai	tu hai visto
lui/lei/**Lei** vedrà	lui/lei/**Lei** ha visto
noi vedremo	noi abbiamo visto
voi vedrete	voi avete visto
loro vedranno	loro hanno visto

A

abbastanza = enough, abbastanza bene = pretty well
abbigliamento (m.) = clothing
abbonamento (m.) = ticket
abitare = to live
abito (m.) = dress (da donna)
abitualmente = usually
abituato = accustomed
abitudine (f.) = habit
accompagnare = to accompany
accordo = agreement, andare d'accordo = to get along well, d'accordo = okay
acqua (f.) = water
acquisto (m.) = purchase, fare acquisti = to go shopping
addetto (m.) = employee
aereo = plane, in aereo = by plane
aeroporto (m.) = airport
affamato = hungry
affitto (m.) = rent
affollato = crowded
agenda (f.) = planner
aggiornato = updated/latest
aggiustare = to repair
aggressivo = aggressive
agitato = upset
agricoltore (m.) = farmer
aiutare = to help
albero (m.)= tree
alcune = several
allegro = cheerful
allergico = allergic
allontanare = to move
allora = then
almeno = at least
alto = tall/high
altro = other
alzarsi = to get up
americano (m.) = American
analcolico = non-alcoholic
anche = also, same to
ancora = still
andare = to go, come va? = how are you?
andare pure = to go ahead
andare di corsa = to go running (to run)
anticamera (f.) = anteroom, hallway
antico = ancient/old
antipasto (m.) = appetizer
antipatico = unpleasant
aperitivo (m.) = aperitif
aperto = open

apparecchio (m.) = tool, apparecchio elettronico = electronic tool
apparenza (f.) = appearance
appartamento (m.) = flat/apartment
appoggiare = to lean
appuntamento (m.)= appointment
arabo = Arabic
arancia (f.) = orange, spremuta d'arancia = orange juice
aria (f.) = air
armadietto (m.) = cabinet/locker
armadio (m.) = wardrobe
arrabbiato = angry
arrivare = to arrive
arrivederci = goodbye, bye-bye
arrosto (m.) = roast
ascensore (m.) = lift
asciugamano (m.) = towel
asciutto = dry
ascoltare = to listen
aspettare = to wait for
aspetto (m.) = look
assistere = to assist
astuccio (m.) = case
atrio (m.) = lobby
attento = careful
attirare = to draw/to attract
attraente = attractive
attrezzato = equipped
attrezzatura (f.) = equipment
aula (f.) = classroom
autista (m./f.) = driver
autobus (m.) = bus
azienda (f.) = company
azione = action/task

B

baby sitter (f.) = babysitter
baffo = moustache, leccarsi i baffi = to smack one's lip
bagaglio (m.) = luggage
bagno (m.) = bathroom
banco (m.) = desk
bar (m.)= bar/coffee house
barattolo (m.) = jar
barba (f.) = beard
barca (f.) = boat, barca a motore = motorboat
basso = low
basta = enough
bello = beautiful, bello vero? = beautiful isn't it?, nice, che bello! = how nice!

bene = fine
bene grazie = fine thanks
bene = okay
benvenuto = welcome
berretto (m.) = cap
bianco = white
biblioteca (f.) = library
bicchiere (m.) = glass
bidè (m.) = bidet
biglietto (m.) = ticket, fare il biglietto = to buy the ticket
binario (m.) = platform
biondo = blond
biscotto (m.) = cake/cooky
bisnonno (m.) = great grandfather
bisogno (m.) = need, aver bisogno = to need
boccaglio (m.) = mouthpiece
borsa (f.) = bag
bosco (m.) = wood
bottega (f.) = shop
bottiglia (f.) = bottle
brasiliano = Brazilian
bravo = clever, che bravo! = how clever
brioche (f.) = brioche
bufalo (m.) = buffalo
buongiorno = good morning
buono = good

C

caccia (f.) = hunting
cacciavite (m.) = screwdriver
caffè (m.) = coffee
calcolatrice (f.) = calculating machine, calculator
caldo = hot
calma (f.) calm, con calma = calmly
calmo = calm
calza (f.) = stocking
calzolaio(m.) = shoemaker
cambiare = to change
camera (f.) = room
camera da letto = bedroom
cameretta (f.) = little bedroom
cameriere (m.) = waiter
camicetta (f.) = blouse
camicia (f.)= shirt
campagna (f.) = countryside
campeggio (m.) = camping
campo (m.)= field
canadese = Canadian
cantina (f.) = cellar

ce = able
llo (m.) = hair
re = to understand/to see
tare = to happen
o (m.) = begin, **da capo** = again
ello (m.) = hat
otto (m.) = overcoat
uccino (m.) = cappuccino
iolo (m.) = deer
ttere (m.) = character
iofo (m.) = artichoke
no = nice
e (f.) = meat
e alla brace, grilled meat
e(f.) = meat
e arrosto = roast beef
o = expensive
ello (m.) = cart
a (f.) = paper
ello (m.) = sign
oleria (f.) = stationery store
one (m.) = cardboard
a (f.) = house, home
alinga (f.) = housewife
sa (f.) = cash register
setta (f.) = box
setto (m.) = drawer
siere (m.) = cashier
sonetto (m.) = container
ual = casual
ivo = bad
allo (m.) = horse
ulare (m.) = mobile phone
are = to diner, **cenare in famiglia**
have dinner in family
tro (m.) = center
tro commerciale = mall
care = to try
eale (m.) = cereal
tino (m.) = basket
amarsi = to be called
edere = to ask
o = hi!
o (m.)= food
lo (m.) = sky
no = Chilean
ema (m.) = cinema/moovies
ese = Chinese
ghiale (m.) = boar, cinghiale in umido =
wed boar
que = five
ccolata (f.) = chocolate
ondato = surrounded

cittadinanza (f.) = citizenship
classe (f.) = class
cognata (f.) = sister-in-law
cognato (m.) = brother-in-law
cognome (m.) = last name
colazione = breakfast, **fare colazione**
= to have breakfast
collega (m.) = colleague
colorato = colored
coltello (m.) = knife
cominciare = to begin
commessa (f.) = shop assistent
commuoversi = to get moved
comodo = comfortable
compagno (m.) = schoolmate
compito (m.) = homework,
fare il compito = to do homework
compito (m.) = task/homework
completo = complete
complicato = complicated
compreso = included
computer (m.) = computer
confezione (f.) = package
coniuge (m.) = husband/wife
conservante (m.) = preservative
considerare = to consider
consigliare = to advise
consolare = to console
contenitore (m.) = container
contento = happy
continuamente = continuously
controllare = to check/to control
convincere = to convince
coperchio (m.) = cover
coppia (f.)= pair/couple, **che coppia!**
= what a pair!
copricostume (m.) = coverup
corrente (f.) = current
correre = to run
corridoio (m.) = corridor
corso (m.) = course
corto = short
cosa (f.) = thing
cosa nuova = something new, **che cosa**
= what thing
costa (f.) = coast
costare = to cost
costruire = to build
costume (m.) da bagno = swimwear
cravatta (f.) = tie
credere = to believe
crema (f.) = cream
crema protettiva = protective cream

crudo = fresh
cucchiaio (m.) = spoon
cucina (f.) = kitchen
cucinare = to cook
cugina (f.) = cousin
cuginetto (m.) = little cousin
culturale = cultural
cuoco (m.) = cook, chef
curare = to care
cuscino (m.) = pillow

● **D** ●

davanzale (m.) = sill
davvero = really
decidere = to decide
decimo = tenth
decina (f.) = tens
dedicarsi = to devote oneself
delizioso = delicious
dentro = inside
destra = right, a destra = on the right
diario (m.) = diary
dibattito (m.) = debate
diciannove = nineteen
diciannovesimo = nineteenth
diciassette = seventeen
diciassettesimo = seventeenth
diciottesimo = eighteenth
diciotto = eighteen
dieci = ten
difficile = difficult
dimenticare = to forget
dire = to say, to tell
disastro (m.) = disaster
discarica (f.) = dump
disco (m.) = disc, CD
discoteca (f.) = disco
discreto = discreet
discussione (f.) = discussion
disegnare = to draw
disegno (m.) = drawing
disordinato = untidy, messy
divano (m.) = sofa
diventatare = to become
diverso = different
divertirsi = to enjoy
dividere = to divide
dividersi = to share
divisa (f.) = uniform
divisione (f.) = division
doccia (f.) = shower
dodicesimo = twelfth

dodici = twelve
dolce (m.) = cake/sweet
domanda (f.) = question
donna (f.) = woman
doppio (m.) = double
dormire = to sleep
dottor/dottore (m.)
= doctor/medical doctor
dovere = must
due = two

● **E** ●

ecco = here is
eccola = here she is
economia (f.) = economy
edicola (f.) = newsstand
educato = well mannered
ehi! = hey!
elegante = elegant/smart
elenco (m.) = list
esagerare = to exaggerate
escursione (f.) = excursion
esperienza (f.) = experience
esplorare = to explore
essere = to be
essere in anticipo = to be early
essere in orario = to be on time
essere in ritardo = to be late
estate (f.) = summer
esterno = outside, all'esterno = outside
età (f.) = age
etichetta (f.) = label
evidenziatore (m.) = highlighter

● **F** ●

faccia (f.) = face
facile = easy
facilmente = easily
falegname (m.) = carpenter
fare = to do/to make
fare uno squillo = to ring up
fare il conto = to take the bill
fascia (f.) = hair band
fatica (f.) = fatigue
faticoso = tiring
favoloso = fabulous
favore = favor, **per favore**
= please
felice = happy
felpa (f.) = fleece
fermarsi = to stop
fermata (f.) = stop

fetta (f.) = slice
fianco (m.) = side, di fianco = next
fidarsi = to trust
figlia (f.) = daughter
figlio (m.) = child, son
fila (f.) = line
fine-settimana (m.) = weekend
finestra (f.) = window
finto = fake
fiore (m.) = flower
focaccia (f.) = focaccia
fondo (m.) = bottom, sea bed
forbici (f.p.) = scissors
forchetta (f.) = fork
forma (f.) = form
formaggio (m.) = cheese
formale = formal
fornello a gas (m.) = camping gas
forno (m.) = oven
forte = strong
fortuna = luck, per fortuna = luckily
fotografia (f.) = photo
francese = French
frase (f.) = sentence
fratellino (m.) = little brother
fratello (m.) = brother
freddo = cold
fresco = fresh
fretta (f) = haste, in fretta = fast
frigorifero (m.) = refrigerator
fruttivendolo (m.) = greengrocer
fungo (m.) = mushroom

● **G** ●

garage (m.) = garage
garantito = guaranteed
gas (m.) = gas, **cucina a gas** = gas stove
gelateria (f.) = ice-cream shop
genero (m.) = son-in-law
genitore (m./f.) = father/mother
genitori = parents
gentile = kind
gettone (m.) = token
giacca (f.) = jacket
giacca a vento = wind cheater/
windbreaker
giardino (m.) = garden
gigante (m.) = giant
giocare = to play
giocare = to play
giocare a basket = to play basket ball
gioia (f.) = joy
giornale (m.) = newspaper

giornalista (m./f.) = journalist
giorno (m.) = day
giovane = young
girare = to turn
gita (f.) = trip
giù = down, **un po' giù** = a bit down
giubbino (m.) = waist jacket
giubbotto (m.) = jacket
giusto = right
goccia (f.) = drop
golf (m.) = cardigan, sweater
gomma (f.) = eraser
gommone (m.) = rubber dinghy
gonna (f.) = skirt
grande = big/large
grande = old, più grande = older
grasso = fat
grattacielo (m.) = skyscraper
grembiule (m.) = smock/apron
grigio = gray
grigliata = grilled
guanto (m.) = glove
guardare = to look/to watch
guidare = to drive
gusto (m.) = taste

● **I** ●

idea (f.) = idea
imparare = to learn
impegnativo = challenging
impiegare = to take
importante = important
impossibile = impossible
incontrare = to meet
incontro (m.) = meeting
indiano (m.) = Indian
indicazione (f.) = indication
indipendente = independent
indispensabile = indispensable
infermiere (m.) = nurse
informatica (f.) = computer science
informazione (f.) = information
ingannare = to deceive
ingegnere (m.) = engineer
inglese = English
ingrandimento (m.) = magnifying
ingrediente (m.) = ingredient
ingresso (m.) = entrance/foyer
iniziare = to begin
inizio (m.) = start
inquilino (m.) = tenant
insegnante (m./f.) = teacher
insegnare = to teach

:me = together
mma = in short
nto = while
nzione (f.) = intention
e intenzione = to be going to
ressante = interesting
ressare = to interest
prendente = enterprising
rno (m.) = winter
a (f.) = island
ano (m.) = Italian

L ●

ratorio (m.) = laboratory
(f.) = wool
iare = to leave
o (m.) = Latin
(m.) = milk
na (f.) = can
gna (f.) = blackboard
nderia (f.) = laundry
ndino (m.) = wash basin
re = to wash
re la macchina = to wash the car
rsi = to wash oneself
trice (f.) = washing machine
gere = to read
gero = light
o (m.) = wood
e (f.) = lence
no (m.) = single bed
o (m) = bed
o a due piazze = double bed
one (f.) = lesson
ro = free
aio (m.) = bookseller
eria (f.) = bookschelf
o (m.) = book
o (m.) = high school
o = happy, molto lieto! = nice!
uaggio = language
(m.) = flax
a (f.) = list
are = to quarrel
go = long
o (m) = wolf, in bocca al lupo! = Good
!

M ●

= but, ma dai! = but come on!
cchina (f.) = machine

macelleria (f.) = butcher's shop
madre (f.)= mother
maglietta (f.) = T-shirt
maglione (m.) = sweater
magro = thin
mai = never
maionese (f.) = mayonnaise
malato = sick/ill
male! = bad!
mamma (f.) = mom
mancanza (f.) = lack
mandare = to send
mangiare = to eat
maniglia (f.) = handle
mano (f.) = hand, dare una mano
= to give a hand
marca (f.) = brand
mare (m.) = sea
marito (m.) = husband
marmellata (f.) = jam
maschera (f.) = mask
materia (f.) = material
materia prima = raw material
materiale (m.) = material
materno = maternal
matita (f.) = pencil
matrimonio (m.) = wedding
meccanico (m.) = mechanical
medico (m.) = medical doctor
meglio = better
mensile = monthly
meraviglia (f.) = wonder
mercatino (m.) = flea market
mercato (m.) = market
mercato rionale = local market
merce (f.) = goods
mese (m.) = month
metà (f.) = half
metallo (m.) = metal
metropolitana/metro =
subway /underground
mettere = to put
mezzo (m.) = means, nessun mezzo
= no means of transportation
mezzo (m.) = transport
microscopico = microscopic
minuto (m.) = minute
misterioso = mysterious
misura (f.) = size
mobile (m.) = furnishing/furniture
mocassino (m.) = moccasin
modo (m.) = way
moglie (f.) = wife
molto = much,

molti = many
momento (m.) = time, certi momenti
= at times, sometimes
momento = moment, al momento
= at the moment
mondo (m.) = world
montagna (f.) = mountain
montare = to pitch
montare una tenda = to pitch a tent
monte (m.) = mountain
motoscafo (m.) = motorboat
mozzarella (f.) = mozzarella
muoversi = to move
musica (f.) = music

● **N** ●

nascere = to be born, dove sei nato?
= where were you born?
nascondere = to hide
necessario = necessary
negozio (m.) = shop, fare un giro
per negozi = to go shopping
nero = black
nervoso = nervous
neve (f.) = snow
nipote (m.p) = (degli zii) nephew/niece,
(dei nonni) grandson/grandaughter
noleggio (m.) = rental
nome (m) = name/first name
nonna (f.) = grandmother
nonni (m.p.) = grandparents
nonno (m.) = grandfather
nono = ninth
normale = normal
nostalgia (f.) = nostalgia
notizia (f.) = news
notte = night, buona notte = good night
nove = nine
novità (f.) = news
numeroso = numerous
nuora (f.) = daughter-in-law
nuotare = to swim
nuovo = new

● **O** ●

occhiali (m.p.) = glasses
occhiali da sole = sun glasses
occuparsi = to care
oceano (m.) = ocean
officina (f.) = workshop
oggi = today
ogni = every, each

VOCABOLARIO

ognuno = every body
olio (m.) = oil
ombrellone (m.) = sun umbrella
onda (f.) = wave
orario (m.) = timetable
ordinare = to order
ordinato = tidy, neat
organizzare = to organize
organizzarsi = to organize oneself
ospedale (m.) = hospital
ospitale = hospitable
ospite (m.)= guest
osservazione (f.) = observation
ottavo = eighth
otto = eight

● P ●

pacco (m.) = pack
padre (m.) = father
pagina (f.) = page
palazzo (m.) = palace
palestra (f.) = gym
palestra (f.) = gymnasium
pallavolo (f.) = volleyball
palude (f.) = swamps
pane (m.) = bread
panetteria (f.) = bakery
panettiere (m.) = baker
panettiere (m.) = baker
panino (m.) = sandwich
panino dolce = sweet roll
panna (f.) = cream
pantaloni (m.p.) = trousers
papà (m.) = dad, father
pappa (f.) = baby food
parecchio = much
parete (m.) = wall
parlare = to talk
parrucchiere (m.) = hairdresser
parte (f) = part, fa parte = it makes part,
in parte = partly
particolare (m.) = detail
partire = to leave
passare = to spent
pastello (m.) = pastel/colored pencil
pasticceria (f.) = pastry shop
patata (f.) = potat
patatina fritta = potato chips
pattinare = to skate
paura (f.) = fear
pavimento (m.) = floor
pelle (f.) = leather, skin

penna (f.) = pen
pennarello (m.) = felt-tip pen
pentola (f.) = pot
peperone (m.) = pepper
perdere = to miss
perdere il treno = to miss the train
perfetto = perfect
pericoloso = dangerous
periferico = suburban
periodo (m.) = period
permettere = to allow
però = but
persona (f.) = person
persone = people
personale = personal
pesca (f.) = peach
pesce (m.) = fish
peso (m.) = weight
pettine (m.) = comb
piacere = pleasure, che piacere!
= how nice!
piacere = to like
piacevole = nice
piano (m.) = floor
pianta (f.) = house plant
piatto (m.) = dish
piccolo = small
piede (m.) = foot, a piedi = walking
(on foot)
pieno = full
pietra (f.) = stone
pigiama (m.) = pyjamas
pila (f.) = battery
pile (m.) = fleece
pinna (f.) = fin
pinze (f.) = pliers
pioggia (f.) = rain
piovere = to rain
piscina (f) = swimming pool
più = more, più o meno = more or less
pizza (f.) = pizza
plastica (f.) = plastic
poco = little/a bit, un poco = a little bit,
pochissimo = too little
poi = then
pollo (m.) = chicken
poltrona (f.) = armchair
pomodoro (m.) = tomato
porta (f.) = door
portare = to wear
posata (f.) = cutlery
posto (m.) = place
potere = can
povero = poor
pranzo (m.) = lunch

preferire = to prefer
prendere = to take, to collect, to pick
prendersela comoda = to take it easy,
non prendertela = don't worry
preoccuparsi = to care, to be worried
preoccupato = worried
preparare = to set
presentare = to introduce
presentazione (f.) = presentation
presto = soon/early, così presto
= so soon
prezzo = price, metà prezzo = half pric
prima = before
primo = first
private = private
problema (m.) = problem
prodotto (m.) = product
produttore (m.) = producer
professione (f.) = occupation
professore (m.) = professor
professoressa (f.) = professor
profondo = deep
profumeria (f.) = perfumery
progettare = to design, to plan
promettere = to promise
promosso = promoted
pronto = ready
proprio = own
prosciutto (m.) = ham
prossimo = next
provare = to try
pubblico = public
pulire = to clean
pulito = clean
pulsante (m.) = button

● Q ●

quaderno (m.) = exercise book
quadro (m.) = picture
qualche = some
qualche volta = sometimes
qualcosa = something
qualcuno = somebody
quale? = what? which?
quartiere (m.) = neighborhood
quarto = fourth
quasi = almost
quattordicesimo = fourteenth
quattordici = fourteen
quattro = four
quello = that
qui = here, da qui = from here
quindicesimo = fifteenth
quindici = fifteen

to = fifth

R

hetta (f.) = pole
olta (f.) = collection
olto = tied
zza (f.) = girl
zzi (m.) = guy
zzino (m.) = kid
zzo (m.) = boy
jungere = to reach
one (f.) = reason
one (f.) = reason, aver ragione
be right
oniera (f.) = accountant
(m.) = ragout
mente = seldom
perare = to recover
lo (m.) = gift
stro (m.) = register
are = to remain
o (m.) = rest/change
rca (f.) = research
vere = to receive
noscere = to recogniz
rdare = to remember
rdo (m.) = memory
to (m.) = trash
(f.) = line, ruler
ello (m.) = ruler
ardare = to take into consideration
iguarda = in my opinion
sarsi = to relax
rare = to repair
ano (m.) = shelf
sare = to rest
tto (m.) = risotto
ondere = to answer
orante (m.) = restaurant
cire = to be able, to succeed
olare = to roll
esciare = to throw
inetto (m.) = faucet
oroso = noisy
so = Russian

S

bia (f.) = sand
bioso = sandy
chetto (m.) = bag
da pranzo(f.) = dining room
lo (m.) = sale

salire = to get on (board)
salire sul treno = to get on the train
salotto (m.) = living-room, lounge
salume (m.) = salami
salumeria (f.) = delicatessen
salutare = to say hello
salve = hello
sandalo (m.) = sandal
sapere = to know
saporito = tasty
sarto (m.) = tailor
scadenza (f.) = expiration, data di
scadenza = expiration date
scaffale (m.) = shelf
scala (f.) = stair
scarico = flat
scarpa (f.) = shoe
scarpa (f.)= shoe
scarpa col tacco = heeld shoe
scarpone (m.) = skiboot
scarto (m.) = rubbish
scatenato = wild, rambunctious
scatola (f.) = box
scendere = (da) to get off from
scherzare = to kid, to joke
scherzo (m.) = joke
schiacciato = flat
sci (m.) = ski
sci d'acqua = water-skiing
sciare = to ski
scientifico = scientific
scomodo = uncomfortable
sconosciuto = unknown/stranger
scontrino (m.) = receipt
scoprire = to discover
scrittore (m.) = writer
scrivania (f.) = writing desk
scrivere = to write
scuola (f.) = school
scuro = dark
scusi = sorry, excuse me
sdraiarsi = to lain down
sdraio (f.) = deckchair
secondo = second
secondo = the second, a seconda di
= according to
sedicesimo = sixteenth
sedici = sixteen
seguire = to follow
sei = six
sembrare = to think
semestrale = semiannual
semplice = simple
sempre = always

sentire = to listen
sentirsi = to feel
sentirsi divisi = to feel divided
sera = evening, buona sera
= good evening
servire = to be useful, to help
servire i clienti = to help customers
sesto = sixth
sete (f.) = thirst
sette = seven
settembre = September
settimana (f.) = week
settimanale = weekly
settimo = seventh
sfacciato = cheeky/insolent
sguardo (m.) = glance
sicuro = sure
signora (f.) = Mrs., lady
signore (m.) = Mr., gentleman
signorina (f.) = Miss
simpatico = nice
sinistra = left, a sinistra = on the left
sistema (m.) = system
sistemare = to arrange
smettere = to stop
socievole = friendly
soldi (m.p.) = money
sole (m.) = sun
solito = usual, di solito = usually
solo = only, alone, da solo = alone
soprattutto = above all, mostly
sorella (f.) = sister
sorvegliare = to look
sorvegliare i bambini = to look after the
children
sotto = under
sottopassaggio (m.) = underpass
spaghetti (m.p.) = spaghetti
spagnolo = Spanish
spaventoso = frightening
spazzola (f.) = brush, a spazzola =
crew cut
specchio (m.) = mirror
speciale = special
specializzato = specialized
spesa (f.) = to do the shopping, andare a
fare spese = to go shopping
spesso = often
spettacolo (m.) = show
spiaggia (f.) = beach
spiegare = to explain
sporco = dirty
sportivo = sport
sposato = married

VOCABOLARIO

squadra (f.) = set square
stanco = tired
stanza (f.) = room
stare = to be, to stay, come sta?
= how are you?
stesso = same
stile (m.) = style
stipendio (m.) = salary/income
stirare = to iron
stivale (m.) = boot
storia (f.) = history/story
strano = strange
strumento (m.) = tool
studente (m.) = student
studiare = to study
succo (m) = juice
succo di frutta = fruit juice
suocera (f.) = mother-in-law
suocero (m.) = father-in-law
supermercato (m.) = supermarket

• T •

tagliare = to cut
tagliatelle (f.p.) = noodles
tailleur (m.) = suit
tanto = much
tappeto (m.)= carpet/rog
tasca (f.) = pocket
tavola (f.) = table
tavolino (m.) = little table
tavolo (m.) = table
taxi (m.) = taxi
tazza (f.) = cup
tazzina = coffee cup
tè = (m.) tea
tecnica (f.) = technique
tecnico (m.) = technician
tedesco = German
telefilm (m.) = TV movies
telefonare = to call
televisore (m.) = television
temperino (m.) = sharpener
tenda (f.) = curtain
tenda (f.) = tent
terzo = third
tesoro (m.) = treasure, è un tesoro!
= he/she a treasure!
test (m.) = test, test di matematica
= mathematic test
testa (f.) = head/brain
tetto (m.) = roof
timido = shy
tipo (m) = guy, tipo allegro = good guy

toast (m.) = toast
toccare = to touch
tonno (m.) = tuna fish
torre (f.) = tower
torta (f.) = pie
toscano = Tuscan
tovaglia (f.) = table cloth
tradurre = to translate
traghetto (m.) = ferry
tramezzino (m.) = sandwich
tranne = except
tranquillo = quiet
tre = three
tredicesimo = thirteenth
tredici = thirteen
treno = train, in treno = by train
triste = sad
troppo = too much
trovare = to find
tuo = your
turno (m.) = working hour/duty hour
tuta (f.) = tracksuit
tuta da sci = ski suit
tutto = all, tutti e due = both

• U •

ufficio (m.)= office
uguale = same
ultimo = last
umore (m.) = mood, buon umore
= good mood
un sacco (m.) = bag, un sacco di cose
= a lot of things (172)
undicesimo = eleventh
undici = eleven
uno = one
uomo (m.) = man
uovo (m.) = egg
usare = to use
usato = used
uscire = to go out
uscire = to go out

• V •

vacanza (f.) = vacation
vacanza (m.) = vacation
vantaggio (m.) = benefit
vario = various
vasca (f.) = bath-tub
vasetto (m.) = jar
vaso (m.) = pot, vaso di fiori = flowerpot
vecchio = old

vedere = to see, ci vediamo domani
= to see you tomorrow, ci vediamo do
= to see you later.
vedersi = to meet
vegetariano = vegetarian
vela (f.) = sail
velluto (m.) = velvet
velocità (f.) = speed
vendere = to sell
venire = to come, da dove viene?
= where are you from?
ventesimo = twentieth
venti = twenty
verdura (f.) = vegetables
verso = towards
vestirsi = to dress oneself
vestito (m.) = clothing
vetro (m.) = glass
viaggiare = to travel
vicino = near
vigile (m.) = traffic officer
villa (f.) = villa
vino (m.) = wine
visita (f.) = visit
visitare = to visit
vita (f.)= life
vivere = to live
viziato = spoiled
voglia (f.) = wish, aver voglia
= to want
volentieri = willingly
volere = to want
volta (f.) = time, la prima volta
= the first time
volta = time, altra volta = next time
vuoto = empty

• W •

water (m.) = toilet

• Y •

yogurt (m.) = yogurt

• Z •

zaino (m.) = backpack/schoolbag
zia (f.) = aunt
zio (m.) = uncle
zona (f.) = area
zucchero (m.) = sugar